講談社文庫

密告

真保裕一

講談社

目次

密告

《登場人物》

萱野貴之	川崎中央署生活安全総務係
矢木沢稔	川崎中央署生活安全課長
矢木沢美菜子	その妻
堀越達郎	西相模原署署長
堀越幸恵	その娘　神奈川県警射撃チーム員
蔵原嘉郎	東翔産業社長
佐久間昌夫	佐久間企画社長
諏訪部宗平	元県会議員
広永勝一	神奈川日報社会部記者

誰にでも夢はある。

私にもかつてはあった。人から見れば、あまりに大きく、私という個人の器を越えた不相応なものに映ったかもしれない。

夢は近づきたいと願うほどに光り輝き、そのまばゆさゆえに、人は己の立つ位置を見失う時がある。私もそうだったかもしれない。手を伸ばせば届く距離にあるように見えた。心の底から渇望し、あらゆるものをなげうち、ただ夢に向かって歩き続けた。

今でも時々夢想することがある。

ライトに照らし出された標的。光を鈍くはね返す銃身。電光掲示板に輝く文字。熱気。選手たちの息づかい。胸の鼓動……。

「ロード」

ざわつく場内にひとたび射場役員のアナウンスが流れると、辺りが水を打ったように静まり返る。22口径弾をピストルに装塡する金属音がやけに大きく響き始める。人々の視線が、世界から選りすぐられた精鋭たちの一挙手一投足に釘づけとなる。観覧席はもちろん、テレビカメラを通して、世界中の視線が射場内の選手にそそがれる。

準備に許される時間はほぼ一分。装塡を終えると、選手は銃のグリップを握りしめながら最後の深呼吸をくり返す。鼓動にわずかでも乱れが出れば、指先にぶれが生じる。たとえ一ミクロンの手元のぶれでも、標的の置かれた二十五メートル先では一センチにも二センチにも広がる。

握りに合わせて削ったグリップは、ぴたりと掌《てのひら》に吸いつき、愛用のピストルは、すでに腕の延長になっている。トリガーの重さは、指先の筋力と弾き方の癖に合わせて入念な微調整を終えてある。トレーニングは積んだ。やり残したことは何もない。あとは己を信じるのみ。

「アテンション！」

射場役員の号令がアナウンスされる。

利き腕を標的に向け、射撃線の内側に立つ。スタンスは肩幅よりちょうど一足分広めに取る。それがいつもの私のフォームだった。ピストルを握った腕は垂直線から四十五度の高さを超えてはならない。このレディポジションを保ち、息を詰めて、スタートの号令を待つ。

「5、4、3、2……」

秒読みとともに心臓が脈打つ。視界が急速にせばまって行く。前方の標的はまだこちらを向かず、支柱の陰に隠されている。利き腕と指先、そして右目に全神経を集中させる。射場役員の秒読みが遠のく。過去の苦しいトレーニングは忘れた。目先の結果も頭から振り払った。ただ一点、やがてこちらを向く、今は見えない標的だけを見つめる。

「スタート！」

その瞬間、二十五メートル先で標的が回転してこちらを向く。素早く利き腕を上げる。標的は五つ。得点圏は直径五十センチの円内。最高点である十点圏はその中心、直径たった十センチの円。

標的が正対している時間は、八秒、六秒、四秒の三種類。腕を上げるとともに照準を合わせ、指先にわずかな力を込める。続けて五発。左から右へとピストルを流しては、息つくまもなくトリガーを引く。そのコンマ何秒かの瞬間——まばたきにも満たない刹那《せつな》——選手は弾が何点圏に命中したか、二十五メートル離れた先からも見当がつく。はずした。そう分かると、次の標的への狙いに狂いが生じる。心の動揺と戦いつつトリガーを弾き続ける。

五発を撃ちつくし、衝撃がじわじわと指先から腕へ伝わってくる。つかのまの弛緩と静寂。やがて係員によって得点が集計され、射場内をどよめきと歓声が埋める。

何もセンターポールに日の丸を揚《あ》げたい、という大それた夢を持っていたわけではない。メダルも入賞も、ファイナルさえ望んではいなかった。ただ——。

ただ、オリンピックに出たかった。

世界中の強者たちとピストルを交え、己の腕を、可能性を試し、自分という人間が今ここにいる——それを実感したかった。

夢は甘く美しく、そしてはかない。あまりにも細い茎によって支えられた、華麗な大輪の花のようなものだ。その美しさの裏には、あっけないほどのもろさが隠されている。

私は努力を重ね、あらゆる犠牲を払い、もう少しで手の届くところまで行った。そして、力ずくでつかもうとして、自らの手で輝く夢を摘み取った。

1

すぐ後ろに立たれるまで、彼の気配に気づかなかった。

私は仕事に集中していた。とりわけ職務に熱心なわけではない。その逆だった。私はほぼ毎日、定時になると署を引ける。古物商や風俗営業店の許認可や罰則通知、それに銃砲刀剣類の所持許可証など、生活安全総務係の受け持つ書類は多く、デスクには常に仕事が山と積まれている。それを片づけるのが私に与えられた仕事だ。だからその朝も、役目に徹していたにすぎない。

彼が内線電話で呼ばれ、慌ただしく部屋から出て行ったのは承知していたが、まさか戻るなり、私の背後に立つとは想像もしていなかった。彼は私を避けていた。私も彼を避けていた。それは生活安全課に所属する誰もが知っていた。

辺りが急に静まり、同僚たちがなぜか仕事の手を止め、私を見ていた。気配に気づいて振り返った。

矢木沢《やぎさわ》稔《みのる》が立っていた。

投げつけるようにして名前を呼ばれた。

「萱野《かやの》!」

ふいをつかれて動揺した。上司から語気鋭く呼ばれたからではない。かつて私は矢木沢から、幾度も呼び捨てにされ、手ひどくなじられた経験がある。

「どうしておまえは、こんな卑劣な真似しかできない。また裏でこそこそ立ち回っていたのか!」

血の気の引く思いがした。怒りに頬を震わす矢木沢の顔から目が離せなかった。

長身、痩軀。警察官の中では珍しくスーツの似合う男だったが、今日はその着こなしが崩れて見えた。長く流した髪が乱れて額に貼りつき、趣味のいいネクタイも傾いていた。こめかみが青く浮き立ち、奥歯を固く嚙《か》みしめているのが見た目にも分かった。振り向いた私の顔から、つゆほどもそらそうとしない視線の奥で、アスファルトを焼く陽炎《かげろう》のように敵意がはっきりと揺れていた。

「そんなに俺が憎いか? 涼しそうな顔して机を並べながら、胸の中ではどうやって俺の足をすくおうかと、さもしい根性で考えていたわけだ。俺が何をした? 好きでお前の上に来たと思うか? 誰がおまえと机を並べたいと考える。それを、こそこそと人目を盗み――」

あっけにとられた。人目をはばかり、隠れるようにしたのは事実だったが、彼の足をすくおうと考えたことはない。違った。あのことではなかった。

「課長、何を……」

「とぼけるな！　おまえ以外に誰がいる。こんな浅ましい真似をするやつが、ほかにいるか！」

興奮と語気が呼び水となって新たな怒りを呼び、彼は口を開くごとに自分を見失っていった。冷静沈着な射撃の腕から、精密機械と称された、かつての矢木沢の姿はそこになかった。

彼の怒りの先が読めずに戸惑った。真実、あのこと以外には、怒りをぶつけられる理由が思い当たらない。八年前なら話は別だ。私はなじられても当然のことを彼にした。彼が自ら招いたものとの見方はできたが、些細《ささい》な点を突いて、大きく火と非をあおったのは私だ。怒りの矛先《ほこさき》を向けられたところで、彼の心情は手に取るほどに理解できた。

しかし、もう八年も昔の出来事で、すでに彼は私に痛烈な一矢を放ち、私たちは相身互い、相応の報いを受けた。今になって過去を引きずり出し、人前で再び私をなじる必要があるとは思えなかった。

「俺が何をした。誰でも同じようなことをしているだろうが。それをおまえは……」

矢木沢の右手がゼンマイ仕掛けのようにぎくしゃくと動いた。人目がなかったら、おそらく彼は私の胸ぐらに手をかけていただろう。昔のように。

矢木沢は振り上げた手を虚空で握ると、デスクに積まれた書類の上に振り下ろした。

「俺が憎いなら、どうして直接ぶつかってこない！」

書類が床に散らばった。拾い上げようとする者は誰一人としていなかった。静止画のように課内が息を詰めていた。

「言いたいことがあるなら、俺に言え。こそこそと裏でかぎ回って何が楽しい。おまえほど腐った根性の持ち主は見たことがない」

矢木沢の腕が再び私のほうへと伸びた。男にしては長く白い指が――射撃チームの後輩たちから羨望の眼差しを向けられた指先が――私の左肩を強くつかんだ。彼の怒りが鈍い痛みとなって伝わってきた。

「これで終わりじゃないぞ。俺はこんなことで終わりはしない……終わってたまるものか」

矢木沢は突き放すようにして、私の肩を押しやった。怒りながらも彼は最後まで毅《き》然《ぜん》としていた。部下たちの目の集まる中、普通なら胸を張って個人的な諍《いさか》いを演じられるものではなかったが、彼の態度からは自分への揺るぎなき自信が感じられた。

矢木沢は憤然と踵《きびす》を返した。窓際にある彼のデスクには、慌ただしく呼ばれた跡を示すように、黒革の鞄が置かれたままになっていた。それをつかむと、彼は仕事が始まったばかりの、自らが治めるべき部屋から、臆する気配も見せずに胸を張ったまま出て行った。

台風が頭上を通りすぎると、人々は窓に打ちつけた板を取り去り、我が家からそろそろと顔を出した。誰もが自分の庭に被害が及ばなかったことを安堵《あんど》していたが、運の悪い隣人を気づかってか、すぎ去った台風の話題に触れようとする者はいなかった。

五分後に、課長補佐の相良《さがら》警部に内線電話が入り、署内某所へ呼び出されて行った。昼前に戻って来たが、私たち課員への説明は一切なく、表面上は何事もなく職務が遂行されていった。

午後になって、ようやく事情がぽつぽつと断片的にだが、署内の噂話として伝わってきた。

今朝、定例の署長への申し送りのあとに、主だった幹部が署長室に集められた。しばらくして矢木沢一人が先に放免され、代わりに相良が呼び出され、その直後に矢木沢名義の休暇願が警務課に回されてきたという。理由は、病気療養。私たち課員は、彼が課に戻ってから、書面を認《したた》める時間がなかったことを知っている。

署長は午後の予定をすべてキャンセルし、公用車であたふたとどこかへ出かけて行った。昼すぎには署内にいた係長職以上の者があらためて三階の講堂に集められ、副署長から異例の訓辞があったとも聞いた。なぜかその内容を上司から聞かされた者はなく、箝口《かんこう》令が出されたとしか思えない状況だった。

同僚たちが、私に教えてくれたのではない。仕事の合間に漏れ聞こえた噂話に耳をそばだて、大筋をつかんだ結果だった。おそらく署内の別の場所では、私も登場人物の一人として、彼らの話題にのぼっていたはずだ。その証拠に、課内の誰もが私に話しかけづらそうな顔をしていた。

八年前、私と矢木沢に何があったのかは、生活安全課にいる者なら、まず誰もが知っていただろう。藪《やぶ》をつついてわざわざ蛇を出す愚か者はいない。

六時まで仕事をした。片づけるべき書類はまだ残っていたが、私は席を立った。明日できる仕事は明日のために残しておく。それが役所のルールだった。

捜査職にない我々の仕事は、警察とはいえ、お役所仕事とさして変わりはない。警察官たる者、デスクワークではなく外勤で点数を上げるべき、との考え方は一部に根強く、また、残業する時間があるのなら昇進試験のための勉強をしろ、と善意からのアドバイスをくれる上司もいた。

保安係も少年係も、まだ外回りから戻っていない者が多く、閑散とした課内にそれとなく「お先に」と声をかけて部屋を出た。

通用口に続く裏階段を下りながら、どこから電話をかけようか、と考えていた。だから背中のほうから声が聞こえてきても、最初は私にかけられたものだとは思わなかった。

「――執念だな」

通用口の前に差しかかった時だった。振り返ると、五十年配の小太りの男が背を丸めて薄暗い廊下を歩いて来た。川崎中央署には、二百五十人からの警察官と約三十人の事務吏員がいる。私の記憶の中で、顔と名前が一致している者はそう多くない。

「よりによって、あんたの上に来るんだから、あの人もついてない男だな」

近づきながら、男は独り言のように口の中で呟いた。見回したが、廊下には私たち以外に誰の姿もなく、それで私への呼びかけだったらしいと辛うじて理解ができた。

男は髭《ひげ》の目立ち始めた顎を引き、横目で私を見ながら足を止めた。一階の警務課の辺りで見かけた顔のような記憶がわずかに甦ってきた。小さな四角い窓によって切り取られた夕陽が射し、男の小動物のような目の周囲を紅く染めた。

「上の連中ばかり、いつもいい思いをしてるからな。あんたのほうに、そんな意味はなかったのかもしれないけど、よくぞやってくれた。久しぶりに胸のすく思いがした」

男はひとしきり頷くと、四角い夕陽に背を向けて歩き出した。

「待ってください」

あとを追った。男は足取りをゆるめなかった。用は終わったと言いたげな、無愛想にも映る目を返された。

「今のはどういう意味です？　矢木沢課長と私が何か……」

「誰もあんたを責めちゃいない。署のみんなだって、同じ気持ちに決まってる」

「私には何のことだか……」

「分かってるよ、あんたの気持ちは。誰もあんただなんて、言いやしない」

意味ありげな視線で見つめられた。何を今さら。そう目が雄弁に物語っていた。

「すみませんが、話を最初からしていただけませんか。私にはどうも――」

「だから分かってるって。あんただってことは、絶対に上には言わない。安心してくれ」

男は肩を揺らして早口に言い残すと、そそくさと通用口から出て行った。声をかける暇も見せない素早さだった。

のけ者にされた子供のように、しばらくはその場に立っていた。どうやら今日一日で、私と矢木沢の関係は署内のかなりの部署にまで広まったようだ。それは想像できた。だが、理解できないことが私にはあった。

声をかけてきた男は私の気持ちが痛いほどに分かると言ったが、私には、自分のどんな気持ちが彼に知られているのか、皆目見当がつかなかった。


親はなくても子が育つように、噂は人の間を行き交い、疚《やま》しさや好奇の目や嫉妬心をかてに自ら成長していく。火のないところに煙は立たないだろうが、焼き尽くされた火災現場では時に火元すらつかめなくなる。八年前がそうだった。少しは私も鍛えられた。その証拠に食事は喉を通った。酒場のネオンや看板を見ても、安易に引き寄せられはしなかった。

それよりも、私は公衆電話が気になっていた。駅のコンコースで何度足を止めただろうか。指に馴染んだナンバーを押せば、すぐにでも彼女の声が聞けた。公衆電話を見かけるたびに、約束を守ろうとする決意と足元がぐらぐらと揺れた。

アパートに帰り着いてからも、フロアに置いた電話を見つめて夜を過ごした。願いは通じなかった。彼女からの電話は十日もない。少なくとも今日は私からかけられない、と理解していた。それでも悩み、幾度も受話器に手を伸ばしかけては、誘惑に耐えた。

『あの人、女がいるのよ、きっと……』

十日前の彼女の声が、今も耳の奥に貼りついている。連絡はできる限り私から彼女の勤め先にしていた。珍しく彼女のほうからかけてきた電話だった。当たり障りのない世間話のあとで、彼女は謎かけでもするように、ささやいた。

『あの人が何時まで署にいたか、あなたなら分かる？』

嫌でも分かった。同じ職場にいるのだから。

『先週の木曜日と金曜日、仕事で遅くなったって言ってたけど。そう？』

金曜日は確か防犯係の取り締まりが十一時すぎまであったはずだった。

『土曜日も、自分から電話して、どこかへ出かけて行った。あれも仕事かしら』

公務が入っていなかったのは確かだと思う。それらしき話は聞いていない。そう答えると、彼女は確信ありげに言った。

『あの人、女がいるのよ、きっと……』

私と会う時の彼女はいつも少女のような臆病さを見せたが、なぜか電話になると、決まって三十という年齢を軽く飛び越え、余裕あふれる物言いに変わる。

『きっと、そう。私には分かる。ねえ、あなたもそうだとは思わない？』

何を言われたのか、言葉の意味は考えるまでもなく理解していた。同じ職場に勤める者なら、仕事帰りに彼がどこへ立ち寄るか、確認するのはそう難しくない。ましてや私は、曲がりなりにも警察官だった。

たった一言で、彼女は苦もなく私を動かし、答えを得ようとした。残念ながら、まだ確証はつかめていなかったが、今日の彼の誤解が気がかりだった……。

悩んだあげく、やはり電話はできなかった。

当然だ。彼女の夫が休暇願を出して家に引き込んでしまったのを、今朝、私は知ったばかりなのだ。仕事のために普段から家をあけがちな彼が、今日は早々に署を引け、帰宅していた。そんなところへ電話をできるはずがなかった。

それでも迷い、悩んだ自分に嫌気がさし、今日も味気ない一日が終わった。

翌日、矢木沢は署に姿を見せなかった。相良警部が代役を務め、仕事は滞りなく進んだ。彼はそれが十年来の仕事であったかのように、当たり前の顔をして私たちに指示を下した。葬式や火事になると俄然張り切り出す性質《たち》の者はいる。

矢木沢の休みの理由については、相良警部の口から説明されなかったし、課員の誰も尋ねなかった。耳を澄ましても昨日以上の情報は聞こえず、噂話が万能ではないと知らされた。私のいる生活安全総務をのぞけば、課員は外に出る機会が多く、朝から署内の情報を集めていられるような余裕はなかった。

デスクワークの利点を生かして、トイレに立ったついでに一階まで足を延ばした。警務課の前で、それとなく昨日の男の顔を探した。警務の者なら部屋にいるのが普通だし、矢木沢の提出したという休暇願を確認できる立場にもある。

いた——。地域課に近い奥の席だった。難しそうな顔で分厚い書類の束に向き合っていた。一階は普段から市民が訪れるために、警務課員もほとんどが警邏《けいら》や交通課と同様に制服を着用している。男の袖口には、銀の線が一本見えた。階級は私と同じ巡査部長だ。

昼の時間を見計らい、再び一階に下りた。食堂へでも立ったのか、丸顔の巡査部長はいなくなっていた。代わりに、手前のデスクでパソコンに向かう若い婦警に話しかけた。先日、ある本を署員の一人に貸したのだが、確か警務の方だったと思う。五十年配で顔の丸い、小太りの巡査部長さんがおられましたよね？　婦警はキーボードをたたく手を止め、頬をゆるめた。

「それなら、吉森《よしもり》さんです。丸顔の巡査部長さんは彼しかいませんから」

「いや、そんな名前じゃなかったと思う。人違いのようだ」

人を疑うことを知らない婦警に礼を言って、警務課を離れた。

地下の食堂に向かいかけ、階段の前で思い直した。食堂ではあまりにも人目が多い。昨日の彼の態度からは、人前で私と親しくするつもりはないようだった。矢木沢が署長室に呼び出されて休暇願を書いた事実から察しても、あまり人前で公然と交わせる話題でもなかった。勤務中も難しい。残るは、仕事帰りを待つしかない。

五時十五分までが長かった。いつもより少し早かったが、幸いにも今日は目を光らせている課長がいない。担当係長の柳川《やながわ》警部補も席を外していた。

吉森の引ける時間は分からなかった。待ちぼうけを食わされることも覚悟したほうがいいと思い、トイレに寄った。

鏡の前で手を洗っている時だった。またも背後に誰かが立った。

昨日の今日なので、反射的に身構えていた。顔を上げると、鏡の中に柳川警部補の姿があった。昨日より多少は柔らかみのある目に見えたが、あくまで私の感想と願望がそう思わせただけだったかもしれない。

「今日はもう帰るのか」

「はい」

洗面所の前をあけると、柳川は当然のように進み出た。

「ほかにやり方があっただろ。少しは課内のことも考えたらどうだ」

何を言われたのか、すぐには分からなかった。

「いい気なもんだ」

昨日の吉森と同じ誤解だった。彼らはそろって、私が矢木沢に何かしたものと思い込んでいる。八年前のあの時と同じように。

「お言葉ですが、係長。私には思い当たるふしがないのですが」

「自分で認めるわけにはいかないだろうよ」

「本当なんです。私には何も……」

「誰がいる。課長のことを密告しようなんてやつが、ほかにいるか？」

密告――。

その二文字が、ずしりと重みをともない胸から腹へ落ちていった。

柳川は両手の水を払った。安っぽいネタをもとに金をせびろうとする情報屋に向けるような目で見つめられた。

「いいか、萱野」

「生活安全課の長ともなれば、どうしたって地元の業界関係者と飯を食わなきゃならない時がある。確かに、多少は行きすぎた点があったのかもしれない。しかしな、警察官だって人間だ。酒が入れば、頭ではいけないと理解しながらも、つい油断して相手の言葉に乗せられてしまうことだってある。それをいちいち贈収賄《ぞうしゅうわい》まがいの交際だと署長に指されたのではたまらない」

柳川はペーパータオルを手の中で握りつぶすと、見限るように私から目を背けた。

「課長でなくとも、怒鳴りつけたくなるさ」

丸めたペーパータオルを屑籠に向かって投げ捨てた。外すような距離ではなかったが、愚かな部下を前にした怒りのためか、手元に狂いが生じた。転々と床を転がり、私の靴先にぶつかった。だが、丸められたペーパータオルも、私の自尊心ほどには、しおれていなかっただろう。

洗面所の鏡の前から動けなかった。柳川の背中が切り取られた視界の中から消えて行った。鏡には、屈辱に唇を噛む男の姿だけが残された。

私はやっと、矢木沢から人前で非難された理由を知った。吉森や柳川たちに、どう誤解されているのかも。

気づかれていた。あの時――矢木沢に顔を見られていたのだった。

先週の土曜日の夜――。

私は矢木沢を密かに尾行した。中原区小杉陣屋町にある彼の自宅前から。休日だというのに、タクシーを呼んで外出した彼のあとを。

行き先は、多摩川を越えた等々力《とどろき》だった。彼は駅前の商店街から少し入った住宅地の一角でタクシーを降りた。小作りな腕木門《うでぎもん》に控えめな暖簾《のれん》の提げられた料亭の前で、彼は年配の女将《おかみ》に笑顔で迎えられると、小石の敷き詰められた門の奥へ姿を消した。

彼がそこで誰と会おうとしているのかを知りたくて、私は料亭の近くに車を停めて待ち続けた。二時間半がすぎ、やがて黒塗りのハイヤーが玄関前に着けられた。矢木沢が、五十年配の痩せた男と談笑しながら木戸をくぐって現れた。痩せた男が何度も頭を下げる中、彼は上機嫌でハイヤーに収まった。料亭から先は通りの道幅が狭くなっており、ハイヤーがターンしようとフロントの向きを変えた。その瞬間、ヘッドライトが流れて、私の車を照らした。一瞬だったから、気づかれなかったろうと思っていた。だが、あの時、彼に顔を見られていたのだ。

五分後に、濃紺のメルセデスが木戸の前に到着し、痩せた男も帰って行った。メルセデスのナンバーは今も手帳に控えてあるが、その人物が何者だったのかを、私はまだ調べていない。なぜなら、相手が男性だったからだ。

あの日、私は矢木沢のあとをつけたが、彼の交友関係を洗い、地元業者とのつながりを暴《あば》き出そうと思ってのことではなかった。この一週間、私は彼のあとを追い回した。矢木沢の不貞の証拠がつかめれば、それで彼女の踏ん切りがつく——と考えて。そうあってくれと祈りながら。

『あの人、女がいるのよ、きっと……』

この一週間、女の影はまるでなかった。

トイレで柳川と出くわしたのがいけなかった。その間に吉森は署を出たらしく、私は通用口の近くで二時間にわたって待ちぼうけを食らい、それから仕方なく肩を落として家路についた。

水曜日も、矢木沢のデスクは一日空席のままだった。責任者の不在が続いても、課内の仕事は順調に進んだ。組織の懐《ふところ》は深く、ましてや現場では口うるさい上司のいない時のほうが、何かと仕事のはかどるケースもあった。デスクワークに関しては、相良警部が「急に仕事が増えちまったよ」とぼやきながらも嬉々として代理業務に勤《いそ》しみ、彼はこの二日で少なくとも五歳は若返ったように見えた。

係長の柳川は、必要最小限の言葉しか私にかけてこなかった。彼はかつての事情をどこからか聞きつけて以来、もとより私を明確なお荷物と見なしていた。仕事に支障をきたさない限り、上司が部下をどう思おうと別に問題はなく、昨日彼が上司を思いやって発言した通りに、警察官も人間で、だからこそいろいろなタイプの者がいた。

昨日の今日ではあったが、五時十五分になると早々にデスクを片づけて席を立った。柳川はあくまで無関心を装っていた。お荷物である自分の立場を今日ほどありがたいと思えたことはなかった。

通用口に近い路上で三十六分待った。

吉森は私の姿を見かけると、一瞬立ち止まり、出て来たばかりの通用口に戻りかけた。

「忘れ物でもしましたか」

声をかけると、仕方なさそうに肩をすくめた。観念した籠城犯さながらに、おとなしく裏門から出て来た。私が待ち受けていた理由に思い当たったのだろう。ちらりと署のほうを見やると小声で短く言った。

「歩きながら聞こう」

背を丸めて、振り切るような早さで裏通りを歩き出した。一歩でも遠く、一秒も早く、署から離れたいと見える足取りは、つまり、私がそれほど署内で評判になっているとの表れでもあった。

「どこかで食事でもいかがでしょう?」

「休暇願を出した形にはなってるが、一種の謹慎だな、あれは」

前置きなしの本題に、私は戸惑い、吉森との距離が開きかけた。

「課長さんだよ、あんたの。そのことを訊きたくて俺を待っていたんだろ」

単刀直入。私とは間違ってものんびりと食事をしていられるものか、と言いたげな顔があった。

「昨日、柳川係長からも、吉森さんと同じ誤解を受けました。おそらく信じてもらえないとは思いますが、正直な話、私には心当たりがないのです」

今度はこれ見よがしに太い眉が寄せられた。

「吉森さんは、どうして私だと思われたのです」

「ほかにいるかい？」

「私からの密告だとの証拠が何かあったのでしょうか」

「俺はよく知らないがね」

「吉森さんは、署内の誰よりも早く、課長の謹慎内容について知っていたようでしたが」

「総務だからな。慌てて課長が県警本部のほうへ出向いたり、すぐに係長以上が集められたりすれば、だいたいの見当はつく」

吉森は足をゆるめず、駅前の地下街へと階段を下りて行った。人混みをよけつつ、私は彼の横についた。

「どういうルートから、うちの課長が業者の接待を受けていたと知れたのか、詳しい経緯《いきさつ》についてはご存じですか」

横目で見られた。何を今さら。地下街の雑踏に負けず、心の声が聞こえた。

耳をふさいで私は訊いた。

「密告を受けたのは誰だったのでしょうか」

「俺じゃないのは確かだよ」

「噂も聞いていませんか」

「重要な話ってのは、まず下っ端に聞こえてはこないからね」

エスカレーターを上がり、改札前のコンコースに出た。ドームのような丸屋根に反響し、喧噪がまた一段と大きくなった。吉森は私を気にもせずに改札へ歩き、よれたジャケットから定期入れを取り出した。そこで、ふいに足を止めた。

「なあ、あんた。このままだと課長さん、謹慎だけで終わるぞ」

「だから私は――」

「どう言い訳をしたのか分からないが、県警本部からのお咎《とが》めはなし、と決まったようだ。副署長が電話を受けたあとで、部屋の外にまで聞こえそうなため息をついてたからな」

矢木沢の処分を願っていなかったと言えば嘘になる。だが、よほど大きな問題にでもならなければ、署内の事情が、自宅にいる妻の耳にまで入ることはない。

吉森は自動改札機へ定期券を差し入れ、どこか面白がるような口調で私に呼びかけてきた。

「あんた、それでいいのかい?」

いいも悪いもなかった。密告者は、私ではない。

だが、私ではない密告者は、それでよし、とはしなかった。

その朝はいつになく生活安全課のフロアが人でにぎわっていた。

普段はせいぜい当直係が眠そうな顔で迎える程度だったが、今朝はなぜか課内の係長職以上の者が早々に顔を見せていた。それも、そろって憮然たる表情をして。そのせいで、当直係の巡査までが制服姿のまま、かしこまって席に着いていた。

異様な雰囲気を察し、私はドアの横で足を止めた。四人の係長の視線が、一瞬私に向けられたように感じられた。こんな早朝から係長が雁首そろえて集まる理由はあまり考えられなかった。管内で発砲事件でも発生したのか。しかしその場合は、同時に我々課員も召集されるのが普通だった。

できる限り彼らの注目を集めないように小声で誰にともなく朝の挨拶を呟き、静かにデスクへ歩いた。向かいの席で柳川が、椅子の背に体を預けながら腕を組み、私を見上げるのが分かった。

「署長がお呼びだ」

「何か事件でもあったのでしょうか?」

「いいから、さっさと署長室へ行け」

「――私が、ですか?」

「相良警部も待っている」

短い言葉の端々《はしばし》に、苛立ちの棘《とげ》が含まれていた。わけが分からず、四人の係長の顔を見回した。咎めるような八つの目が私を取り巻いていた。

「早くしないか!」

柳川がフロアを蹴るように立ち上がった。本当ならおまえを蹴り倒してやりたいところだ、と言いたそうな顔をしていた。

無意識のうちに右手を強く握り締めていた。指先が急速に冷えていった。かつて大きな試合の前になると、決まってトリガーを引く右手の指先に血が通わなくなるような気がしたものだった。この感覚は、何年ぶりか。

「どうしたんです、今日は？」

出勤してきた古手の巡査部長が、係長たちの様子を見て、ドアを入ったところで足を止めた。彼の横をすり抜け、私は廊下に出た。

署長から呼び出しを受けるのは初めてで、声すら個人的にかけられた経験はなかった。川崎中央署のトップに就く前は、県警本部の交通部で管理官をしていたと聞いたが、交通部の出身では、かつて私と矢木沢に何があったか知らなくとも不思議ではない。

署長室の向かいに位置する警務課の席には、すでに吉森の顔もあった。彼は私に気づいたが、視線を上げずにやりすごした。どうやら誰の応援も得られないようだった。私は覚悟を決め、重そうな木製の扉をノックした。

「失礼いたします。生活安全総務の萱野です」

「入りなさい」

聞こえてきたのは相良警部の声だった。

「失礼します」

ドアを開けた。窓から射す朝日がまぶしかった。古びた署の中で、ここだけは何年か前に改装の手が入っていた。署長室には多くの訪問客が訪れるので、失礼があってはならない、というのが理由のひとつだったと記憶している。同じ一階の交通課にも、多くの市民が訪れるが、彼らはガムテープで補強されたビニール張りのソファに腰を下ろし、車庫証明や工事許可証の発行を待つ。

中央に置かれた総革張りのソファで三人の男が待ち受けていた。奥の一人掛けに三宅署長。遠藤副署長と相良警部は横の三人掛けに並んで座り、視線を床に落としていた。私は彼らから少し離れたところで立ち止まると、踵《かかと》を合わせて一礼した。

呼び出しておきながら、署長も副署長も私をちらりとしか見なかった。相良も、私ではなく、署長たちの顔色をうかがうようにして言った。

「今、朝刊を見ていたところだ」

テーブルには無駄なほどに大きなクリスタル製の灰皿と並び、何紙かの新聞が重ねられていた。

「見たかね」

「はい、ざっとではありますが」

「気分がいいものだろう」

「は？」

右手の指先が冷たくなった。嫌な予感に人指し指が震えた。もうトリガーを引くことはないというのに、なぜ昔と同じ反応をするのだろうか。

「気分がいいとは何でありましょうか？」

「君のしたことが載っている」

もう少しでテーブルの新聞に飛びつくところだった。辛うじて自制し、言葉にした。

「拝見させていただいてもよろしいでしょうか」

相良は何も答えなかった。上司が許可を与えなければ、我々は犬のようにお預けをくらったままでいなければならない。

「よろしいでしょうか」

再び言うと、副署長が小さく顎を引いた。必要最小限の動作だった。

「失礼します」

社会面からめくっていった。指先がかじかんだようになり、紙面をめくるのに時間がかかった。

その記事は、地方面に載っていた。かつて機動隊に所属していた時は、近隣での式典や道路状況をつかむために地方面まで目を通していたが、今の仕事に移ってからは、ほとんど開きもしなくなっていた。

「警察幹部が関係業者から過剰接待
県警本部による不透明な調査に批判の声も
神奈川県下のＫ警察署生活安全課長（三八）が、所轄内の関係業者から数度にわたり、過剰とも言える接待を受けていた事実が判明し、神奈川県警本部では本人を呼んで詳しい事情を聞いていたが、六日午後、実質的には問題なしとの判断が下された。
Ｋ警察署管内には、風俗営業店を始めとする歓楽地区があり、生活安全課はそれらの店舗の許認可と取り締まりに当たる部署で、その課長が一部の業者と深い交友関係にあったと分かったことで、市民団体ではその取り扱いに注目していた。
県警本部長は定例会見で質問を受け、そういう事例はない、といったんは答えたものの、広報課の指摘を受け、前言を撤回しての新たな発表となった。それによると、指摘を受けた課長と業者社長は、古くからの個人的な知り合いで、その接待も私的交際の範囲を逸脱するものではないとしながらも、市民の誤解を招いた点に対しては充分な注意を促したという。詳しい調査結果は明らかにされておらず、定例会見で指摘を受け、初めて公表したことなどから見ても、内部で密かに処理しようとした形跡は強く、その不透明な処分と対応の仕方に、市民の不審と疑惑は高まっている。」

市民団体、有職者、県警広報課長のコメントとともに、記事はまだ続いていたが、もう充分だった。

乾いた唇を湿らし、私は言った。

「お言葉を返すようではありますが、私はこの記事に関係していません」

誰も何も言わなかった。被疑者に対する取り調べには馴れた者たちばかりだった。追いつめられた者ほど、よくしゃべる。

「署内には、何か私が矢木沢課長の素行を調べ回ったようなことを言う者がいるみたいですが、私にはまったく身に覚えがありません。同様に、この記事とも私は無関係です」

突然、言葉の通じない地の果てへ放り出されたかのような不安に襲われた。最初から彼らは聞く耳を持っていない。

「萱野君」

署長が言った。薄くなりかけた額の脇に手を当て、私を見据えた。

「それならどうして矢木沢君が、部下の前で君を非難したのだろうか」

「私にも分かりかねます」

「しかも、今君が言ったように、署員の多くが君のしたことだと考えている。我々警察官が何の証拠もなしに、決めつけるだろうか」

証拠らしきものがあったにしても、すべては状況証拠にすぎなかった。警察官も人間だ。

時折、見込み捜査に頼り、それゆえに冤罪事件が作られてしまうことがないわけではない。残念なことに。

「経歴を見ると、君も矢木沢君も、かつては本部特練員だった。それも同じ射撃で。そうだね」

「はい」

「その時期を見ると、五年近くもクロスしている。いわば、同じ釜の飯を食った仲間ということになる」

はたから見れば。

「噂では、君と矢木沢君の間で、何かあったと聞く。どういう事情があったのかね？」

「たいしたことではありません」

「萱野君」

副署長が初めて言った。

「署長が直接君から話を聞きたいと言っているのだよ。事情を知らない者から噂を聞いたのでは正確さに欠ける。それでは、君としても困るだろ」

警察は厳然たる階級社会だった。すでに相良は私たちの事情について知っていた。にもかかわらず、どうしても彼らは、私の口からそれを語らせたいようだった。

誰にでも夢はある。私にもかつてはあった。そして、同じように誰にでも思い出したくない過去はある。私は自らの手で、自分の夢を摘み取った。

2

この八年間、私は何を夢見てきたのだろうか。

振り返るまでもなく、夢らしいものは何もなかった。夢を抱くことで、人はうるおいのある日々を過ごせるのだろうが、逆にそれを失った時には思いもしなかった反動を受けもする。初めから叶う可能性のない夢を見るのでは味気なかったし、あまりにもささやかな夢では自分が侘びしく映る。ただ――何も人は夢がなくとも生きていける。私は夢を抱くことなく、この八年を生きてきた。

少年時代の夢ははっきりとしていた。中学からラグビーに没頭し、地元では名門高と言われる高校へ進み、三年の時には文字通り夢にまで見た花園ラグビー場の芝を踏んだ。二回戦でノーサイド間際に惜しくも逆転を喫して敗退したが、将来はもう決まった、これしかない、と心を決めた。大学リーグの対抗戦に出場し、やがては社会人チームで活躍する。若さゆえの過信も手伝い、将来は日本代表の選手になりたいと、ラグビーに熱中した少年なら誰もが思い描く夢を私も密かに抱いたりした。

だが、かつての神童たちは、やがて自分の限界や真の才能を知り、胸の痛みやせつなさや寛容の心を学び、どこにでもいる普通の人になっていく。ご多分に漏れず、私もそんな中の一人だった。花園からひと月もしないうちに、はかなくも最初の夢は散った。

強豪校として名高い大学は、高校の有望選手を一堂に集めて「セレクション」という名の実質的な入学試験を行っていた。監督の薦めもあって、私は二人のレギュラー仲間とともに某大学のセレクションを受けた。すでに大学側にも話は通じており、セレクションは形式的なものだと教えられていた。ところが、私にだけ不合格の通知が届けられた。

フランカーとしては体格がやや物足りなく映ったのかもしれない。だが、私には陸上部の誰にも負けない足があった。三年の春に右膝を試合中に打撲し、それ以来、最後の伸びが少し落ちていたのは事実だったが、怪我を押して練習に明け暮れていたせいで、卒業までの時間を治療に専念すれば問題はないと考えていた。大学側の見方は違った。才能あふれる選手なら、いくらでもセレクションには参加していた。何も怪我をかかえる新人を採る必要はない。完治するとの保証はどこにもなく、賭をしてまで獲得する選手ではない……そう私は判断されたのだった。

監督の骨折りもあり、別の大学のセレクションも受けたが、怪我の噂が伝わったのか、結果は同じだった。あえなく推薦入学の道は閉ざされた。

その時点で、慌てて受験勉強に励んでみたところで遅かった。もとより学力で進学しようとは、これっぽっちも考えておらず、花園だけを目指して毎日の練習に打ち込んできた。そうすることで学校も先生も同級生も、そして両親も、私を認めてくれた。

二部リーグに所属する大学からの誘いはあった。とうてい満員の国立競技場で試合のできるようなレベルとは言えず、社会人チームへのパイプもなく、なぜ自分一人が名もない大学で呑気なラグビーをしなければならないのだ、と思った。一人悔し涙を呑んだ。

浪人する道もあったかもしれない。しかし目指す大学は、セレクションに落ちた者の入部を最初から認めていなかった。一年というブランクも大きい。一人でどれほどの練習ができるものか、不安材料はつきなかった。唐突に夢への階段をはずされ、途方に暮れた。無力感に何をしようにも熱意をなくした自分に周囲が気遣ってくれることを余計負担に感じ、萎えがちになる気をいっそう暗くふさがせた。

そんな時――一枚のポスターが目に留まった。神奈川県警の警察官募集ポスターだった。

二部リーグの大学でお遊びのようなラグビーをして四年を過ごすくらいなら、働いたほうがどれだけましか分からない気がした。社会人リーグへの道が閉ざされたのなら、何も大学への進学に意味はなかった。趣味でラグビーを続けるつもりなら、どこにいてもできた。当時から、社会人リーグの予選に警察本部のチームが顔を出すこともあり、警察ならセレクションなどという足切りもされなかった。こんな自分にも、体を鍛える機会が与えられ、少しは人のためになるかもしれない仕事に就ける。

その場の思いつきだったわけではない。二週間にわたって考え、答えを出した。監督も担任も、両親も賛成してくれた。自分でも悪くない選択に思えた。

悪いどころではなかった。警察は私に二度目の夢を与えてくれたのだった——。

採用試験をパスした私たちは、中原区木月《きづき》にある警察学校で一年間の初任教養を受けた。法学、外勤実務、一般教養などとともに、柔剣道や逮捕術をふくめた術科の実技も授業に入っており、その中には警察官ならではの、拳銃操法の実習もあった。早い話が、射撃訓練である。

最初に銃を手にした時の感想は、そのあまりにも実感の伴わない軽さと手応えのなさへの驚きが何よりもまず大きかった。

警察に採用されている銃の中で、もっとも一般的なものが、ニューナンブM60である。当時は派出所勤務の警察官が、ほとんどこの銃を携帯していた。重量は六百七十グラムで、弾を装塡しても、一キロにはまだ余裕のある軽さだった。撃った時の衝撃も、模造拳銃かと錯覚しそうになるほど頼りなかった。通常、銃身の中には、弾に回転を与えて直進性を高めるための〝溝〟が切られているのだが、ニューナンブの場合は銃身が短かく、他の銃よりも溝の切れ込みがゆるく、少なくなっていた。つまり、発射された弾に回転を与える力が少なく、その分衝撃を抑えられる、というわけである。ところが、逆にそれは、弾の直進性の減少にもつながる。すなわち、命中率が低くなるのだ。

これは、日本の警察が、攻撃のために銃を携帯するのではなく、あくまで身を守るための証《あかし》だとされていた。たとえ発砲を迫られた時にも、最初は警告を与え、次に威嚇射撃をする。狙いをつけて銃を撃つことは、あってはならない。だから命中精度も抑えてある、というのだった。

最初から狙いをつけにくくしているのだから、射撃訓練の結果が思わしくなるはずはなかった。ましてや新人で初めての訓練ともなれば、なおさらだった。命中しなくて当然。当たるほうがどうかしていた。

命中率をあえて抑えた銃を持とうという考え方がまかり通る警察という組織と、それに疑問を感じない者たちの心が、私は不可解でならなかった。身を守るためには、やはりそれなりの射撃の腕が必要なのではないのか。そう考え、私は人一倍、拳銃操法に興味を覚え、訓練に励んだ。

初任教養がまもなく終わろうとするころだった。警察学校内にある地下の射場で、いつもの射撃訓練のあと、教官の一人が私のそばに寄って来た。

猪首の上に坊主頭がちょこんと座り、私たち新人の間では密かに「ダルマおやじ」と呼ばれていた教官だった。普段は、どこにでもいる親切そうな交番勤務の警察官にも似た雰囲気を漂わせているのだが、いざ拳銃操法の実技になると、ふくよかな頬がにわかに締まり、冷徹な鬼コーチに豹変した。彼は私の顔を見回すと、突拍子もないことを真顔になって言った。

「なあ、おまえ、オリンピックに出たくはないか？」

私を競技ピストルの世界に導いてくれたのは、当時警察学校の管理課長を務めていた堀越《ほりこし》達郎《たつろう》警部だった。彼がかつて世界選手権に連続して出場した経歴を持つ、凄腕の射撃選手だった事実を、私はあとになって知らされた。

その日の訓練が終わると、堀越は私を教官控え室に呼んだ。

「おまえ、射撃が気に入ったんだろ？」

当時はまだ真っ直ぐな若者らしい心を多少は持ち合わせていた私は、正直な気持ちをありのままに告げた。

「少しも好きではありません」

「だったら、どうして銃操になると目の色を変える」

「銃が怖いからです」

「そうか。銃が怖いか」

堀越はまるで射撃が好きだという返事をもらったかのように、頬をほころばせて頷いた。

「怖いから、目の色を変えて射撃練習に打ち込むわけか」

「はい。あんなもので人の命を奪えるかと思うと、身の毛がよだつ気がします。ですが、警察官として銃を所持するのですから、少しはまともに扱えなくては困るだろうと考えました」

「警察では何をやりたい」

「やりたいことは、まだ考えていません。ただ、人に銃を向けるようなことだけは、したくないと思っています」

堀越はさも嬉しそうに笑うと、突然、私の肩をつかみ、肉のつき具合を確かめるように何度も力を込めながら言った。

「高校時代に何かスポーツをやっていたな」

「はい。ラグビーを少々」

「少しか？　同好会か何かで遊び半分にやっていただけか？」

「高三の時には、花園で二回戦まで進みました」

「馬鹿者！」

堀越は廊下にまで聞こえそうな声を上げた。

「だったらもう少し胸を張って答えないか。恥じるような言い方をしたら、そのころの自分にすまないとは思わないのか」

「はい。中学高校と、ラグビー漬けの毎日でした！」

「よろしい」

その日はそれで解放された。何のために教官室に呼ばれたのか、見当すらつかなかった。

私たち新人は、職場実習として派出所勤務を三ヵ月経験し、再び警察学校に戻ってさらに半年間の初任総合教養を受けた。それらの課程を経て、初めて正式採用となり、各警察署への配属が決められるのだ。

半年間の総合教養を終え、私が拝命を受けたのは、「警備部警備第一課第二機動隊第三小隊」という部署だった。

神奈川県警第二機動隊は、警察学校と同じ敷地内に同居していた。何のことはない。警察学校を卒業したというのに、環境は少しも変わらないのだ。

さらに、拝命を受けた新人の中で、私にだけなぜかもう一枚の「指定書」と呼ばれる一枚の証書が手渡された。そこには、県警本部長名とともに、「特別訓練員に指定する」との文字があった。

特別訓練員……。

戸惑い、首をひねり、指定書を眺めていると、いつかのように堀越警部が私に歩み寄って来た。彼は辺りをはばかるように声をひそめ、私の耳元でささやきかけた。

「ようこそ、神奈川県警射撃チームへ」

特別訓練員――通称、特練員は、術科スペシャリストの集団だった。

術科――すなわち、柔道、剣道、逮捕術、射撃。それらの成績優秀者は、県警教養課が管理監督し、その技術のさらなる修得に当たらせることになっていた。通常、男子は機動隊に、女子は教養課内に配属されるが、その主たる任務は各術科の訓練になる。いわば、スペシャリストの養成課である。警察を代表する特練員が、全国レベルでの大会で優秀な成績を収めれば、同僚警察官たちの士気も高まるし、やがて彼らが指導者となれば、警察官全体の術科レベルの引き上げにつながり、ひいては警察官の質の向上にもなる。そのためのスペシャリスト養成だった。

柔剣道の場合は、学生時代から競技に打ち込んでいた者が特練員の指定を受けるのだったが、逮捕術や射撃の場合は、経験者がほとんどいない。そのため、警察学校の初任教養の課程で、特に成績優秀な者を教官が選び出して目をつけておき、特練員へ引き上げるのが通例となっていた。そのスペシャリスト養成のための白羽の矢が、私の頭上に立てられたのである。

私が配属された第二機動隊第三小隊は、周囲から「術科小隊」と呼ばれる特練員の集まる隊で、わずかな勤務さえ果たせば、術科の訓練に集中できるように配慮がされていた。私は早速、堀越警部と射撃チームの監督を務める特練員上がりの警部補に先導され、射場に連れて行かれた。そこで初めて射撃チームのメンバーに紹介された。

当時の県警射撃チームは、総勢十一名だった。特練員の指定は、そのまま将来を約束するものではなく、各術科での人数枠は限られていて、新しい者が入って来れば、去らなければならない者が出てくる。成績の伸びない者は指定解除を受け、教養課の庇護のもとから放り出されて一警察官としてスタートからのやり直しを命じられる。私が新たに射撃チームに選抜されたからには、代わりに誰かが出て行ったことになるのだが、メンバーは誰一人として厳しい現実を態度にも口にも出さなかった。

「来たな、ラグビー青年」

「花園っていやあ、甲子園と同じだろ。大舞台に出た経験は、必ずあとで役に立つ」

「学校からストレートでここへ引っ張られたのは、五年ぶりだっていうじゃないか。期待しているぞ」

射撃は個人競技だった。チームの仲間でありながら、周囲はすべてライバルになる。それでも彼らは、新人を心優しく迎えてくれた。

ところが、一人だけチームの輪から離れ、壁際のベンチに腰を下ろしている男がいた。メンバーも誰一人、彼を呼ぼうとしなかった。年齢は、私より五、六歳は上に見えた。よく言えば彫りの深い顔立ちで、奥目がちのために悪くすると暗く気難しそうな雰囲気に見えたが、警官とは思えないほどに長く伸ばした前髪が彩りとなって、辛うじてその印象を薄めていただろうか。腕を組み、じっと目を閉じ、彼はテープの音楽に聴き入っていた。リズムを取って動く、女性のように長く細い指が印象的だった。

やがて彼はヘッドホンを外すと、私を見ることなく立ち上がった。ケースから愛用のよく磨かれたピストルを取り出し、誰にともなく静かに言った。

「始めましょうか」

彼のひと声に、監督やコーチまでが従った。ＯＢである堀越もが、頼もしそうな目で彼を見ていた。

その人物が、五年前、私と同じように警察学校からストレートで特練員に選抜されたという男——矢木沢稔だった。


第二機動隊での勤務に当たるかたわら、私は本格的な射撃の訓練を始めた。

機動隊の寮は射場のある警察学校に隣接しており、時間のやりくりには困らなかった。サミットや首脳会議などの特別警備を別にすれば、ほぼ毎日、勤務の合間を見ては射場に通い詰めた。中学高校と過ごしたラグビー漬けの日々が、射撃へと変わったにすぎなかった。

だが、射撃は私に、もうひとつの新たな夢を与えてくれた。オリンピックという、誰もが憧れてやまない最高の夢を——。

日本での射撃の競技人口はまだ少なく、クラブチームや社会人の射撃部がないわけではなかったが、日本代表選手のほとんどを警察官と自衛官が占めていた。それぞれの職務で主に使用する銃の種類から、ライフル競技では自衛官が、ピストル競技では警察官がほぼ上位を独占しており、つまりピストルに関して言えば、警察内でトップに立つことが、すなわち日本代表をも意味していた。

競技ピストルには、大きく分けて、精密射撃と速射の二種類がある。

精密射撃は、与えられた時間内でより高い命中度を争う競技で、オリンピックにはフリーとエアの二種目が採用されていた。速射は短時間での命中精度を競うもので、二十五メートルラピッドファイアが代表的な種目だった。精密射撃には集中力の持続とタフな精神力が、速射には反射神経と瞬時の決断力が要求される。

私の性《しょう》に合っていたのは、速射だった。

ラグビーでは、ボールを受けるとともに次の行動への速やかな判断力が要求される。立ち止まって敵味方の配置をつぶさに観察していたのでは、相手のタックルを受けてつぶされるのが落ちだ。もとより動体視力に自信はあったし、性格的にも二時間もの間じっと標的を睨みつけるより、瞬時に結果となって現れる速射のほうがスポーツとしても潔く感じられた。練習も苦にならず、寮の狭い部屋の中でフォームを固めるために何度も姿見の前で空撃ちをした。新たな夢を得られ、毎日が充実していた。

誰でも習いたては目に見えて腕が上達するものだが、それを上回る好結果を私は出すことができた。特練員となって一年後に、初めて関東管区警察局内の大会に出場し、多くの先輩たちを押しのけ、三位に入った。

自分自身が誰よりも驚いていたのだから、コーチや先輩たちが声をなくして私を見たのも無理はなかった。銃を手にして、たったの二年だった。今まで知ることのできなかった可能性が自分の中に眠っていた、と実感できた。その時点で初めて、堀越警部に言われたオリンピックという夢が、より現実的な目標として見えてきたと言っていい。努力すれば、夢の舞台に立てるかもしれない。

ところが、オリンピックへの最大のライバルは、私の最も身近な場所にいた。

その大会で、下位を大きく引き離して一位になったのは、私と同じ神奈川県警射撃チームの一員だった。

矢木沢稔、その人である。

射撃はメンタルなスポーツだと言われている。体をいくら鍛えても技術が向上する保証はなく、体よりもハート――精神面が如実に点数となって表れる。ほんのわずかな心の動きが、腕から手先へ、トリガーから弾へと伝わり、何十倍、何百倍にも増幅される。動揺のあまり銃が揺れ、トリガーを引く踏ん切りがつけられずに悩み苦しむ者さえいた。

私が最初の大会で好結果を出せたのも、無欲で挑めたからだった。だめでもともと。気負いもプレッシャーも色気もなく、目標すら置いていなかった。成績を出せないでいる者の場合は、結果いかんで特練員から外されるケースもあった。ファイナルでは一点の差が順位に大きく響く。いくつものプレッシャーにもまれて経験を積み、好結果を出せてこそ、初めて本物の腕と言えた。私の場合は、単なるビギナーズラックだった。

次の大会で、嫌というほど、射撃というスポーツの奥深さを思い知らされた。

私は怖いもの知らずで全国大会に挑み、一度のミスから大きく崩れた。立て直そうと焦れば焦るほど銃が流れ、静止させようと肩に力を入れれば入れるほど銃口が揺れた。動揺に腕が震え続けた。

出場した三十五名中、最下位に終わった。前大会で出した得点を五十点も下回る、惨憺たる結果だった。

自分が恥ずかしくてならなかった。予選を終え、打ちのめされた気分で控え室のベンチに座り続けた。チームの仲間やコーチたちに合わせる顔がなく、タオルを頭からかぶってうなだれていた。すると、ふいに頭上から声がかかった。

「恥ずかしいか」

顔を上げると、目の前に矢木沢が立っていた。おそらくは、特練員に入ってから、それがまともに彼と交わした初めての会話だったろう。

「顔から火が出るほどに恥ずかしいだろうな、他を圧倒的に引き離しての最下位では」

矢木沢は前髪を払い、私を長身から見下ろした。彼は予選二位の成績で、午後へのファイナル進出を決めていた。チームの視線はすべて彼に集まっていた。

「一人で深刻ぶるのもいい加減にしろ。おまえは特練員になって、天国と地獄をほぼ一度に味わったんだ。実に貴重な経験だよ。今のうちに、ありあまるほどの恥をかくんだ。人の笑い者になって、せいぜいここを鍛えればいい」

　矢木沢は冷笑とともに言って自分の左胸を指さした。

「恥を試練だと思えなくなればピストルを置け。いいな」

　そう言い残して彼は、愛用のピストルを携《たずさ》え、控え室から出て行った。

　しばらくベンチから立てなかった。驚いていた。マイペースを崩さず、他人への干渉を避けていた矢木沢が、私のような新人に、どういう風の吹き回しか声をかけてきた。揶揄《やゆ》ともとれるきつい言葉だったが、そこには一面の真理が込められていた。

　今でもあの時の言葉が、本心からの助言だったのかどうかは分からない。以後も、私たちは挨拶程度しか言葉を交わさなかった。だが、あの時の言葉は、監督やコーチのどんな慰めより、私を正気に戻す効果があった。

　射場から湧き起こった拍手を聞き、覚悟を決めて控え室を出た。誰一人として私を見ていなかった。出場した各チームのすべての目が、ファイナルで一点を争う上位八人の男たちにそそがれていた。

　立ちこめた火薬と汗の匂い。耳を裂く轟音。一瞬の静寂のあと、得点が射場役員によって読み上げられる。歓声、拍手、どよめきが交錯する中、男たちは淡々と弾を込め、次の射撃に向けて呼吸を調えていく。私は男たちのフォームを食い入るように見つめた。微動だにしないスタンス、流れるような動き、乱れぬ呼吸、熱い眼差し。その時私は初めて、世界の舞台で選ばれた男たちと銃を交えてみたい、と心の底から思うようになった。

そのファイナルで、矢木沢は粘り強く得点を稼ぎ、並み居る強豪を押しのけ、一位の座をつかんだ。矢木沢稔の黄金時代のスタートとなる日でもあった。


矢木沢の射撃は、思い切りと粘り強さという、一見相反するものを同時に備えているのが最大の特徴だった。彼の長所は紛れもなく、タフな精神力が支えていた。スタンスが狭く、やや棒立ちにも見えかねないレディポジションから長い腕がしなやかに振り上げられると、一切の躊躇も怯みもなく、次々にトリガーを弾いていく。文字通り、引く、というよりは、弾く、と形容したくなるリズミカルな射撃だった。

ラピッドファイアピストルは、一瞬のうちに勝負が決まる。だからこそ、一度のミスが大きくあとに響きやすい。矢木沢はたとえミスをしても、すぐに気持ちを切り替えられる柔軟な心を持ち、相手のミスに乗じて得点を稼いでいく強《したた》かさも持ち合わせていた。よりプレッシャーのかかるファイナルほど、彼の実力は発揮された。豊富な訓練と経験、そして自信。それらに裏打ちされた隙のない射撃をどんな状況でもやってのけた。自分のペースを崩そうとしない淡々とした撃ち方と練習態度からも、精密機械という評が、彼にはいかにも似合った。

目標は高ければ高いほどいい。身近にライバルがいればいるほど自分を鍛えられる。そう監督やコーチは私にくり返して言った。私も同じチームにいる矢木沢を目標に据えて訓練を積んだ。

特練員となってわずか一年半後に、私はオリンピック標準記録を初めて公式大会でクリアした。日本の出場枠はふたつ。予選で二位になった者までが、オリンピックへの道を手にできた。

神奈川県警では、すでに矢木沢がナショナルチームに選抜され、強化選手に指名されていた。私もそれに続きたかった。標準記録をクリアしたことで、私も一躍、候補選手の一人と言われ、オリンピックの予選前は、それこそ銃を撃つのが仕事になった。機動隊から離れ、毎日十二時間以上を射場で過ごした。

ロサンゼルスの予選前は、自分でも絶好のコンディションで臨めたと思う。もちろん、最初のチャンスでオリンピックに出られるほど甘いものではないと思っていたが、可能な限り自分の力をぶつけてみようと意気込み、本選に挑んだ。

結果は三位だった。

予想していた以上の成績を上げられた、と言っていいだろう。しかし、あと一歩のところで、オリンピックを逃した。どうしてあと一点、得点を上げられなかったのか。あと一ミリ、標的の中心に近づけられなかったのか。いつまでも結果を悔やみ続けた。

矢木沢はトップでロサンゼルスへの切符を手中にした。ファイナル終了後、握手を求めた私に、矢木沢は短く言った。

「この一歩が長いぞ」

あまりにも長く、私はその一歩を進めなかった。

ロサンゼルスで矢木沢はファイナルまで進出し、六位に入賞した。メダル獲得者も出た日本射撃チームの中では、さほど目立った成績ではなかったかもしれない。だが、オリンピックでの入賞を機に、矢木沢の射撃はさらにタフさを増した。世界の舞台に立ったことが、確実な自信の裏づけとなったのだろう。

それからの私は、苦杯の連続だった。すべてあと一歩のところで終わり、目の前に世界が見えている位置にいながら、足踏みを続けていた。練習では矢木沢より高い得点をマークすることは幾度となくあったし、警察内の大会でなら、私が彼の上位につけたことも一度や二度ではなかった。ところが、世界へつながる予選となると、決まって矢木沢がトップの座に収まった。彼を意識しすぎるあまり、私は二位の座をも逃し続けた。

大きな大会で力を発揮できるからこそ第一人者なのだ、と誰もが考える。経験、精神力、訓練への意気込み。私にはまだ何か欠けているものがある。周囲からそう思われているのが痛いほどに感じられた。

ロサンゼルスから二年後、矢木沢はワールドカップで銅メダルを獲得した。テレビや雑誌の記者に取り巻かれ、いつでも彼の周りには人の輪が絶えなかった。それでいて、彼は自分のペースをまったく変えず、監督やコーチから離れて一人独自のメニューで淡々と練習をこなした。チームから離れて練習を許す実績が彼にはありあまるほどあった。

しかもワールドカップの直後に、彼は警部補試験をパスして昇進を遂げた。いったい試験のための勉強をいつしていたのか、どうやって時間を作ったのか、私たち特練員には理解が及ばなかった。

矢木沢は警部補となり、選手でありながらコーチ待遇の資格を得た。だが、彼は自分自身のコーチとしてしか動かず、後輩に経験を語ろうともしなかった。経験は自分で積んでこそ初めて力となる。至極もっともな意見だったが、我々選手の間での評判はあまりよくなかった。

「萱野さん。何としても矢木沢さんを追い抜いてください」

「絶対に萱野さんならできます」

チームの若手の中には、はっきりそうけしかけてくる者までいた。言われなくても、私自身が誰よりも追い抜きたいと考えていた。彼を越えなければ、ワールドカップも世界選手権も、ましてやオリンピックもただの夢に終わる。矢木沢を追い越したい、という一念は誰よりも強かったはずだ。

射撃は精神力を競うスポーツであり、矢木沢を意識すればするほど、私は彼の前にひれ伏す結果になった。本当の敵は、ライバルではなく、自分の欲や焦りに外ならない。言葉のうえでは、そう理解しながらも、頭から雑念を払うことができなかった。何よりもまず矢木沢の得点が気になる。彼が十点枠を外したと知れば、つい心の中でほくそ笑む自分がいる。ここで突き放そうとすれば、いやがうえにも力みが生じ、銃口が揺れた。動揺が弾の軌道を狂わせた。結果、矢木沢に逆転された。その悪循環のくり返しだった。

「射撃選手の寿命は長い。おまえは四年後八年後を目標に置くぐらいのつもりでいろ。下手な色気は自滅を招くだけだぞ」

監督やコーチは私に言った。選手寿命が長いのは、何も私にだけ当てはまる例ではなく、矢木沢もようやく三十になろうとするところで、これからが射撃選手として脂の乗る時期だった。いつまでも彼を越えられないでいれば、私は万年候補選手で終わってしまう。

このままではいけない、と思った。思いながら、矢木沢さえいなければ……。そう私は、いつしか考えるようになっていた。

ソウルへの予選が近づいていた。

3

朝の署長室の空気は、練習前の誰もいない地下の射場にも負けず、寒々としていた。それにも増して冷ややかな六つの目が、私を正面からとらえていた。

「萱野君」

相良課長補佐がテーブルを指先で軽くたたいて促した。遠藤副署長が喉を鳴らし、苛立ちの咳を放った。

「なぜ黙っている。君は、人前で口にできないようなことを、矢木沢君にしたのかね」

認めるしかないのは分かっていたが、無言で肯定に代えさせてもらった。

三宅署長が腕を組み合わせ、顎の下を指先でつまんだ。

「特練員時代のことなんだね」

深く息を吸い、頷き返した。

「私の記憶に間違いがあったなら、訂正してほしい」

署長はそう前置きをした。あくまで冷静に対処しようとしている。それだけが今は唯一の救いと言えた。

「確か……うちの県警の者だったと思うが、何年か前に、射撃でオリンピックの候補選手になりながら、不祥事を起こして出場権を剝奪されたような覚えがある。違ったかな」

私は再び大きく息を吸った。

「オリンピックへの出場権ではありません。出場権を争う大会へ参加する資格を失ったのです」

「それが、君なのかね」

「いいえ……。矢木沢さんです」

署長は顎の下をつまんでいた動きを止め、副署長と相良に問い返すような視線を送った。すべてを承知している相良が、今さらのように、もっともらしい顔で頷き返した。

「その不祥事の内容を聞かせてもらえるだろうね」

署長から問われれば、末端の部下にすぎない私としては答えないわけにはいかなかった。

「オリンピック予選をかねた日本選手権の前でした。オリンピック標準記録をクリアしていた我々は、大会の行われる一週間ほど前から、自衛隊の射場を借りて、強化合宿を行っていました。その最中に、練習中の弾丸が射場の外に飛び出すという事故がありました」

「そういう事故は、よくあるのだろうか」

「滅多に起こることではありません」

「うちの射場は地下にあったと思うが、自衛隊の射場は、周囲を壁で覆ってはいなかったのかね」

「東京オリンピックが開かれた時に作られた射場で、施設の規格も古く、当時は周囲が野原だったので、天井のない、コンクリートの壁だけを持つ射場が作られたと聞きました。古い施設だからこそ、我々警察への提供が行われていたとの事情もあります。一応は防護壁が囲み、普通に練習をしていたのなら、弾が飛び出すような事故は起こり得ないはずでした」

「怪我人が出たのかね」

「いえ。射場から少し離れた施設の脇に、確か自衛隊の関係者のものだったと思いますが──車が停めてあり、そのガラスの一部に大きなひびが入っているのが見つかり、そこから事故が判明しました」

「分からないな」

署長は短い首をひねるようにして振った。

「どこから見ても事故だったのなら、大会への出場権を剝奪される理由はないと思うのだがね」

隣で相良が再び、かしずくようにして頷いた。部下の仕草を確認し、署長は続けた。

「つまりは、ただの事故ではなかったわけだ」

「はい……」

言葉を探した。説明の言葉を。自分を傷つけなくてすむ言葉を。

やっと探した。

「競技用のピストルとはいえ、私たちが訓練を積んでいたラピッドファイアでは、鉛の弾丸を使用します。貫通力は弱いとはいえ、銃を他人に貸すのはもちろん、みだりに人に触れさせることも堅く禁じられています」

「矢木沢君は、人に銃を貸したのか」

「そう疑われてもおかしくない状況だったと思います」

「誰に銃を貸したのだね」

相良や副署長の視線が痛かった。私は事実だけを簡単に述べた。

「たまたま見学に来ていた、警察官ではない者に、です」

「一般の市民に、か……」

署長は目を見開き、二人の側近に視線を転じた。警察官が一般市民に銃を預けるなど、あってはならないことだった。

矢木沢は油断していたのだと思う。あの時の射場には誰もいないはずだった。午後の訓練は終わり、誰もが夕食までのひと時を宿舎でくつろいでいるはずの時間だった。だからこそ、彼はその人を射場に案内したのだ。自分の練習風景を見せるため。どれほど射撃に情熱を傾けているか——を彼女に見せようとして。

三宅署長は前にも増して首を傾《かし》げ、私を見つめた。

「しかし、そうなると、ますます分からなくなる。矢木沢君がミスをしでかしたのなら、ある程度のペナルティを受けたとしても仕方ないと思えるが」

私もそう思いたかった。事実、彼は警察官として犯してはならないルールのひとつを確かに破った。その事実は動かしがたい。

三宅署長は当然の質問をした。

「その事故と、君がどう関係をしている」

「……私が、目撃しました」

「矢木沢君が銃を貸した現場をかね」

「いえ……」

「違う？　では、何を見たのだ」

署長の顔を正視できなかった。目を閉じ、膝の裏に力を入れた。足元が揺れるような気がした。

「萱野君」

副署長が再び語気強く言った。あの時の同僚たちの顔が脳裏に浮かんでは消えた。私を見る相良や副署長も、同じような顔つきになっているはずだった。

目を閉じたまま、私は言った。

「……矢木沢さんが、見学者を射場に案内していたところを、です」

「では、銃を貸したところを見てはいなかったのだね」

「はい」

「では、誰が現場を見たんだろうか？」

何も言えなかった。

「その現場を目撃した者がいたからこそ、問題になったのではないのかね」

誰も何も答えなかった。相良も副署長も口を閉ざした。沈黙が膨張して部屋を埋め、私を押しつぶしにかかろうとしていた。

「誰も見ていなかったのなら、どうしてそれが発覚したんだね」

「萱野君。何か言ったらどうなんだ」

相良が言い、私の喉元に最後通牒のナイフを突きつけた。

奥深くに沈めておいた過去の屈辱が、ひたひたと胸の隙間から滲み出てきた。嫌でも見つめざるを得なかった。たとえ目を閉じても、それは私の眼前に迫ってくる。ぬぐいようのない私自身の過去として。

私は言った。

「それは……私が、報告をしたからであり……」

「しかし君は、現場を見ていたわけではなかったはずだ。見学者を射場に案内するところを見てはいても」

「しかし、状況から、彼がその見学者に銃を預けたのは、まず間違いなく……」

「だが、君は見ていなかった」

そう。私は決定的な現場を目撃してはいない。だが、いかにも見ていたように装った。

矢木沢も彼女も、関係者からの事情聴取の際、銃の手渡しはなかった、と最後まで主張したと聞いている。だが、二人の証言を信じる者がいるような状況ではなかった。そんな状況に私が追い込んだからだ。事実は今もあの二人にしか分からない。

「見ていないものを、君はどうやって報告したんだね」

「彼が……間違いなく規則を破ったからであり……」

「何の規則をだね」

「見学者を無許可で射場に案内しました。競技ピストルとはいえ、銃を撃つ場に、警察とは何の関係もない者を立ち会わせました」

「待ちたまえ。しかし君は見てもいないことを報告した。それは事実なんだね」

その通りだった。

「なぜだね？　どうして、そんな嘘を君は告げた？」

なぜ、あんなことを……。

自分でも何度あとになって問い直してみたか分からなかった。だが、あの時の私はたったひとつの夢を追い求めていた。何としてもオリンピックに出場したい。それだけを願い、念じ、夢を叶えるためにならば、あらゆる努力を惜しまないつもりでいた。たとえ、どんな手段を執ろうとも……。

「なぜ君は、見てもいないことを報告した。いや……そもそも、そんな不確かなことを誰に告げたと言う」

三宅署長が今にも立ち上がりそうになった。誰もが彼と同じような口調で私を責めた。その場の景色が闇に溶け、体が泥濘《ぬかるみ》に沈んでいった。この八年間、私はその泥濘の中を歩き続けてきた。泥にまみれ。一人で喘《あえ》ぎながら。過去という影を引きずり。

「報告では、ありませんでした……」

息も絶え絶えに私は言った。

「事故のことを……私はある新聞社に……密告しました」

4

八年も前のことを、今になって悔いてみても始まらないとは思う。いくら昔を振り返っても時間は戻らないし、過ぎた日々をやり直せるはずもなかった。そう分かっていながら、どうしてもくり返して自分を責めずにはいられないことが誰にでもある。

どうしてあの時、私はあんなことをしたのだろうか。

あれから八年の月日が経つというのに、今でも夜中に目を覚まし、自分の愚かさを呪う時がある。昔のことだ、もう忘れろ、この先の生き方のほうが大切だ、そう思うのだが、書類仕事に疲れて手を休めた時、休日をあてどなく過ごしている折り、仕事帰りの電車の中で、気がつくと、ふと私はあの時のことについて考えている。どうしてあんな行動をとったのだろうか、と――。

無論、自分のしたことであり、理由は胸に問い返すまでもなく心得ていた。

オリンピックに出場したかった。

特練員となって以来、私はひたすら夢を追い求めた。一流のラグビー選手になりたいという少年時代からの夢を失っていたからこそ、新たに抱くことのできた夢をひたすら追い続けようとした。

そう。だからこそ、私はあんな心にもないことを言ったのだ。

矢木沢に関する密告ではない。そのことは確かに今でも後悔はしている。だが、同じ状況にあれば、たぶん似たような行為に出た者は私以外にもいただろう。それに、あのことがなければ、矢木沢を密告する気にもならなかったはずだ。

八年前、私は美菜子からある願いを受けた。

私としても、快く叶えたい気持ちはあった。いや、自分からそうしたいとさえ考えていた。ささやかな願いでしかなかった。上司の許可さえ受ければ、実現はできた。にもかかわらず、私は美菜子の願いをはねつけた。

なぜ、自分はあんな心にもない行動をとったのだろうか。

そう——それほどまでに、私はオリンピックを夢見ていた。

当時、私は第二機動隊第三小隊——通称「術科小隊」から離れ、第一小隊に異動していた。特練員生活も五年を迎え、よその隊でやっていけるだけの経験を得たと判断されたのだった。

第一小隊には、私のほかにも二名の特練員がいたが、大会前となれば私たちは隊を離れ、射場や道場に通い詰める毎日だった。隊の同僚たちと過ごすのは、ほとんどが特別警戒などの勤務中で、ろくに会話を交わす時間もなかった。それでも私たち特練員が、同僚たちとの意思の疎通に困ることはなかった。

幸田広志小隊長が、元特練員の経験を持ち、私たちへの一方《ひとかた》ならぬ配慮をしてくれたせいだった。

幸田は、私と同じ射場で四年の特練員時代を経験していた。当時のことを知る監督は、寡黙な男で、ぶっきらぼうな射撃をするやつだった、と幸田を評した。小隊長となったその当時も、彼は私たち部下に対し、必要最低限の言葉しかかけなかった。だが、訓練でも勤務の最中でも、骨を惜しまずに務めれば、必ずあとでねぎらいの言葉をかけてくれる男だった。たいていは「よくやった」「頑張ったな」「それでいいぞ」くらいの言葉少ないものだったが、機動隊という労の割りには評価されにくい仕事に就く者にとって、意気込みを認めてくれる者の存在は、何よりも嬉しく、励みになった。

幸田はまた、私たち部下をよく食事に誘い出した。「隊の飯ばかりじゃ飽きるからな」と、さも不満そうな物言いをしながらも、私たち特練員と通常隊員との接点を作ろうとしてくれていたのは間違いなかった。でなければ、必ず私たち特練員がいる時にだけ誘いの言葉をかけてきた理由が分からなかった。

　異動から初めての年末年始を、私たち第一小隊は機動隊の官舎で過ごした。正月といえども警察に休息の時はなく、人出の増す繁華街や神社への警備に機動隊は駆り出される。その夜勤明けの休日に、私たち隊員は、藤沢にある幸田の実家に誘われた。正月も家族のもとへ帰れない部下たちのため、せめて少しでもそれらしい雰囲気を味わわせてやりたいとの幸田の心遣いだった。

　私たちは、彼の家族による心尽くしのもてなしを受け、屠蘇《とそ》とお節《せち》に舌鼓を打った。

　そこで私は初めて、幸田美菜子と会ったのだった。

　寡黙な兄に似て、彼女は進んで隊員たちの会話に加わろうとはしなかった。まだわずかに学生らしい雰囲気を残し、それでいて少しも軽みはなく、社会人としての洗練を感じさせる儀礼的でない笑みを私たちの前で見せた。料理を並べる母を手伝い、あいたグラスに酒をつぎ、兄の隣で静かに微笑み続けた。我々より歳が下でありながら、姉のような眼差しを向けていた。

　私たちは途中から、まるで競うかのように次々と自らの失敗談や警察内での有名な笑い話を、彼女に披露し合った。隊の誰もが意識していたと思う。いつしか自然と彼女が輪の中心になっていた。機動隊という、警察官の中でもひときわ無骨でむさ苦しい雰囲気を持つ男たちに囲まれ、美菜子は時に目を丸くし、顔を赤らめ、はにかむような笑顔を作った。

隊員たちの盛り上がりに比べ、彼女の笑みは終始静かなままだった。それが私には気になっていた。笑顔を作りはするが、心から笑ってはいない。眼差しにどこか力がない。遠慮や淑やかさとは違う、寂しさにも似たものが彼女の笑みの奥に見える気がした。あるいは幸田は、家族のもとへ帰れない我々のためだけではなく、妹を思いやる意味もあって、今日のことを企画したのではないか、とも感じられた。

話の先が幸田の隊での生活に飛び火した時のことだった。部下たちが家族の前で面白おかしく自分を話題にし始めたのに照れたのか、幸田がいきなり私に話を振った。

「俺よりも、萱野だよ、萱野。こいつは次のオリンピック候補なんだ」

「本当に？　何でそんなすごい人が兄さんの下にいるの？」

初めて私という男に気づいたかのように、美菜子は急に居住まいを正して視線を向けた。酒のためにほんのりと頬が赤らみ、小鼻の脇に小さく汗が浮かんでいたのを、私は今でも記憶している。

彼女は瞬《まばた》きのあと、兄に目を戻して遠慮がちに訊いた。

「種目は何なのかしら」

「射撃だよ。しかも、ラピッドファイアだ。つまり、おれの後輩に当たる」

美菜子は兄を横目で見た。

「偉そうに言って。四年でお払い箱になったくせして」

「仕方ないだろ。俺には可愛い部下たちができたんだから」

「そうでしたっけ。でも、特練員から外された時、やけ酒飲んで、そこの襖《ふすま》に大穴開けたのは誰だったかしら」

　幸田は大真面目な顔で妹の鼻先に手で作ったピストルを突きつけ、撃つ真似をした。

「おまえは黙ってろ」

　しばらくは、私の射撃についての話題になった。幸田がまるで自分の手柄話のように特練員の練習生活を語った。ほかの隊員たちへ、特練員であり続けることの厳しさを、それとなく教えてくれたのだったと分かった。

　仲間たちは一様に驚きと関心を示して私を見た。

　悪い気はしなかったが、訓練のために隊から離れることの多い私としては、決して誇らしげな顔は作れなかった。それに、自分は射撃選手としてまだ半人前だ、と心底から思ってもいた。

「兄ったら、今までちっとも特練員時代のことを話してくれなかったんですよ」

　私を見る美菜子の目に輝きが増したように見えたのは、こちらの願望がそう感じさせたせいかもしれない。出会ったばかりの彼女に、初対面で厚かましく好意を持ったわけではなかった。控え目でどこか寂しげだった笑みの中に、わずかでも明るさが見えればいいと考えていた。

「――こんなこと、お願いしていいのか分かりませんけど」

美菜子は遠慮がちに、首を傾けるような仕草で私を見た。

「射撃訓練を見せていただくことはできるのでしょうか？」

「たぶん、大丈夫だと思います。ぜひ来てください」

あの時、確かに私はそう答えた。

彼女が多少なりとも私と射撃について関心を示してくれたのは事実だったろうが、あくまで話の成り行きで口にした言葉にすぎない、と理解していた。それに、もし本当にその気があるのなら、監督やコーチの許可を受ければ、まったくの部外者とはいえない彼女なら、見学は不可能ではなかったろう。だから私は、安請け合いのような言葉を返した。ごく自然に。何の含みもなく。

それから一ヵ月ほど経ったある休日のことだった。

いつものように射場での訓練を終えて官舎に戻ると、私の部屋に一枚のメモが残されていた。隊の同僚からのものだった。「日吉《ひよし》駅前で飲み会、女性陣、数名参加！」と書かれていた。またいつもの集まりだろうと思った。隊の中に宴会好きな男がおり、最近あちこちの若手の婦警に声をかけては飲み会を開いていた。

正直言えば、訓練を終えたばかりで疲れていた。だが、いつも誘いを受けながら、一度も顔を出しておらず、悪いとは思いつつも、気ままに自由時間を過ごせる隊員たちが羨ましく、また少しうとましく思う気持ちがどこかにあった。

酒を飲んで無駄話に興じる時間があれば、フォーム固めをしたかった。遊んでいる余裕はない。そういった気詰まりな考え方が、矢木沢に勝てない一因となっているのではないか。チームの先輩からも指摘を受けたばかりなのを思い出し、珍しく行ってみるかという気になった。

二時間以上も遅れて、私はメモを片手にイタリアレストランの扉をくぐった。

「何だ、来たのか。ちえっ、話題の主のご登場だ」

主催者である宴会好きの男がすねたような言い方をして私を迎えた。

顔馴染みの面々を見回すと、奥の一角に見慣れない三人の女性がいた。新人の婦人警官ではなかった。婦警であれば、肩より髪を長くしている者はほとんどいない。駅近くにある大学の生徒にしては、あでやかさはあっても着込んでいたスーツが少々大人びて見えた。

「こんばんは。お言葉に甘えて、お邪魔してしまいました」

真ん中にいた女性が立ち上がった。

「兄には内緒にしてください。仕事場には近寄るなって、いつもうるさいんです」

幸田美菜子と彼女の会社の同僚だった。

立ち上がった彼女を見て、私は驚きと、ほんのわずかな躊躇を覚えた。先日、藤沢の自宅で顔を合わせた時の、どこか寂しげに見えた笑みは鮮やかなほどに消え失せていた。

その笑顔の落差に、私は引きずられてしまったのかもしれない。


遠藤京子という同級生がいた。

高校生というまだ青臭く未熟な時期ではあったにせよ、当時の私は、多くの女生徒から熱い視線を浴びる立場にあった。学校創立以来、さしたる成績を残せなかった運動部の中、初めて全国大会に進出したチームの中心選手となれば、周囲がもてはやしてくれたのは無理もなかったろう。今にして思えばただ恥ずかしい限りだが、私は熱に浮かれた女の子たちとそれなりのつき合いをし、生意気盛りも手伝って多くの人を傷つけもした。

遠藤京子は隣のクラスにいた目立たない女生徒だった。彼女が私の前に現れるまで、うちの学校にそういった名前の子がいるとは知らなかった。

高校三年の五月だったと記憶している。あのころは、深夜のランニングとは名ばかりに、夜中に家を抜け出しては女の子たちと会う時間を作っていた。休日も放課後も練習に明け暮れる毎日で、息を抜けるのは授業中と帰宅してからの遅い時間と決まっていた。ある土曜日の夜に仲間たちと集まり、遊び疲れて自宅へ帰りつくと、深夜の路上に彼女が一人で立っていた。校門の外で練習帰りを待ち受けている女の子たちはいたが、たった一人で深夜に自宅の前で待ち受けていたのは彼女だけだった。

遠藤京子は髪を短く切りそろえ、眉を整えることもなく、化粧気もまったくなかった。地味なワンピースに高校の上履きと見間違いそうなスニーカーを履《は》いていた。学校でも分厚く重そうな学生鞄を持ち歩き、どこから見ても目立たない地味な生徒だった。私の前ではいつもおどおどとした笑顔を作りそれがいじらしく見えたのは確かだった。彼女は私の腕の中でも、臆病そうな目を変えなかった。

結局私は大学へ進めず、警察官というさして面白味があるとも思えない職を選んだ。その途端に、多くの遊び友達が、あきれるほど簡単に私から離れていった。彼女たちは私という一人の男を好きになったのではなく、華やかな人気選手の恋人という立場にあこがれていたにすぎなかった。相手よりも恋する状況を大切に想いたがるのがあの年頃の女の子たちなのだろうし、自分もそれだけの美点しか持ち合わせていなかったのだから仕方はない。

そんな中で、遠藤京子だけが変わらぬ愛情を――いや、さらにも増して激しい想いを私に寄せた。

彼女は、私がどんな女の子と親しくしようと、決して機嫌をそこねたり不満をこぼしたりしなかった。私は自分の都合のいい時ばかり彼女を呼び出し、だからこそ、誰よりも長く続く結果になっていた。

私のそばから多くの女性が離れていったのを知り、初めて遠藤京子は言った。

「必ずこうなるって思ってたんだ」

それまでの、おどおどした笑みは消え失せていた。代わりに、以前とは比べものにならない、自信にあふれる笑顔を彼女は見せた。

以来、遠藤京子は堂々と私の家族の前にも現れ、私のすべてを拘束しようとした。機動隊の寮生活に入らなければ、彼女は私の実家に居座ろうとしたかもしれない。

そんな彼女も、私が射撃にのめり込むとともに、いつのまにか私から離れていった。理由は今もって不明だ。別の男に気を奪われたのか、私が疎《うと》ましく思い始めたのをやっと感じ取ってくれたのか。彼女の束縛から逃れられて安堵を覚えたのは確かだが、理由が分からず、戸惑ったのもまた事実だった。

警戒心ではなかったと思うが、私は幸田美菜子の笑顔を見て、一瞬、遠藤京子を思い浮かべた。女性は時と場所によって、笑顔を使い分けるものだろうから。

美菜子たちはそれから、わざわざ隊の近くまで遊びに来ることが多くなり、私は時間の許す限り、集まりに顔を出すようになった。私が来ないと分かると、彼女たちを誘い出す理由が作れずに困る、と同僚から泣きつかれたからだった。

射撃チームの中にも女性は何人かいたが、彼女たちと酒を酌み交わすのでは、どうしても互いの成績が頭を離れなくなる。たとえわずかな時でも射撃を忘れられる時間は貴重だった。その貴重さを意識しつつも、私は飲み会の席を心から楽しめずにいた。同僚や彼女たちとの笑いの中にいながら、やはりどこかで射撃について考えていたのだと思う。

「休日は何をなさっているんです」

「射撃の練習ですよ」

「休みは一切ないんですか？」

「今はオリンピック予選の前ですから。こうしてたまに仲間と騒ぐのが楽しみと言えば楽しみですかね」

「何だか萱野さんともっと会うには、本当に練習を見学させてもらうしかないみたいですね」

「コンクリートに囲まれた狭苦しいところで、仲間と並んで銃を撃ち続けているだけです」

「どんな顔をして標的を狙うのか、興味があるんです。今度、本当にお邪魔させてください」

「ええ、機会があれば」

美菜子への関心がなかったわけでは、もちろんない。だが、彼女が示そうとしてくれた気持ちへの、漠然とした不安があった。

誰でもオリンピック候補だと聞けば興味を示す。ましてや彼女は兄が特練員の経験を持ち、その世界の厳しさや射撃というスポーツに多少なりとも関心や予備知識を持っていた。兄がついに仲間入りすることのできなかった世界の人――という意識を抱き、私への関心を寄せた可能性は充分に考えられた。

折りしも、オリンピックへの予選が近づき、標準記録をクリアした者は皆、目標に向かい突き進んでいる時期だった。ナショナルチームへ選抜された矢木沢は、勤務から解放され、豊富な練習量が保証されており、彼に対抗するには一も二もなく練習しかなかった。息抜きをしている暇と余裕がどこにある。美菜子と会っている時も、焦る気持ちが背中に貼りついていた。自分を追いつめてはいけないと思いながらも、確実に迫る予選の日を想像すると、やたらと焦燥感があおられた。

あとになって考えれば、美菜子とはまったく無縁だったと分かるが、私は急に調子を崩した。練習で思うような成績が上がらなくなった。緊張からくる焦りがあった。

雑念にとらわれていては目標に近づけない。あとたった二ヵ月なのだから射撃に集中しろ。生真面目にも私はくり返して自分に言い聞かせた。

慌ただしくも気詰まりな入れ込み具合が、ますます手足を縛る結果となるにもかかわらず、何よりもオリンピックを第一に考えようと決めた。美菜子たちとの集まりにも目を背け、ひたすら練習に打ち込む道をあえて選択した。

それからしばらくして、私は美菜子から初めて電話をもらった。

「突然お電話をしてすみません。お邪魔ではなかったでしょうか」

美菜子は藤沢の実家で初めて会った時のように、わずかに堅苦しさの残る言い方をした。

私も自然と窮屈な答え方になった。

「いえ。こちらこそ皆さんとお会いできなくて、少し寂しく感じていました」

「練習がお忙しいのでしょうね」

「予選が近づいています」

美菜子は口調を変えて明るく言った。

「兄が以前、まるで自慢でもするように言ってました。大会前の選手の精神状態は、それは辛く、きついものだって。たった一日の試合で、それまでの練習や節制が弾け飛んでしまうこともある。不安や焦りで胸が押しつぶされそうになるって」

「名選手ほど、プレッシャーを友にすると言います」

「兄は、ああ見えても気が小さかったから……」

彼女にしてみれば、ある種の勇気を持ってかけてきた電話だったのかもしれない。その気持ちを受け止め、優しく配慮ある答えを返せなかった自分が情けなく思えた。

「わざわざ電話をありがとう。百人の応援より心強い気持ちがします」

「あの……こんな時期ですから、練習を見せていただくことなんか、できませんよね」

私は考え、そして心とは裏腹の答えを口にした。

「ええ。今は難しいと思います」

聞きようによっては、明らかな断りの文句だった。慌てて私は言い足した。

「予選が終わったら、ぜひ来てください。必ず私からも招待します」

「ごめんなさい。大切な時期におかしな電話をして」

「いえ。本当に予選が終わったら招待しますので……」

「いい結果になりますように心から祈っています。頑張ってください」

彼女は力ない声で言い、受話器を置いた。

それでいいと私は思った。


ソウルへの予選をかねた日本選手権の一週間前から、オリンピック標準記録をクリアしていた選手は、朝霞《あさか》にある自衛隊の射場を借りての強化合宿に入った。

東京オリンピックの際に作られた古い施設だったが、射場は二十四時間ほぼ自由に使えた。夜になっても納得のいくまで銃を撃てた。射場以外にも、リラクセーション・マシンを使ったメンタルトレーニングや、ビデオによるフォームの最終チェックも行え、文字通り射撃漬けの毎日だった。

同じ神奈川県警に所属していた関係上、私も矢木沢も同じ時間帯で練習を積んだが、互いに相手を意識し合い、並んで射撃線に立つことはなかった。

大会まで五日と迫った火曜日の夕方——。

射場での訓練を終えたあとも、私はピストルの最終調整に迷い、もう二十発ほど試射をさせてもらおうと、コーチに相談した。

するとコーチはやんわりと私に告げた。

「別に俺はかまわないが、矢木沢からも同じような申し出を受けたんで、許可をしてある」

つまり、矢木沢と二人での練習になる、というのだ。コーチ待遇の資格を持つ矢木沢は、たとえ一人だろうといつでも思い立った時に練習ができる立場にあった。私は考え直し、明日の夕方に独自練習の時間を変更した。

それでも射場に足を運んでみようと思ったのは、何も矢木沢の練習風景を見たいと思ったからではなかった。独自練習の場に私が顔を出せば、彼にいくらかのプレッシャーを与えられるかも、という姑息な考えが頭をよぎったからだった。

打ちのめされたのは、私だった。

そこで私は、矢木沢が一人の女性を射場に案内する現場を目撃した。

射場と宿舎との移動に、私たちは三台の車を自衛隊の敷地内に持ち込んでいた。夕闇に染まり始めた射場の前に、そのうちの一台が停車しており、助手席から幸田美菜子が現れたのだった。

最初は目を疑った。だが、どう見ても美菜子だった。彼女は物珍しげに古めかしい射場の壁を見回すと、矢木沢に手を引かれるようにして扉の中に消えた。

どうして彼女が矢木沢と……。

混乱していた。彼女は私に、練習を見せてほしいと言ったはずではなかったか。彼女と確かな約束を交わしていたわけではなかったが、裏切られた思いにとらわれた。

宿舎に戻ると、私は機動隊の同僚に電話を入れた。強化合宿での愚痴をこぼすような振りをしながら、そのついでに最近の彼女たちとの飲み会について探りを入れた。

「ちょっと噂を聞いたんだが、矢木沢さんが来たっていうのは、本当なのかな」

あの集まり以外に、矢木沢が美菜子と知り合える機会があったとは思えなかった。予想通り、同僚はすぐに言葉を濁した。

「いや……ほら、おまえ、矢木沢さんとは何て言うか、ライバルみたいな関係じゃないか。大会の前でもあるし、だから、気にするといけないと思ってな」

「来たんだな」

「二隊の木村が声をかけたらしくて。ほら、いつもおまえのことが話題になるだろ。二隊のやつらとしては、面白くなかったんだろうな。けど、まさか来てほしくない、とは言えないだろ」

そこでどんな会話が交わされたのかは想像する以外にない。矢木沢は確実に私よりオリンピックに近かった。すでに一度は出場していた。しかも私は彼女の願いをはねつけてもいた。たとえ彼女が矢木沢に何を願い出たところで、恨める筋合いはなかった。

私は笑った。美菜子からの願いを、特別なものだと思い込んでいた自分を。オリンピックを第一にと考え、彼女の申し出を泣く泣く断った馬鹿な男を。

これで予選に打ち込める。そう言い聞かせてみたが、うらぶれた思いは消えず、密かに持ち込んだ酒の力を借りても眠れなかった。

翌日。朝になってようやく訪れようとした眠気が一気に吹き飛ぶ知らせが入った。射場近くに停めてあった車のガラス窓に、流れ弾によるものと思われる大きなひびが見つかったのである。

真っ先に疑いの目を向けられたのが矢木沢だった。昨日は彼一人が射場に残って練習を続けており、夕方までは車に何の異常もなかったという。

練習中の事故とはいえ、ピストルという凶器にもなる道具を扱うスポーツだけに、その管理には厳重な規則が設けられていた。射場を管轄する自衛隊と、借り受けていた警察射撃チームによる調査が行われた。

矢木沢は、すぐに事故の事実を認めたという。練習を終え、ピストルの整備を行おうとした時、たまたま弾倉に残っていた弾が暴発し、流れ弾が外へ飛び出した可能性は否定できない、と。

矢木沢とチームの間の正確なやりとりは、私たち選手にまでは伝わってこなかった。マスコミへの発表はもとより、関係者への報告も見送られたからである。

調査結果を公にすれば、いずれマスコミにも知られ、いくらオリンピックに一番近く、しかもコーチ待遇にある選手とはいえ、矢木沢一人に特例として何の制約もなく自由な練習を許可していたチームへの批判が出る怖れもあった。最終予選を前に事を荒立てて新聞沙汰にでもなれば、矢木沢に余計なプレッシャーを与えかねない。時期が時期だけに、内々で穏便にすませようとの配慮があったとしか思えなかった。

上層部の下した判断を噂で聞き、私は目の前が眩みかけるような怒りに襲われた。

どうしていつも矢木沢だけが特別なのだ。チーム内には以前から、単独行動を取りたがる彼への批判と、それを許す上層部への不満があった。しかも彼は、調査の際に嘘の弁明をしていた。美菜子という見学者を射場に案内していた事実を、故意に隠そうとしたのは明らかで、現場を目撃した私が誰よりも彼の嘘を知っていた。

矢木沢がなぜ許可を得なかったのかは想像するしかない。県警の射場では、警察学校内にあるので人目も多く、密かに見学者を案内はできなかった。だが、自衛隊から借り受けていたあの射場なら、警察関係者だと告げれば、私たち選手はほとんど顔パスで出入りができた。現にチーム内にも女性はおり、ゲートに配されていた自衛官がメンバーの顔すべてを把握しているとは思えなかった。矢木沢という名のある選手がついているのだから、忘れ物を取りに戻ったと簡単な嘘を告げるだけで敷地内に入れたはずだ。

予選を間近に控えた時期に、女性の見学者を案内したいと告げれば、不謹慎に映らないとも限らなかった。コーチ待遇の身でも、許可を得るのは難しいと考えたのだろう。とすれば、矢木沢のほうが彼女を招く気持ちが強かった——つまりは彼が誘いをかけた、とも想像できた。

いずれにせよ、彼は規則に反した。結果、事故につながった。その事実に偽りはない。このまま穏便にすまされていいはずがなかった。私は思った。しかるべき処分を受けて当然なのだ、と。

迷った。悩みに悩んだ。許されていいはずはないが、踏ん切りをつけられずにいた。考えあぐねた。練習にも身が入らなかった。

——オリンピックに出たくないのか。矢木沢さえいなければ、彼を意識せずに大会へ挑める。今度こそ望む結果が手に入れられる——

私はもう一人の自分の声に従った。

矢木沢が規則を破ったのは明らかに事実だ、と何度も胸の裡《うち》でくり返して後ろめたさを封印し、私は深夜に一人、宿舎のロビーに置かれた公衆電話の受話器を握った。

監督やコーチに告げたのでは、うやむやにされて終わる怖れがあった。矢木沢はメダルを期待された選手だった。些細なミスのせいで有望な選手を失うわけにはいかない。大会を主催するライフル協会にしても、思いは同じだったろう。告げるなら、新聞記者にしかなかった。彼らなら、きっと私に代わって真実を暴き出してくれる。

私は密告電話の際に、こうつけ加えることも忘れなかった。

「——彼は女性に銃を手渡したんです。彼ほどの選手が、整備の際に暴発を起こしてしまうなんて思いますか？　その場に誰もいなければ、銃を撃ってみたくなるのが人情ではないですかね」

銃を手渡したというさらなる疑惑を加算できれば、矢木沢への責任問題はさらに大きく膨れ上がる。警察官が、たとえ競技用のものとはいえ、部外者に銃を貸与するなど、決してあってはならないことだった。

自分で口にしながら不快でならなかった。受話器を置いた瞬間、拳《こぶし》を公衆電話にたたきつけた。どこかへ当たり散らさなくては収まりそうにない、自分への怒りと失望が胸の奥底で渦巻いていた。

望み通りの結果になった。

私の電話から二日後——予選の前々日になって——矢木沢は大会への出場権を剝奪された。

5

三宅署長は私から視線を外すと、肘かけを指先で軽くたたいた。言葉を探しあぐねているようだった。相良課長補佐も遠藤副署長も私に目を向けなかった。三人が三人とも、視線のやり場に困ってあらぬほうを見ていた。

　やがて署長が重そうに首を回し、その場の誰にともなく切り出した。

「私はスポーツに打ち込んだ経験がないので分からないが……オリンピックというのは、どんなことをしてでもつかみたい夢のひとつなんだろうね」

「人によると思いますが」

　相良が誰にでも言えそうな感想を口にした。

　署長は軽く相槌を打つと、私の足元に視線を振った。顔を見ようとしなかったのは、ありがたかった。

「今も君たちの昔のことが噂になっていると聞くから、あとになって君が密告者であると判明したのだね」

「……はい」

「どうしてだろう?」

「その新聞社では、外部からの情報が入った場合には、録音を……電話の内容を録音することにしていたといいます」

「声か。最近は子供でも、悪戯電話をする時には、ハンカチで送話器を覆うのが常識になっているそうじゃないか」

　皮肉にまで否定の言葉を継ぐ気は起こらなかった。私は抜かりなくタオルで送話口を覆った。だが、その程度の細工で、声紋までは隠せなかった。まさかあの時の電話が録音されていたとは思わなかったし、情報源につながる録音テープを差し出す新聞記者がいるとは想像もしなかった。

その記者は、ロサンゼルスでの取材以来、矢木沢と特に親しくしていたと、あとになって聞いた。ニュースソースの秘匿《ひとく》は、ジャーナリストとして守るべきルールのひとつだったが、四年にわたって取材を続け、気心の知れていた人物からたっての願いだと言われ、無下に断れなかったのだろう。ましてやその選手が、銃の貸与という重要な部分に関して、あくまで潔白を主張していたのだから。

「矢木沢君も当然ながら、すぐに君の仕業だと知ったわけだね」

「はい」

「彼は何と言った？」

「ひどいヤツだと――」

署長は私の返答に満足したように見えた。もっともだと言わんばかりに深く頷き返した。

「君に対するペナルティはなかったのかね」

「ありません。矢木沢さんが規則に反したのは事実でしたし、監督やコーチに報告をしたのでは、もみ消されてしまう可能性があったと、今でも私は考えています。それに、チームの中には私の行動に一定の理解を示してくれる者もおりました」

そう。一定の理解にすぎない。すべてを理解してくれた者はいなかった。自分も含め。

「今度のことも、八年前と同じだと言うわけかね」

横から遠藤副署長が冷ややかに言い、テーブルに置いた新聞を手にした。

「ですから、それは私ではありません」

「まだ君は、そんなことを……」

副署長が興奮に顔を赤く染め、その場で立ち上がりかけた。署長が手で制し、私に視線を返した。

「いいかね、萱野君。今度も調べれば必ず分かる。私らは何も君をここに呼んで、いたずらに責めようというわけではない……」

「私ではありません」

「最後まで話を聞きたまえ」

署長が初めて強い調子で言った。きっと、扉の外で耳を澄ます警務の者たちにも聞こえただろう。

「私たちがもっとも心配しているのは、この記事の事実関係そのものなのだよ。誰が新聞社に密告しようと、それは些細な問題だ。違うかね？　警察官が、ある特定の業者から過剰な接待を受けていたとなれば、明らかに公務員法に抵触してくる。その事実をもし見逃せば、市民の信頼はもとより、我々署員一同の士気にも大きく影響してくるだろう。事実関係を直ちに調査し、改めるべきところがあれば改め、もし事実無根だった場合には、関係機関に対してしかるべき措置を講じなくてはならない。その確認のために、君をここに呼んだわけだ。報告した先が少しばかり違っているのではないかと、私としてはいくらか思わないではないが、管理職にある者の素行問題となれば、たとえ取り上げられても下へ報告がされない事態も考えられる。君たちの気持ちは分からないでもない。だから、いきなり問題化させた点を一方的に責めるつもりは、こちらとしてはないのだよ」

見事な演説だった。だが、あくまで私が密告者であるとの前提に立っての話だった。さも慈悲深そうに真摯な目を作って署長は続けた。

「君が新聞社にリークしたのなら、そう言ってほしい。くり返すようだが、早急に調査が必要なのは記事の事実関係についてなのだ」

あらためて否定はしなかった。たとえ何を言ったところで、彼らはたったひとつの回答しか期待していない。私がやりました、との自白の言葉のみを。

「君の心情は私らとしても分からないではない。かつてオリンピックという狭き門を目指して競い合った者が、自分の上司として配属されてきた。毎日顔を合わせていれば、忘れたいことも思い出してしまうだろうし、ましてや、かつての事情を知る者もここには多くいる。複雑な思いがあったろう。かつてライバルだった上司が仮に……仮にだよ、万が一、不正らしき行為に手を染めていたと知れば、誰でも告発してやりたくなるだろうとも。気持ちは分かる。だから、もし君が何かこの記事に関して知っているのならば、どうか素直に打ち明けてくれないだろうか。私らは決して事をうやむやに終わらせるつもりはない。必ず真相を究明し、君に結果を報告する、と約束しようじゃないか」

署長は怒りを抑えて長い演説を終えた。彼らとしては最大の譲歩のつもりなのだろうが、どれだけ譲歩しようと、訴えかける相手が違っていたのでは意味はなかった。

遠藤が手にした新聞をやにわに振り上げ、鬼刑事のような顔になった。

「矢木沢君は、君に見られたと言っているのだよ。誤解を受けそうな現場を、君にな」

「何度も申しますが……」

「ほかに誰がいる。君以外に誰がそんな真似をすると言う。正直に認めないか」

容疑者らしき者が浮かんでこない事件の際には、まず第一に、同じ罪状で前科を持つ者が近くにいないかどうかを調べる。それが刑事捜査の基本のひとつだった。しかも私には、ありあまる動機があった。被害者である矢木沢に目撃された、との状況証拠もそろっていた。これ以上打ってつけの犯人はいない。

「では、こう訊こうか。――君はどうして矢木沢さんをつけ回したりした」

相良が冷静に真綿で首を締めにかかった。

私は肩を落とし、自分に逃げ道が残されているだろうか、を考えた。

追いつめた小動物を観察するような目で、相良が言った。

「意味もなく上司を尾行する者がいるか。あの人の素行を調べていたとしか、私には思えないがね」

逃げ道はない。どう考えても。

「矢木沢さんを尾行したことは認めるね」

「それは……」

認めざるを得なかった。

「……ある人に、頼まれたからです」

「その人物は？」

「——言えません」

「なぜだね」

「その人は、私を信じて頼んだのであって……」

副署長が平手で、私を殴りつける代わりにテーブルをたたいた。

「事は警察の威信にかかわる重大な問題だぞ。それがおまえには分からないのか！」

「誰もいないから、その人の名前を言えないのだろ？」

「正直に認めたらどうかね」

正直に、矢木沢の妻から頼まれた、と誰が言えるだろうか。言えば再びここで彼女を巻き込む。そうやって私は八年前に彼女を失っていた。

私は言った。

「その人に、矢木沢さんの汚職まがいの行為を知ろうとの意志があったとは思えませんでした」

「では、なぜだね。どうしてその人物は矢木沢君の素行調査を、よりによって君に依頼した？」

副署長が膝を乗り出して訊いた。

「素行調査を頼む、と言われたわけではありません」

「なら、何だ。浮気調査か？」

「それは私にも分かりません」

「理由も分からず、上司のあとをつけるのか？　その人物は、君とどういう関係にある」

「知人です。おそらくその人は矢木沢さんに近づきたかったのではないか、と……。警察幹部と知り合いになれば、それなりに得るものがあると考え……もちろんその人は所轄の業務と関係する者ではなく……」

「もういい」

署長が投げ出すように言った。右手を上げ、軽く払うような仕草をした。

「行きたまえ。これ以上君と話していても時間の無駄だ。——ただ、これだけは言っておこう。調べれば、いずれは分かる。その時になって我々に泣きついてこないことだ。いいね」

署長の言葉が理解できなかった。たとえ私が密告者だったとしても、どうしてその事実が判明したあとで彼らに泣きつかなければならないのだろう。警察官が汚職まがいの行為をしているとなれば、一市民として摘発したいと考えるのが普通ではないか。堂々たる演説をしておきながら、警察の信頼を第一に考えているとの説明は明らかな詭弁にすぎない、そう自ら告げるようなものだった。

私は保身しか考えていない上司たちに一礼して、背中を向けた。ドアのノブに手をかけたところで、署長に呼び止められた。

「最後にもうひとつだけ聞かせてくれるかね。君は、例の大会で何位に入ったのかね」

「……十一位でした」

大方そんなことだろう、とでも言いたげに、署長は目を伏せ頷いた。因果応報。誰もが私の結果を知り、同じような反応を見せた。

八年前の、私を見る周囲の視線の痛みが肌に甦った。あの時の矢木沢の言葉が、がらんどうとなった胸の奥から、いつ果てるともない木霊《こだま》のように聞こえてきた。

射撃はメンタルなスポーツだった。たとえ最大のライバルを蹴落とせたにしても、心の動揺が何十倍にもなって標的の上に表れる。私は自らの卑しき心に敗れ去った。

あの大会の朝――。

予選開始の三十分前になって、矢木沢が突然、射場に現れた。ライフル協会から出場権を剥奪されはしたが、見学の権利までを奪われたわけではなく、大会の場に姿を見せる権利は彼にもあった。だが、事情を知る者たちの前に、彼が自ら進んで現れるとは誰も予想していなかった。

矢木沢の姿を見つけて射場内がざわつき、やがて潮が引くように静けさが戻った。彼は人の目を充分意識しながら、私に歩み寄って来た。そして静かに言った。

「やはりおまえだったたな。俺の友人に、大学で音響効果について研究しているやつがいてな。新聞社に残っていた録音テープを手に入れ、調べてもらった。そうしたら、案の定だ」

彼の言葉の中身がどこまで事実だったのかは、今にしても分からない。はったりだったのかもしれないが、私は真正直にも唇を震わせていた。おそらく顔からは血の気が失せていただろう。

「そんなに俺が邪魔か。どうして実力で俺を倒そうとしない。なぜこんな卑劣な手段をとった？」

射場内の視線のすべてが、私たちに集まっていた。選手、役員、新聞記者たちが固唾《かたず》を呑んで見守る中、矢木沢は私の胸元に指を突きつけた。

「卑怯者めが。彼女まで一緒におとしめて何が楽しい。そうまでしてオリンピックがほしかったか」

反論の言葉が出なかった。足元から暗い穴に吸い込まれていくような気がした。矢木沢は私に一歩近づき、周囲には聞き取れないささやき声で言った。

「オリンピックはくれてやる。けど、彼女はあきらめるんだな。卑劣な男に誰が惹《ひ》かれると思う」

矢木沢は笑った。笑いながら私に背を向けると、動きを止めて静まり返った射場から足早に去って行った。

一人の新聞記者が彼を追って駆け出した。それを合図に、報道陣が一斉に動き始めた。ある者は矢木沢に、そしてある者は私の周囲に、ライフル協会の役員に。

私は記者たちから質問のつぶてを浴びながら、立ち去る矢木沢の後ろ姿を、遠くゆらめく陽炎《かげろう》を通して見るように茫然と眺めやっていた。

その三十分後、まだざわつきの残る射場で、大会は定刻通りに始まった。

オリンピック予選とあって、いつになく観客は多かった。そのすべての視線が自分にそそがれている気がした。オリンピック候補の同僚をおとしめた男に。非難の眼差しを針のように感じた。私だけの思い込みではなかったはずだ。でなければ、競技開始の前には必ずアドバイスをくれた監督やコーチが、私に近づこうとしなかった理由が分からなかった。

矢木沢は疑いようがなく規則に反した。たとえ密告という形だったにせよ、私は事実を告げたにすぎない。何度もそう胸に言い聞かせた。

だが、私は見ていないことまで密告していた……。

標的に集中できなかった。腕が震えた。あの夜、公衆電話にたたきつけた拳はもう痛まなかったが、トリガーを引く指先が石のように堅くなり、動かなかった。動揺がそのまま結果につながった。

矢木沢は射撃の経験者として充分にその結果を見越していたに違いない。だからこそ、わざわざ大会当日の、それも競技開始の直前になって人前ですべてを暴いたのだ。自分をおとしいれた密告者に対し、最後のトリガーを引いた。鮮やかな復讐の一撃だった。

矢木沢の放った銃弾の前に、私は敗れた。オリンピックへの出場権を手中にできなかった。

そして、幸田美菜子をも失った。

6

署長室の扉を出ると、警務課員の好奇心に満ちた視線が待っていた。彼らは私だと分かると目をそらし、何食わぬ顔で仕事に戻った。昨日、私に情報を与えてくれた吉森も、奥の席で素知らぬ顔を装った。

一瞬ではあったが、私に向けられた視線には、猜疑《さいぎ》と非難の刺が含まれていたように感じられた。それを被害者意識と片づけたがる者は多いだろうが、出獄者の更生には周囲の理解と協力が何よりも必要だとしながら、彼らを真っ先に疑ってかかるのが警察という組織だった。

再犯率の高い犯罪はある。人は誘惑にも弱い。だが、一度罪を犯した者がすべて同じ過ちをくり返すと決まったわけではなかった。

いや、それより何より八年前に私がしたことは、罪や過ちに類するものだったのか。結果として私はオリンピックをつかめず、美菜子をも失った。その意味からすれば、選択を誤ったのは間違いない。しかしそれでもやはり、しくじりと過ちでは意味が違うとしか思えなかった。思いたかった。

二階に上がっても、待ち受けていた視線は変わらず、誰もが目の端で私の様子を探っていた。

柳川に一礼して、デスクに戻った。彼は書類に目を落としたまま無関心を決め込んだ。私も慰めやいたわりの言葉を彼に期待してなどいなかった。

積み上げられた書類の脇に、私あての郵便物が置かれていた。

小さな郵便小包だった。宛名書きに、細く柔らかな文字が見えた。三センチほどの厚みがあるのは、いつものようにビデオが入っているからだろう。

差出人を確かめずに、小包をデスクの一番下の抽出《ひきだし》に入れた。中にあるはずの手紙を、今は読む気になれなかった。

腰を落ちつけて仕事に取りかかった。

始業時間をとうに過ぎていた。処理しなければならない書類は多い。八年前と五分前を思い出さないように心がけて、仕事を進めた。

できなかった。視線は文面を追いつつも、目は何もとらえずに文字が頭を素通りした。それでも私は仕事を続ける振りを演じた。

もう慣れたはずではなかったのか。人々の視線には。八年前に。だから周囲の目が気になり、仕事に向かえなかったわけではない。自分を恥じ、過去をくり返し悔いていたのでもない。

腹を立てていた。

自分自身に。

人が猜疑や好奇の目を私に向けるのは仕方がない。噂話に耳を貸さない人格者ばかりでは、世の中の面白味はなくなる。だが、人の視線を甘んじて受け入れ、大人ぶって静かに耐えようとする自分がうとましくてならなかった。たとえ濡れ衣であるにせよ、今さらことを荒立て、反駁しても始まらず、かえって立場を悪くするかもしれない。今は波風が通りすぎるのを首をすくめて、襟《えり》を立ててじっと待ったほうが得策だ。そう計算している自分が腹立たしかった。

この部屋にいるほとんどの者が、私に疑いの目を向けているのは明らかだった。なぜ弁明しない。身の潔白を訴えようとしない。――無論、八年前の出来事を今ここで持ち出されたくないからだった。後ろ向きの考え方しかできない自分がたまらなかった。

私は衝動的に書類をデスクにたたきつけて、立ち上がった。あまりの勢いに、後ろで椅子が音を立てて倒れた。向かいから柳川が何事かと顔を振り上げ、私を見た。遠くの席からも人が見ていた。問いつめるような幾つもの目が私を取り巻いていた。無言の詰問。非難の視線……。

息苦しさに耐えかねて、部屋を出た。屋上までの階段を全力で駆け上がった。なぜこの署は三階までしかないのかと、短い階段を八つ当たりして恨んだ。奥歯を嚙み、屋上の手すりを激しく揺すった。喉が破れるほどに叫びたかった。あふれそうになる虚《むな》しい言葉を呑み、深く息を吸った。

空はしみわたるように青かった。

仕事に戻ってしばらくすると、私あてに電話が入った。柳川が保留に切り替え、無愛想に言った。

「堀越さんという人からだ」

どっちの堀越からだろう、と一瞬思った。いつも彼らは所属や階級を名乗ろうとしない。たとえ私事でも階級を表に出したがる者が、組織の中には少なからずいるというのに。

小包が届いたばかりだから、幸恵《ゆきえ》からだろうと思って、少し迷った。受話器を取ったが、堅苦しい声になった。

「代わりました。萱野ですが」

「味気ない書類仕事が続くと、電話の声までつれなくなるものらしい」

笑い声が返ってきた。予想は外れた。娘ではなく、父親のほうからだった。

「お久しぶりです。どうでしょうか、署長の椅子の座り心地は」

「大きな声では言えないが、実に窮屈だよ、思っていた以上にな。毎日よくもこんなに会議や行事があるものだと感心する」

堀越達郎は、この春の異動で西相模《さがみ》原《はら》署の署長に就任していた。彼の世話になった特練員のOBを集めて大々的に「祝う会」を行って以来だから、声を聞くのは三ヵ月ぶりになるだろうか。

「今日もこれから署長会議で本部に顔出しだ」

県内の署長を集めた会議で、何が議題となるのかは私にも想像できた。

「たまに横浜まで出て来たんだ。どうだ、今夜は？」

「はい……大丈夫ですが」

「口うるさい先輩と二人では、不服みたいな物言いだな」

堀越はわざと心外そうな口調で言った。仕事柄、彼も新聞の県内版には目を通しているはずで、そうでなければ、たまの横浜だとしても私一人を呼び出そうとするはずはなかった。

「そう警戒するな」

「いえ、何も私は……」

「お前を問いつめたりするつもりは毛頭ない。今騒がれているのとは別件で……ちょっと相談がある」

堀越はなぜか言いにくそうに語尾を濁した。その口調からある程度、彼の相談内容に予想がついた。答え返せずにいると、堀越が先に言った。

「私のほうからそちらに行こう」

「いえ、それでは――」

「相談のあるほうから出向いていくのが当然だ。場所は、そうだな……駅前のホテルのロビーでいいか？」

三ヵ月前に「祝う会」を開いたホテルが川崎駅のすぐ近くにあった。堀越は私の返事をろくに確認もせず、七時に落ち合おうと早口に告げ、電話を切った。

受話器を置いた。デスクの一番下の抽出を開け、中から堀越の相談の種と思われる郵便小包を取り出した。

封を切った。やはり、ビデオと手紙が入っていた。今年になって、これが何通目になるだろうか。そのたびに私は、彼女を勇気づけるありきたりの言葉とごく基本的なアドバイスとささやかな体験を書き連ねた手紙を送った。

便箋には、いかにも彼女に似合った小さく柔らかな文字が几帳面に並んでいた。文面は、いつもと同じように、そっけないほど簡潔だった。

お忙しい中、お手紙をありがとうございました。萱野さんがおっしゃるように、四年後や八年後を目指せと簡単に言う人たちは、その長い長い時間を待つ身の辛さや、それに耐えるにはどれほどの精神力が必要になるのかを、確かに理解していないのでしょう。気休めのアドバイスは、何の意味も持ちません。

どうもまた、左にぶれる癖が出てきたようです。予選が近づき、自分でも力が入りすぎているのだろうと分かります。フォームのせいか、トリガーの絞り方なのか、判断しかねています。同封のビデオは、十九日の練習を丸山コーチに撮っていただいたものです。もし何かお気づきの点がありましたなら、お手数でしょうが、ぜひお聞かせください。

堀越幸恵

萱野貴之様

ビデオを見るまでもなく、彼女のフォームに何の問題もないのは分かりきっていた。学生時代から彼女のフォームはほぼ固まっており、こちらが舌を巻くほどだった。

問題があるとすれば、ただ一点だろう。

それを私の口から言うのは、あまりにも酷だった。けれどおそらくは、誰が指摘するまでもなく彼女も理解している。だから、こうして私に手紙を送ってきているのだ。

彼女のほとんど唯一の、そして最大の弱点は、私に救いを求めようとする、その心にあった。

六時まで仕事を続けた。堀越と待ち合わせた七時にはまだ少し早かったが、時間つぶしには慣れていた。特練員を解かれてからというもの、時間を持て余すことにかけてはベテランだった。本屋をのぞき、静かにコーヒーを飲み、ゆっくりといくつかの新聞に目を通した。それから駅前のホテルへ歩いた。

エントランスを入ると、ロビーは待ち合わせの人であふれていた。緑の鉢植えに囲まれたラウンジへと歩きかけ、たった今コーヒーを飲んだばかりだと思い直して立ち止まった。

足を止めたのは正解だった。ラウンジの入り口に視線が吸い寄せられた。

彼女がいた。

街を歩いていても、電車に乗っていても、偶然に会える確率がたとえ一パーセントに満たないと分かっていても、私は無意識のうちに彼女の姿を探している時がある。やや距離はあったが、見間違いはしない。

やはり、美菜子だった。

ベージュのワンピースに覚えがあった。忘れるはずはなかった。去年の春、川崎駅のホームで再会した二週間後に、初めて二人きりで会った時に着て来たものだ。美菜子はレジの前でウエイターを呼び止めると、奥のテーブルへ歩いた。近くの席にいた男たちが、示し合わせたように彼女を見上げて視線を送った。美菜子は充分に男の目を意識していた。足取りがわずかに遅れ、パンプスの踵の軌跡がゆっくりとしたものになった。

街中での偶然の出会いを喜んでいられるような心境ではなかった。どうしてこんな時に限って彼女の姿を見つけてしまうのか。

私が今、誰よりも顔を合わせたくないと思っていたのが、美菜子だった。

ラウンジの前から退散した。彼女から逃げた。顔を合わせれば、今はどうしても矢木沢の話題になってしまう。会えば彼女も、私たちが慎重に避けていた八年前の出来事に触れざるを得なくなる。

――なぜ、あんなことを？――

八年前の美菜子の声が背中を押した。ラウンジから見えない場所で、堀越を待とうと考えた。エレベーターの手前が、宴会場のクロークになっていた。その陰に隠れた。

美菜子がいる。

私は廊下の端から半身をそらしてラウンジの様子をうかがった。物陰からそっと熱い視線を送る中学生のように。いつものエスプレッソが運ばれて来た。白い小さなカップについた口紅の赤が遠くからもくっきりと見えた。それを彼女は指先でそっとぬぐい、軽くロビーを見渡した。

美菜子がいる。

あの川崎駅のホームで七年ぶりに再会した時、彼女は私を避けなかった。避けようとしたのは臑《すね》に傷を持つ私のほうで、目が合った時にはもう、その場から逃げ出そうと身を翻しかけていた。

美菜子は人の流れを割って階段の前に立ち、私を見ていた。あくせくとホームを行き交う人々の中、涼やかに背を伸ばす彼女の姿があった。視界の端で美奈子をとらえ、私は動けなくなった。明らかに、気づいたのは彼女のほうが先だった。それでも彼女は逃げなかった。美菜子から目を離せずにいると、彼女は私の視線を受け止めた。それからゆっくりと、恭しく礼を返してきたのだった。

……なぜ、あんなことを?

七年前の問いかけを、美菜子は表情にも素振りにも出さなかった。おそらくは夫から、新たに配属された部署に私という部下がいると聞いていたに違いない。やがてはこうしてどこかで会える時もあると予想していたかもしれない。

許されていると思えたわけではなかった。だが、七年を引き戻そうとするように、私は彼女に歩み寄った。彼女は私を避けなかった。お久しぶりです。そう静かに言い、目を細めて私を見た。元気そうで何よりです。私も言った。そして私たちは後ろを足早に通りすぎる人々に背をぶつけながら二十五分も駅のホームで立ち話を続け、何本もの電車を見送った。

なぜ立ち去るきっかけがつかめなかったのか、それは今でも分からない。私たちは駅を出て、最初に目についた喫茶店へ場所を移し、一時間以上も語り合った。どうしてそれほど長く話せたのかが不思議だった。七年前にもっと話しておくべきことが我々にはあったからなのだろうか。それとも最初からそうなる予感を抱いていたのか。少なくとも私は矢木沢を一度も頭に思い浮かべなかった。昔の、失われた時に戻れた気がした。その夜は、別れても彼女を思った。最初に電話をかけたのは私だった。勤め先の番号を教えたのは彼女だった。その後先にあまり意味はなかったろう。

美菜子がいる。

長い指が伸び、バッグからシガレットケースを取り出した。この八年間に、彼女は煙草を覚え、酒を好むようになり、艶やかに身を飾ることが多くなった。趣味の変化は誰にでもある。私も変わった。それで彼女の心の動きを量れはしない。

ふいに、美菜子が私のほうに視線を転じた。右手を上げると、こちらに向かって小さく振った。

廊下の陰に身を引いた。たとえ私に気づいても、彼女のほうから気軽に手を振るはずはない。こんな人目のある場所では。これほど夫の職場に近い場所では、絶対に。

わけが分からず、廊下の先を振り返った。私に手を振ったのではない、とすると……。

彼女が待ち合わせた人物が、後ろにいた。

どうしてその可能性に思い至らなかったのか。予想ができていれば、すぐにでもホテルから逃げ出していた。仕事を持つ妻が、その帰りに外で夫と待ち合わせるのはごく自然なことだ。たとえすれ違いが続いていても、いや、だからこそ、夫に久しぶりの時間ができ、食事をしながら冷静に話し合ってみようと考えたのかもしれない。

廊下の奥から、矢木沢稔が歩いて来た。


私は人と待ち合わせの約束をしており、ホテルのロビーは誰が利用したところで咎められる場所ではない。逃げ出さなくてはならない理由は別になかった。にもかかわらず、私は矢木沢に背を向け、ロビーへ慌ただしく駆け出した。こんな挙動不審者に、警察官である彼が気づかないほうがどうかしていた。生憎と宴会場のドアには鍵がかかり、揺すってもびくともせず、身を隠せそうな場はどこにもなかった。

「どこに逃げるつもりだ」

背中から足音が追いかけて来た。怒気を抑えた声が大きくなった。

「仕事はどうした。味けない書類仕事より、素行の怪しい上司のあとをつけるほうが重要だと思ったか」

逃げ場を失い、仕方なく振り返った。

三日前と違い、矢木沢にはまだ笑おうとする余裕があった。逃げる者と追う者、その意識の差から生まれるゆとりだった。

「どんな理由をつけて早退した。新聞社にリークするネタを稼ぐために時間がほしいと言ったわけか？」

「偶然です。私も今日はここで人と会う約束があり――」

「白々しいことを言うな！」

無理して作った笑みは、あっさりと彼の頬から消えた。

「なあ、萱野。おまえ、何が楽しい？　人の尻を追い回し、ドブ板をはがして臭いを嗅ぎ分け、ゴミを漁る。人間として、最低だとは思わないか？」

「邪推がすぎます。いかにも警備局出身の警察官らしい考え方だ」

「貴様は刑事警察を気取って俺を追い回しているわけか」

「誤解です。あなたの偏った意見には承服できにくいと言ったまでです」

「八年前を思い出すよ。そうやっておまえは、俺の足元をすくったつもりだったが、実は自分の足を引っぱったにすぎなかったじゃないか。そうだろ。今のおまえと俺を比べてみろ。

あれからおまえは、何を手にできた？　どうして差がついたか、おまえに分かるか？」

　質問ではなかった。彼はすぐに答えを言った。

「教えておこう。卑しき枝には、卑しい実しかつかない。分かるか。おまえがどう動こうと、卑しい動機からは、卑しい結果しか生み出さない。それを承知で俺をつけ回そうというなら、勝手にするがいい。おまえがまた自分で倒れようと、俺の知ったことじゃないからな」

　少なくとも八年前の彼の動機に卑しさはなかった。純粋に、彼は美菜子へ想いを寄せていたのだ。だから彼女を射場へ招待したにすぎない。私とは動機が違う。

　そして今回も、卑しき枝を伸ばしてはいないという、よほどの自信が彼にはあるようだった。昂然《こうぜん》と胸を張った。

「そんなさもしい真似で、この八年を取り戻そうというのか。俺を引きずり落とせば、おまえのなくした八年が戻ってくるか？」

「何度も言うようですが、私はここであなたを張っていたわけではありません。私も卑しき動機は持ち合わせていない」

「それならなぜ俺を見て、逃げた？」

「こうしてまた、なじられたくなかったからです」

「だったら、最初からなじられるような行動を取るな」

「いいですか。あなたを張っていたのなら、すぐ見つかるようなところで私が待ち受けていると思いますか？」

「あきらめたわけではないという意思表示だったのかもしれない」

「それなら、どうして逃げ出します。堂々とあなたを待ち受けて、睨み返してやればいい」

虚をつかれたように矢木沢は首を引いた。廊下を素早く見回し、私の言葉と見咎めた時の位置関係を確認していた。

ふとラウンジを振り返って、矢木沢の頬が震えた。そこに自分を待つ人物がいる、と思い当たったらしい。目の縁《ふち》が瞬時に赤く染まった。

「なるほどな。あいつに目を奪われていたか」

事実だった。答えが顔に出ないようにと祈りながら、言った。

「私はここである人と待ち合わせをしていたにすぎません……」

「よくもぬけぬけと言えるな」

矢木沢が一歩にじり寄り、私の胸元に手を伸ばした。たとえ上司だろうと、いきなり部下の胸倉をつかんでいい理由はない。突き出された手をかいくぐって、横へ動いた。空をつかまされ、彼がにわかに目の色を変えた。向き直って、なおも手を伸ばそうとした。

「冷静になってください」

突き出された手を横からやんわりと払った。そのつもりだったが、私の腕時計のベルトの角が、彼の指を引っかける形になった。彼は小さくうめき、掌を押さえて私を睨みつけた。

「貴様……」

前に立ちはだかり、壁際へ押しつけようとした。三日前の怒りのぶつけ方とは明らかに違った。つい先ほどまで見せていた毅然さが、急にどこかへ消し飛んでいた。私が美菜子に目を奪われていたと知ったせいだ。

「どこまで卑劣なやつだ」

「人が見ています。冷静に……」

「いつでも貴様はそうだ。自分の手を汚さずに人の足を引っぱろうとする。恥を知れ！」

小競り合いに気づき、人が集まりかけた。私はやむなく、突き出された腕を押し返した。怒りに我を忘れ、矢木沢がバランスを崩した。あっけないほど簡単に、彼はその場に尻餅をついていた。

「お客様、何かありましたか」

ホテルの係員が駆けつけて来た。

倒れた矢木沢のほうが驚いていた。焦点の定まらない目で茫然と私を見上げた。失態を演じた自分が自分で信じられないというような目だった。

私も信じられなかった。精密機械と称され、いついかなる場合でも冷静沈着な射撃を見せた矢木沢が、これほどの取り乱しようをするとは。それも、ホテルのロビーという人目のある場で。自分を見失うほどまでに、私という男が目障りだったのだろうか。

矢木沢は身を震わせるようにして立ち上がった。助け起こそうとしたホテルマンを押しやり、スラックスの腰をはたいた。私を見ずに言った。

「今日のことが、今度はどこの新聞に載るのか、せいぜい楽しみにしている」

精一杯の皮肉を浴びせ、歩き出した。彼の肩越しに、ロビーで遠巻きにする人々の顔が見えた。ベージュのワンピースが目に飛び込んできた。

美菜子が見ていた。ホテルマンの背中にそっと隠れるようにして。その場の誰もが怒鳴り声を放った矢木沢に、礼儀知らずをいさめるような目を向けていたが、同じ色合いを、私は美菜子の目の中に見た気がした。

視線が合うと同時に、彼女の目が驚きに揺れた。どうしてここに？　なぜあなたが？　やはり、あなただったの？　彼女の心の声が聞こえた。胸に届いた。

遠巻きにしていた人々の群がゆっくりと割れた。一人残された美菜子へ向かい、矢木沢が歩み寄った。美菜子がすぐに私から視線をそらし、不安げな目に変わって夫を迎えた。

矢木沢が美菜子の肩に手をかけた。その仕草に促されて、彼女も歩き出した。

二人の背中が遠くなった。

7

矢木沢がこのホテルで誰と会っていたのか、気にならなかったと言えば嘘になる。ロビー奥の廊下から現われたのだから、エレベーターを下りて来たのはまず間違いない。ホテルの一室、または階上のレストランで誰かと会っていたのだろう。だが、たとえ彼が新聞報道の通りに関係業者と親しくしていても、私はそれを探る立場にない。

私が知りたいのは、彼の女性面での素行だったが、女性と密会した直後に、同じホテルで妻と待ち合わせをする大胆かつ豪儀な者がいるとは思えなかった。

七時十分をすぎて、私の名を告げるアナウンスがロビーに流れた。遅刻を詫びる堀越からの電話だった。

「すまない。もう少し時間がかかりそうだ。本部には昔懐しい連中が多くて困る」

堀越ほどの年齢になれば、同期の者もそれなりの地位につき、本部勤めをしているケースが多かった。

「上に寿司屋が入っていたろ。先に一杯引っかけててくれ」

「お気遣いなく。それに、ホテルですと堀越さんの財布のほうが少々心配にもなります」

「先輩に恥をかかすな。余計な気を回さず、先に飲んでいろ。分かったな」

有無を言わさず電話を切られた。おとなしく先輩の言いつけに従った。ロビーから離れられるのがありがたかった。

先に一人でビールを飲んでいると、約束した七時を四十分以上も遅れて、堀越がネクタイをゆるめながら現れた。

「悪いな。歳をとると、どうも話が長くなっていけない」

「お久しぶりです」

「お。オヤジさん、こっちもヒラメを頼む。それと、冷やをボトルでもらおうか。――それで、いいな」

少し痩せただろうか。タフな「ダルマおやじ」も、一回り小さくなった感じがした。とはいえ、枯れてきた印象はまだない。先の見え始めた年齢ではあったが、署長に昇進し、揺るぎない落ちつきを得たように見えた。

「お元気そうで何よりです」

「少し痩せたよ」

堀越は言い、おしぼりで顔をふくと、頰の辺りをなで回した。

「特練員上がりだから、体のほうには自信があった。けど、任せられた仕事の中には、訓辞だ、激励だ、スピーチだと人前で話すことが嫌になるほど多い。骨が折れるよ」

苦笑をこしらえると、堀越は酒を口に含み、息をついた。

「小さな署にすぎないが、いざ任されてみると、こうも眺めが変わるのかと少々驚いている」

「何が見えます？」

「格好をつけるわけではないが、我々への信頼と依存だな」

堀越は誇らしげに言ったが、すぐに表情を引き締めた。

「しかし同時に、見えなくなるものも出てくる。下にいる時は、警察官なんてのは所詮、人から煙たがられる存在なんだろうと思っていたところがあった。検問だ、警備だ、不審人物は見ませんでしたかと、しつこく市民に呼びかける部署に長くいただろ。自然と、警察への反発の声も聞こえてきた。ところが、だ。あんな小さな署でも、そういった批判がましい種類の声になると、組織の懐に吸収されてしまうのか、こっちの耳には聞こえなくなってくる。代わりに、地元の防犯協会だとか商業組合だとか、こちらに期待を寄せる声ばかりが届けられる」

私は頷き、堀越のグラスに酒をついだ。

「街の反応だけではなく、署内の眺めも同じだ」

「中もですか？」

「ああ。要するに、中というのは人の眺めだな。署長である自分に対し、いいことを言う者はいても、悪口などは絶対に聞こえてこない。悪い報告も上がってこない。考えてみれば、それはそうだ。よくない報告を上司にするのは、自分の管理能力のなさを自ら発表するようなものになる。どうしても悪い報告はあと回しになる。上下の階級や規律の厳しい組織ほど、そういった傾向が顕著になってくると見たほうがいい」

「はい」

「ところが、そう言っている自分だって、この先があるわけではないし――」

「そんなことはありません」

本心から私は言った。だが、堀越は顔前で手を振った。

「いや、自分で分かってる。だから、せめてつつがなく任を終えたい気持ちがどこかにある。つい臭いものには蓋をして、いい眺めだけを見ていたくなる。皮肉なもんだよ。足元を見ようとすればするほど、自分の首を締める材料を見つけることにもなりかねない」

堀越は言って、大きな掌で顔をぬぐった。それから腕を伸ばし、私のグラスに酒をついだ。

「例の警察幹部は、やはり矢木沢らしいな」

世間話のついでのように切り出した。

私はグラスを持つ手を引きそうになった。

「安心しろ。先輩署長から、自白を引き出すように依頼されたわけじゃあない」

「では、単独捜査ですか」

「馬鹿言うな。まあ……それだけ言い返せれば、心配はないか」

言って、にこやかにグラスを差し向けた。

「本部のほうは、だいぶ神経をとがらせていた。そのうち、おまえにもお呼びがかかるかもしれない」

「分かりました。そのつもりでいます」

「なあ」

正面を向いたまま、堀越は言った。

「誰にも言うつもりはない。だから、聞かせてもらえないか」

「――はい」

「おまえ、なのか？」

「違います」

「噂だと、矢木沢はおまえの仕業だと断定したそうじゃないか」

署外にまで知れているとは思わなかった。署長会議で話が出たのだろうか。

「……実は、矢木沢さんが接待を受けていたらしい場面に出くわしました」

当たり障りのない言い方をした。本当の理由は、堀越だからこそ言えなかった。言えば、当然、幸恵の耳に入ると考えたほうがいい。

「偶然か」

「ええ。今日もつい先ほど、下のロビーで鉢合わせをしました」

驚いたようにこちらを向いた。首を振りながら、堀越は視線を前に戻した。

「誰も納得はしないだろうな」

「覚悟はしています」

「あらかじめ断っておくが、これは、たとえばの話だ……」

手酌で酒をつぎ、堀越は言った。

「――たとえ、上司の問題点を暴き、新聞にリークしたところで、誰に非難されるようなことではないと思う。何を言われても、毅然とした態度で臨めばいい。少々辛いだろうがな」

私はグラスの酒を見つめた。

「勘違いしないでほしいんだが、何も前があるから信じられない、と言っているわけではないんだ」

「分かっています。自分でしたことですから」

「早とちりをするな。俺はな、前があるからこそ、おまえでないと信じているようなところがある」

私は堀越の横顔を見た。

「だってそうだろ。前があるからこそ、また似たような真似をすれば、周囲から同じ目で見られてしまう。そんな当たり前の反応に、おまえが気づけなかったとは思いにくい。人は時に同じ過ちをくり返すが、それはまず間違いなく、人を傷つけても、自分は何ひとつ傷つかなかったやつの話だ。おまえは違う」

私は黙って頭を下げた。信じてくれる人がいる。それだけで、ありがたく思えた。

「なあ、本当に偶然なんだろうか？」

虚を突かれて、堀越を見返した。

「――何がでしょう？」

「だから、おまえが矢木沢と出くわしたことだ」

「しかし、それは……」

「なあ、そうじゃないか。おまえがたまたま矢木沢の接待現場に出くわした直後に、たまたま新聞社に密告が入った。そんな偶然が、あるだろうか」

あり得なかった。私は美菜子から頼まれ、矢木沢のあとをつけた。それが偶然ではなかったなど……。

「どこで会った？」

堀越が何気ない口ぶりで訊いた。

「今日みたいに地元のホテルなら、そりゃあ時に偶然もあり得るだろう。しかし、場所によっては、偶然ではすまされなくなる。違うだろうか」

「では、堀越さんは……」

「断定はできない。ただ、おまえたちの間にあった例の一件を知っていた人物なら、自分の存在を隠すために、身代わりを差し出そうと考えたとしても、おかしくはない」

美菜子なら、警察官としての夫の行動に疑問を覚えるようなことがあったとしても不思議ではない。当事者の一人なのだから、私たちの間にあったことも知っている。しかし——。

「あくまでも想像だ」

どう考えても、やはりあり得なかった。美菜子が夫を告発するために、わざわざ私を利用するなど……。

では、美菜子の意思ではなかったとすれば、どうなるか。

何者かから、矢木沢の交友関係への不審を美菜子が聞かされ、つい私に……。しかしそこまで相手が期待していた場合は、美菜子に注進をした者が、私と彼女が人目を忍んで会っていた事実を知っていたとしか思えなくなる。

美菜子とは慎重に場所を選んで会っていた。その現場を目撃されたのだろうか……。

いや、たとえそうだったとしても、いくら自分の姿を隠すためとはいえ、なぜそんな回りくどい方法を採って矢木沢を告発する必要があるのか。疑問は残る。

「おい、聞いてないのか」

肘をつつかれ、我に返った。堀越が笑いながら私を見ていた。

「おれは握りにしてもらうが、おまえはどうする」

「あ、はい。では私も……」

いくつか握りを注文した。堀越はうまそうに鮨を口に運んだが、私はほとんど味が分からなかった。先ほどの想像が、まだ頭の中を占めていた。

グラスに手を伸ばしながら堀越が言った。

「そろそろだな。不思議なもので、この季節になるとどうしても落ち着かなくなる」

何を言いたいのかは、すぐに分かった。私もグラスに手を伸ばし、頷いた。

「もうすぐですね」

オリンピックの予選が近づいていた。標準記録をクリアした者たちは、この時期になると強化合宿に入る。現役の特練員たちは今、その最中だった。

「何だか、自分の時のほうが、まだましだったような気がする。それほど大した選手ではなかったのにな」

声に昔を懐かしむ響きはなかった。話を切り出すタイミングを計っていたからだろう。

「今日、合宿先から小包が届きました」

「そうか。いつもすまない」

堀越の声が、少しぶっきらぼうな調子になった。

「あいつは昔から心配性でな。おまけに人見知りときてる。自分のところのコーチよりも、学生時代から見てもらっている私設アドバイザーを信頼しているふしがあって困るよ」

八年前のあの一件以来、私は射撃選手としてろくな成績が残せなくなった。普段の練習はまだしも、大会になると決まって指が凍えるようになった。ほぼ一年後、結果を残せなくなった者の必然として、私は特練員の指定を解かれた。

その直後のことだ。射撃という夢を奪われ、時間を持てあましていた私に、堀越が声をかけてくれた。

「娘の行っている大学に、珍しく射撃部があってね。全日本クラスの経験を持つ者に声をかけてもらえれば、彼らも喜ぶと思う。暇な時でいいんだが、一度見てやってもらえないか」

私への気遣いであるのは分かっていた。こんな私を気にかけてくれる人がいたのが何よりも嬉しく、堀越の温情に応えたかった。暇ならありあまるほどにあった。警察官という公務員の立場では、コーチをしての報酬は得られないが、それでかまわなかった。射撃に接していられる。大学生では、例の件も知らない。時間を見つけては、大学の射場へ通うようになった。まさかそのチームに、堀越の娘が所属しているとは予想もしていなかった。

堀越幸恵は、最後の学生選手権に挑み、エアピストルで二位に入った。私の指導の成果ではない。彼女の資質と努力の賜《たまもの》だった。そして彼女は、社会人チームからの誘いと父の説得をはねつけ、卒業と同時に、神奈川県警の採用試験を受けた。

今日、私のもとに届いた小包は、合宿先から投函されたものだった。特練員となった彼女に、チームのコーチでもない私が、表だってアドバイスするわけにはいかなかった。

「親としては、いい歳の娘がいつまでも射撃に熱を上げているのは考えものだが、オリンピックとなれば、話は別だ。親馬鹿だが、いい結果が出ればと思っている」

堀越も私と同様、あと一歩でオリンピックに手が届かなかった。私と違うのは、世界選手権やワールドカップへの出場経験を持つことだった。

「彼女なら、可能性はかなりあると思います」

「そうか、聞いてないのか？」

「何をです」

「うん――」

堀越は言葉を濁し、苦しそうに酒を口に含んだ。

「あいつ、この土壇場になって、極端に調子を崩していると聞いた。丸山の話だと、どうも練習にあまり身が入っていないらしい。こんな時になって何を考えているのか」

知らなかった。調子が落ちていると最近の手紙に書いてあったが、口癖にも似た彼女の思い込みだと信じていた。

「あいつも、いい大人だ。親の私が心配するような歳ではないと分かってる。だけど――なあ、学生の時からあいつを見ていて、知っていることがあれば、教えてほしいんだが……」

「はい」

「あいつ、誰かいるんだろうか」

周囲の音がどこかに吸い込まれていった。

私は慎重に言葉を選んだ。

「学生の時は、クラブ活動に打ち込んでいたように見えました。警察に入ってからは、所属が違うので、そこまでは……」

「こういう考え方は、俺としてはあまり好きではない。けれど、あれほどオリンピックを目指していたあいつが、こんな時期に身を入れて練習をしないなんて、どうかしている」

どう言っていいのか分からなかった。

堀越は唇を噛むような仕草をした。

「いくら心配だからといって、父親がそういった微妙な話に割り込むわけにもいかないしな。すまないが、一度あいつの相談に乗ってやってもらえないだろうか」

堀越の横顔を見ていられなかった。彼は知っている。娘の様子を近くでつぶさに見てきているのだ。娘が誰に想いを寄せているのか、相手の見当ぐらいはつけている。だから、今日ここに私を呼び出したのだった。

「なあ、どうだろうか」

それは、私の気持ちを確かめる言葉だった。

言わなければならない。堀越は父親として、非常に切り出しにくいことを、あえて訊いてきたのだ。私も誠意を持って返事をしなければならないだろう。

グラスをカウンターに置いた。堀越は私の動きを、目の端でとらえていた。

「――彼女は我々が思っているほど、子供ではないと思います。昔のように私にアドバイスできることは、もうほとんどないと思います」

「そうか」

肩を落とし、ぽつりと言った。

「そうか。分かった」

堀越はもう一度くり返すと、グラスに残った酒を一気にあおった。


翌日は、いつもより遅い昼休みをとると、時間を見計らって署を抜け出した。駅近くの公衆電話から、ラグジュアリー・ショップ「銀河」のダイヤルボタンを押した。この時間なら、美菜子も昼食を終え、店に戻っているはずだった。学生時代の先輩だという店長が電話に出ることはほとんどない。店員は二名。確率は二分の一。

「はい、銀河です」

祈りが通じた。美菜子だった。

「萱野ですが」

「先日はお世話様でした」

よどみなく、業者からの電話に対するような受け答えをする。

「あれから電話をもらえないので気になっていた。それに、どうしても伝えておきたいことがある」

「承ります」

「あれは、私ではない」

「そうでしょうか」

　素っ気ない言い方にかすかな不審が感じられた。

「本当だ。もう二度とあんな真似はしない。そうやって、どれだけのものを失ったのか、自分で分かってるつもりだ。なのにまた同じような失敗をくり返す馬鹿が、どこにいると思う」

　返事はなかった。

「会って話をしたい」

「どうでしょうか。非常に難しいと思いますが」

「では、電話をもらえないだろうか。七時には部屋へ戻ってる。仕事の帰りなら君も電話をできるだろ」

「少し考えさせていただけますでしょうか。では、先方へもよろしくお伝えください。失礼いたします」

　それで電話は切れていた。

いつもの美菜子の口調とは違っていた。近くの席に、学生時代の知り合いがいるために、彼女は普段も業者からの電話を装ってはいた。油断なく気を遣い、電話口で笑うようなことはなかったが、にべもない態度を取りはしなかった。

美菜子は私を疑っていた。

いや、最後に彼女は、考えさせてほしい、と言った。その言葉に嘘はなかったのではないか。彼女は私を信じたいと思っている。思いながらも信じきれずにいる。八年前のあの一件があるために。

美菜子が夫の素行を告発しようとして、私を利用する意味があるとは思えなかった。堀越の着眼点は的を射ていたが、あの密告は、私に尾行を持ちかけた者の仕業ではあり得なかった。無論、私でもない。

美菜子の胸に残るかすかな疑いの根を絶つには、密告者を探り出す以外にないのかもしれない。

8

署へ戻ると、受付奥の交通課に人だかりができていた。大師《だいし》通りでトラックが横転する事故があったのだという。交通捜査係と規制係が先を争うように署を出て行った。

パトカーのサイレンを背に、二階へ上がった。署では誰もがサイレン音には慣れている。下の騒ぎをよそに、二階はのどかな昼下がりの中にあった。刑事課や生活安全課が活気を放ち始めるのは、陽が沈んでからになる。

席に着き、上の空で仕事を続けた。デスクに向ってボールペンを動かしながら、心と思考は、密告者が誰だったのか、に奪われていた。

矢木沢が等々力の料亭である人物と会食していた現場を私が目撃したのは、先週の土曜日の夜だった。週明けの月曜日の朝には、もう矢木沢が署長から呼び出しを受け、早速その日から自宅謹慎に入っている。昨日の新聞を飾った、業者との過剰な接待を問題視されたのは、まず間違いない。

つまり、何らかのルートを経て、月曜日の朝に、密告内容が署長の耳にまで入れられたことになる。前日に密告が入れられたのなら、署内に動揺を与えない、もっと手際のよい対処の仕方もあったはずだ。

翌日の火曜日に、警務課の吉森から話を聞いたところ、矢木沢の処分は謹慎だけですみそうだ、と言われた。密告者としては、それ以上の処分を願っていたか、または、より問題を煽《あお》りたかったのか、さらなる密告を新聞社へ入れた。

記事は昨日、木曜日の朝刊に掲載された。前日に開かれた県警本部長の定例会見で、その質問が記者から出されたというのだから、処分の決定された火曜日の午後には、もう密告者は次の行動に出ていた可能性が高い。県警本部で内々に処分の決定されたすぐ翌日に、本部長への質問ができるとは考えにくいからだ。

そう考えると、密告者は、矢木沢の処分内容を火曜日のうちに知れる立場にいる者に限られてくる。すなわち、神奈川県警の関係者の中――または、その周辺にいる者――になる。

密告者は、私と矢木沢のごく身近に――いる。

この想像はたぶん大きく違ってはいない。だが、肝心の密告者の真の目的が何かとなると、まだ見通しは暗い。

矢木沢が業者と癒着《ゆちゃく》関係にあると知り、純粋に正義感から告発しよう、と考えての行動だとは思えなかった。矢木沢に反省を促すためなら、署長や幹部への密告だけでよかったはずだ。ところが密告者は、結果に満足ができず、新聞社へもさらなる密告の矢を放った。

その標的が、あくまで矢木沢本人だったのかどうか、現状からは断定できない。警察では、部下の不祥事も、幹部の管理不行き届きとして問題にされる。事件が大きくなればなるほど、責任は幹部にまで及ぶ。そこに密告者の狙いがあった、とも考えられた。

意味もなく動かしていたボールペンを置き、壁の時計を見上げた。まだ二時十二分。今日は少年係や保安係の応援業務も入っていない。定刻には仕事を終えられる。

今日は何をしながら通用口の前で時間をつぶそうか、と考えていた。

時計の針が五時十五分を指すと、部屋の様子をそっと観察した。このところ、早々と席を立つ日が続き、さらには昨日の新聞記事も手伝い、柳川の私への視線はとみに厳しさを増していた。

吉森は事務吏員ではないので、定刻とともに仕事を切り上げるとは思いにくい。ぎりぎり四十分まで我慢した。柳川がじっとこちらを見ていたが、私は小さく頭を下げて逃げるように課を出た。

一昨日と同じように、通用口に近い路上で待った。おかげで、半年前にやめたはずの煙草をまた口にしていた。

吉森は私の姿を見ても、もう署に引き返そうとしなかった。代わりに、いかにも迷惑そうな顔で肩をすくめた。

「噂通りに相当しつこい男のようだな、あんたは」

「何度もくり返すようですが、矢木沢さんを指したのも、新聞社に情報を流したのも、私ではありません」

吉森は足早に歩き出し、またちょっと肩をすくめるような素振りを見せた。期待通りのしつこい男になるべく、後ろに続いた。

「少しお時間をいただけないでしょうか」

「手短にすませてくれ」

「矢木沢さんが謹慎となった日の朝ですが、吉森さんは何時に署へ出られましたか」

戸惑い気味に私へ視線を振った。足取りがやや遅くなった。

「どうでしょう？　何時に見えられましたか」

「警務なんだ。副署長が来るまでには、少なくとも入るようにしている。仕方ないだろ」

弁解のように言った。私の想像していた通りだった。

通常、副署長は登庁して来た署長に対し、夜間に発生した事件やその処理などをまとめて報告する。そのために、署長より早く登庁し、宿直から詳しい状況を先に聞き出しておく。副署長が定刻の前に入るとなれば、上司の顔色をうかがう中間管理職でなくとも、出勤時間は自然と早まってくる。

先日、吉森は私に、副署長が受けたという矢木沢の謹慎についての情報を流してくれた。吉森なら早めに署へ出ているのでは、と考えたのだが、やはり予想は当たっていた。

「署へ出る時間が、どうかしたか？」

「早めに出られていたのなら、副署長が宿直担当者から報告を受けているところも見られたのですよね」

「そりゃあ見たさ。すぐ近くの席でやってるからな」

「その時、副署長に報告をしていたのは、宿直担当者だけだったでしょうか」

吉森は足を止め、不思議そうに私を見た。

「何を聞きたい？　報告の内容によっては、課の責任者まで呼び出されるのは当然じゃないか」

「私も警察官の端くれですから、それぐらいは知っています。あの日のことを訊きたいんです。どうでしたか？　あの日はどこかの課長が報告に出向いたりしなかったでしょうか」

吉森は無言で、皺《しわ》の浮き出た口元をなでた。どうやらこちらの質問の意図が読めてきたようだった。

矢木沢に関する密告が、署長のもとに直接入れられたのなら話は別だったが、何者かを経由された場合には、その朝になって初めて署長の耳に入れられたことになる。だからあの朝、急遽《きゆうきよ》幹部が署長室に呼ばれたのではないか。

となれば、署長へ密告を伝えたのは、副署長から、になる。

あの朝、副署長に前夜の報告をした者が、宿直担当者以外になかった場合は、副署長かまたは宿直担当者に、密告が入れられたことになる。だが、夜を通して署に詰めていた者へ、どういう形で密告ができたのかは難しい。八年前の私のケースとは違う。電話一本の情報のみで、警察署長が慌てふためき幹部を呼ぶとは思えなかった。警察官を動かしたからには、業者との接待現場を納めた写真や矢木沢のスケジュールを詳しく書いたメモなど、何かしら証拠となるものが送りつけられた、と考えるのが普通だろう。であれば、人目のある署内に詰めている宿直担当者への密告は考えにくい。それに、そもそも実力者のもとへ密告情報を送りつけなければ、効果も期待できない。

「そういや、いつになく辺りがにぎわしかったような覚えがある」

「では、やはり何人かの課長が呼ばれたのですね。誰がいました?」

「少し歩こう」

吉森ははぐらかすように言って歩き出した。

この通りは、署の通用口から駅へ向かうには最短距離に当たる道だ。どこで署の者に見られるか分からなかった。私との密談を彼は明らかに警戒していた。

繁華街をさけ、駅とは逆に裏通りのほうへ足を向けた。署から五百メートルは離れたろうか。ようやく吉森は足取りをゆるめて、言葉を継いだ。

「毎日のことだから、いつもいつも報告に来る者を見ているわけではない」

「はい」

「あんたのとこの矢木沢さんが、あとになって呼ばれたのは確かだったと思う。防犯となれば、夜間に何が持ち上がったところでおかしくはない。だから、その時は別に気にもとめなかった」

古手の警察官らしく吉森は、生活安全課のことを「防犯」と改称前の課名で呼んだ。

「その前に、どこかの幹部が副署長のところへ来ていたのですね」

「竹川さんが来たのは間違いなかったな」

竹川信久は、交通課の課長だった。

「事故処理の報告なら、いつも宿直がすませていたと思う。ひき逃げなら交通捜査が出向いてくるはずだし、珍しいことがある、と思ったのを覚えている」

「竹川さん自らが報告に来ることはないのですか」

「いや、ないわけじゃあない。大きな事故になれば、副署長と一緒に署長室まで足を運びもする」

「しかし、その日は大きな事故があったわけではない？」

「そう迫らないでくれよ」

吉森は薄く笑って、私の横から身を引いた。

「いくら何でも交通課の事情までは知っちゃいないよ。よそのことに目を光らせているわけではないんだ」

視線が警戒の色を増した。私は苦笑を返し、質問を変えた。

「ほかに見えられた方はいなかったのですか？」

吉森は低く垂れ込めた曇り空を見上げた。

「なあ、鶴見《つるみ》署のほうで発砲事件があったろ。あれは、いつだったかな」

問われて私も思い出した。鶴見署は西隣の所轄に当たり、本部からの依頼を受け、川崎中央署も緊急配備に出動したと聞いた。

「火曜の夜だったと思います」

「だとすると、報告はおとついか。じゃあ、あれは月曜日じゃないな」

独り言のように言い、吉森は一人で頷いた。

「昨日今日のことじゃないから、確かな覚えがあるわけではない。だけど、浜本さんと長友さんも来ていたような気がするな」

浜本章治は刑事課の、長友光男は警備課の課長だった。

「そのうちの誰かが、副署長と一緒に署長室へ入りませんでしたか？」

「いや、それはなかったと思う。あの日はまず、矢木沢さんが署長室に呼ばれ、それから各課の課長が集められたはずだ。で、何かあったぞ、とうちの課でも話題になった」

となると、密告を受けたのは、副署長だったのだろうか。それとも、まずは矢木沢から確認を取るのが先決だと判断したのか。部下を問いただす場に、署長や副署長以外の者がいては不自然になる。密告を受けた者も、下手に同席して、矢木沢から逆恨みを買っても困る。

「あんた、日曜の夜に何があったか、調べるつもりか」

その問いかけには、無言で答えた。吉森が口の端を持ち上げ、見透かしたような笑みを作った。

「演技なのか、本気なのか、ちっとも見当がつかないな」

自分が密告者である事実をカモフラージュするため、わざとあの日の朝の出来事を確認しようとしているのか。吉森はまだ、私のことをいくらか疑っていた。

「前日の夜に何もなければ、その課の課長さんが密告を受けた者になるってわけか。調べるのはあんたの勝手だが、あまり薮をつつかないようにしたほうがいい」

「どういうことでしょうか」

「どこにでも出世争いってものはある。ヤクザだって警官だって、お役人だって同じだ。仮に、もしあんたが密告者じゃなかった場合には、出世に目を血走らせた連中の足の引っ張り合いだってことも充分にあり得る。だろ?」

矢木沢は署内で最も若い管理職警部だった。上級職試験合格組のキャリアを別にすれば、最近ではかなり早い昇進と言えた。規則から見れば、たとえ高卒者でも、十一年六ヵ月で警部に昇任する道はあったが、あくまで受験資格から見てのことで、実際にはストレートですんなり試験をパスできる者はまずいない。近年、昇進試験の競争率は恐ろしいまでに高くなっている。

矢木沢はかつて機動隊に属しながらも、コーチ待遇の資格を持つ特別訓練員という立場にあって、自分の時間を自由に使えた。昇進試験のための時間も作れた。射撃選手の寿命は長い。にもかかわらず、これからという時期に自ら特練員を下りた彼の行動に対して、当時は様々な批判もあった。だが、一部には、警察という組織の中で生きていくには見事な身の振り方だ、という意見があったのも事実だった。現場一筋のたたき上げで昇進してきた者の中には、矢木沢の身の処し方に対するあからさまな敵視や妬みもあったろう。そのうえに地元業者と癒着していたのでは、黙って見ていろというほうが無理だった。

「出世争いが関係してるとなれば、派閥も絡んでくるし、一署内の話じゃすまなくなる」

吉森はしたり顔で笑いながら言った。派閥の根は当然、県警本部へもつながっている。それは警察内の常識だった。

「捜し物をするのはいいが、あんまり藪をつつくのは考え物だぞ。蛇に呑まれれば、俺たちみたいな下っ端は骨になって吐き出されるだけだ」

じゃあな、と気安く言い残して吉森は手を上げた。私を置いて、一人悠然と駅のほうへ歩いて行った。


食事をすませてアパートへ帰った。玄関で靴を脱ぎながら暗い部屋を見ると、留守番電話の赤いメッセージランプに気づいた。

灯りをつけるのももどかしく、再生ボタンを押した。学生時代の友人からかもしれないし、間違い電話の可能性もあったが、今日の昼休みに私は、七時に自宅へ電話をくれないか、と自ら口にしたばかりだった。

残されていた伝言は一件。信号音のあとにつかのまの静寂。そして——

『——電話をくれと言われたのでかけたのに……。これでは、どこまで信じたらいいんでしょうか。電話はしないでください。気が向いたら、こちらからします。では……』

受話器を手にしかけ、慌ててたたきつけるように置いた。激しい後悔に襲われた。

あの時の電話の口調から、あまりいい感触は得られなかった。いつもの美菜子とは違い、言葉の端々に冷ややかな響きがあった。こちらの願い通りに電話をもらえるとは思ってもいなかった。

冷蔵庫の中から買い置きの缶ビールを取り、プルトップを引いた。苦いものを喉に流し込んだ。彼女が私の仕事場へ電話をくれることはあり得なかった。夫のいる仕事場なのだ。病気療養という名の謹慎中は、矢木沢も自宅にいる機会が多くなる。夫のいる自宅からでは彼女も電話はできない。

矢木沢の謹慎はいつまで続くのだろうか、と考えた。あの新聞の一件がなければ、木曜日にも彼の謹慎は解けていたかもしれない。火曜日には、問題なしとの処分が県警本部で決定された、と吉森が言っていた。ところが、翌水曜日に、新聞記者から指摘を受け、事が公になった。記事には、読む人が読めば矢木沢と分かるように書かれていた。おそらくは、それで謹慎期間が延びたのではないか。

新聞社や市民団体による追及は、その後どうなっているのだろう。新聞社への密告が、どのような形で入れられたのかも調べてみる必要があった。

ほとぼりが冷めるまでなら、今週一杯の謹慎になる公算が高い。来週から、きっと矢木沢は署に出て来る。そうなれば、仕事にまた追われて彼の帰宅は遅くなる。美菜子にも、以前のように電話をできる時間が生まれる。それまでに、どれだけ密告者へ近づけるか。

窓を開けると、いつの間にか空が泣き出していた。猫の額ほどもない狭いテラスに出て、雨を浴びながら残りのビールをあおった。その日の雨は、飲み干したビールよりも苦かった。

9

翌日は六日ぶりの宿直に当たっていた。十一時まで朝寝を決め込み、駅前で昼食をすませてから署に出た。

今日も矢木沢はいなかった。病気療養という名の謹慎は、やはり今週一杯続くようだ。

宿直日は、交番詰めの第二当番と同じ、午後二時からの勤務となっていた。三十分以上も早く署に出たのは、何もたまっている仕事を片づけようとしたわけではなかった。私は軽く挨拶をすませて連絡事項の有無を確認すると、課を出て隣の給湯室へ歩いた。

川崎中央署の二階には、私のいる生活安全課と刑事課、それに留置係が置かれている。どの部署にも婦警は少ない。そのために、交通課や警務課のある一階とは違い、二階の給湯室は、婦警たちの休息所という趣からはかけ離れていた。お茶を飲みたい者、仕事の合間に煙草を吸いたい者、デスクワークに疲れた者、仲間に上司の愚痴をこぼしたい者、そんな男たちのたまり場だった。

大あくびの演技をしながら、給湯室に顔を出した。

狙いは当たった。先客が一人いた。それも刑事課の男だった。調書書きに飽きて休んでいたのか、煙草をくわえ、肩をもみほぐすような仕草で伸びをしていた。二係の田沼といったはずだ。階級は私と同じ巡査部長だった。

田沼は私を見ると、ちょっと驚いたように伸びを止めた。

「ご苦労様です。調書ですか?」

私が声をかけると、田沼は安堵したような笑みを作った。署内で今話題の人物と、何を話していいものか迷ったのだろう。煙草の灰を流しにはたき、皮肉そうに言った。

「馬鹿馬鹿しい結婚詐欺《さぎ》でね。ちょっと前なら、だまされるのは行き遅れた女と決まってたけど、今は男ばかりだ。同胞としては、悲しいやら嘆かわしいやらで調書にするのも嫌になるよ」

しばらくは話を合わせて、結婚詐欺事件の概要を聞いた。私は、自分の湯飲みを棚から出して言った。

「今日、宿直なんです」

「そりゃあ、生憎だな」

「ええ、ついていませんよ」

土曜の夜は、少年係の書き入れ時だ。横浜ほどではなかったが、川崎の繁華街でも、見るからに得体の知れない格好をした未成年者たちが夜の街を徘徊する。喧嘩、窃盗《せっとう》、恐喝《きょうかつ》、器物損壊……。少年係では、土曜の深夜に集中パトロールをすることが多く、生活安全課の当直者も連絡係としてこき使われる。

「刑事課のほうはどうです？　曜日によっては、やはり事件も多くなりますかね」

「うちらの二係の場合はそちらと同じだよ。休日になると、あちこちで人出が増す。そうなりゃ、掏摸《すり》に窃盗、置き引きと、ヤマのほうだって増えるからね」

「先週の日曜日はどうでした？」

田沼はちょっと換気扇のほうを見上げた。

「あの日は競馬の開催日だったろ。確かレースが荒れて万馬券が出たとかで、夜までちょっと騒ぎ続けた客がいたらしい」

「では、警備のほうが？」

競馬場近くで騒ぎがあったとなれば、当然、警備課の担当になる。あの朝、副署長のもとに報告に出向いたのは、刑事、警備、交通各課の課長だったという。

「どうだかな。警備に聞いてみないと分からないけどね」

「刑事課がわざわざ出向くような事件にまではならなかったのですか」

湯飲みのほうに目を落としながら、できるだけ自然に切り出したつもりだったが、田沼の動きが微妙に止まるのが目の端で確認できた。

視線を上げると、問いかけるような目が待っていた。目星をつけた容疑者を探るように田沼は言った。

「何が聞きたい？」

優秀な刑事なら、状況証拠と今の私の供述から、どんな答えを引き出したがっているのかを、見抜いたとしても不思議はなかった。それほどまでに、月曜日の朝の諍いと私たちの過去は知れ渡っている。

弁解の言葉を探した。田沼が重たそうに首を振った。

「あんただよな、例の特練員だったっていう防犯は？」

何が例の特練員なのかは訊くまでもなかったが、私は頷かなかった。じっと田沼を見返した。

少しでも引け目や疚しさのあるほうが、先に視線をそらす。田沼が先に視線を外した。もちろん、同情心から相手を見ていられなくて——という場合もあったが。

「こないだの日曜の夜には、工業団地のほうで不審火があった。それで一係に召集がかかったと聞いた。だから翌朝には、課長が副署長に報告入れたはずだ」

田沼は廊下のほうを気にするように見てから低く言った。

「なあ、あんたじゃないのか？」

それにも私は答えなかった。たとえここで彼に否定の言葉を述べたところで、一切の不審が払われるわけではない。代わりに私は一礼した。

「ありがとうございました」

「なあ、あんたじゃないとすると……」

田沼はまだ何かを言いかけたが、私はもう一度礼を言って給湯室から立ち去った。

刑事課の浜本課長には、月曜日の朝、副署長に報告すべき理由があった。それが即、密告を受けていない、との証拠になるわけではなかったが、少なくとも彼には副署長と接触すべき別の理由があったことになる。

先ほどの田沼の話では、警備課のほうにも、日曜日の夜には出動となった事件があったという。となれば、次に調べるのは、交通課の竹川課長か。

交通課は一階にある。残念ながら、顔なじみの課員はいなかったし、給湯室を共用する関係にもない。同じ署に勤めていても、課が違い、そのうえ階が違えば別世界になる。

私は仕事に戻りつつ、どうやって調べたらいいか、を考え続けた。チャンスがあるとすれば、夜になって一階の人目が少なくなってからだろうか。幸いにも今日は宿直なので、深夜まで時間があった。

少年係のパトロールは十時からの予定になっていた。課長補佐の相良を中心にして、少年係と各係の宿直と今日の予定について軽く打ち合わせた。私はいつものように課内に詰めての連絡係だった。

八時をすぎると、外に出ていた保安係が戻って来た。刑事課でもそろそろ聞き込みに出ていた者たちが戻るころだ。これからが二階の最もにぎわう時間帯になる。

私はいったん仕事を終えると、いかにも時間を持てあましているような振りをしつつ、ふらふらと一階へ下りた。

警務課や会計課に、もうほとんど署員は残っていない。吉森の姿も見えなかった。地域課と交通課の席に、第二当番に当たる者たちが待機していた。彼らの中に入って聞き込みをするには、よほどの技術を要するだろう。

人気《ひとけ》のなくなった警務課へ歩み寄った。

交通総務係は署内のスペースの都合とデスクワークという仕事柄から、交通課のほかの係とは離れて会計課の隣に置かれていた。こちらなら、残務に追われている課員がちらほら残っているだけだった。

交通総務の席から、奥の警務を見渡しながら言った。

「警務の吉森さんは、もう帰られましたか」

「そうみたいですよ」

遠くの警務から返事があった。じゃあ仕方ないか、と独り言のようにつぶやき、私は立ち去りかけてから、足を止めた。

隣でうろちょろされれば、誰でも何事かと顔を上げる。残っていた交通総務の男がボールペンで軽く頬をたたきながら、私を見上げた。すかさず、さもついでのように言った。

「そうだった。浜川崎の出口の前で、二重衝突があったのは、日曜日でしたかね」

つい三日前の事故だと、承知のうえでの質問だった。男が不思議そうな顔を返した。

「友達があの近くに住んでるんですが、夜遅くまでパトカーが出てうるさかったって、こぼされたんです。どうも警官なら、交通も防犯も一緒だと思われてるみたいで困りますよ」

苦笑まじりに言うと、男が同じように笑い返した。

「二重衝突は水曜だったと思うけど」

「じゃあ別口ですか。何か日曜の夜にありましたかね」

「どうだったかなあ」

期待を込めて視線を送ると、男は立ち上がり、少し離れた誰もいないデスクに向かい、紐《ひも》綴《と》じのファイルを手にしてページをめくった。簡単な業務日誌のようなものらしい。

「日曜日には、何もなかったようだけど」

「ほかに大きな事故は起きてませんか」

男に近づき、肩越しにファイルをのぞいた。

「ほら、珍しいこともある。管内で事故らしい事故は一件もなし。いつもこうあってもらいたいよ」

そもそも交通課では、大規模な事故でない限りは宿直担当者が前夜の報告をすませる、と言っていた。死亡事故すら起きていないとなれば……。

礼を言い、友人の勘違いでしょう、とごまかして交通総務を離れた。春の交通安全運動はとっくに終わっているし、夏休み前の安全週間にはまだ日は遠い。交通課の竹川課長が自ら副署長に報告すべきことは見当たらない。となれば、密告は竹川課長のもとに――。いや、慎重を期すには、警備課についても調べたほうが……。

階段の踊り場にさしかかったところで、後ろから袖口をつかまれた。背後に誰かが忍び寄っていた。

振り返ると、薄暗い蛍光灯の下に、二階ではあまり見かけない男の顔があった。四十代の後半か。左右に撫でつけた髪と四角い体軀が妙に不釣り合いな男だった。確か三階の課長代理か、係長だったような覚えがある。

川崎中央署の三階には、講堂と会議室と武道場、そして警備課が入っていた。

男は私の目をのぞき込むようにして、少し前かがみになった。

「何をしていた」

辺りをはばかるような声で言い、そっと前に廻り込んで来た。私を踊り場の隅に追いやるかのように。

「交通総務で何を調べていた」

「世間話です」

「業務日誌をめくりながら世間話か。ずいぶんと仕事熱心じゃないか。岡島とそんなに親しかったとは知らなかったな」

「事故が少なくなってよかったと話をしていたまでです」

にわかに男の目が細くなった。笑ったようだ。

「相手の名前も知らないで、世間話か」

内心舌打ちをした。先ほどの男は、岡島という名前ではなかったようだ。だが、どうして誘導尋問のような訊き方をするのか。

「名前は知らなくとも、顔は知っています」

「おとぼけはやめたらどうだ」

「何を言われているのか、私にはよく分かりませんが」

男の指が伸びて私の胸元に触れた。激怒しながらも退場を恐れてアンパイアに手を出せないでいる、どこかのプロ野球チームの監督のような抗議の仕方だった。彼が恐れているのは退場ではなく、周囲の人の目だったろうが。

「刑事課のほうにも探りを入れたそうじゃないか」

もう知られている。さすがは警備課。公安関係の情報収集に怠りはない。たとえ署内の事情であろうと。

「自分のところだけじゃ飽きたらず、今度はよそも引きずり込む気か。スタンドプレーもいい加減にしろ」

「言葉を返すようですが、私は何もしていません。あるいは、うちの課長が指されたことを言っているのかもしれませんが、どうしてスタンドプレーになるのでしょうか。新聞報道でもあったように課長がもし業者と親しくしていたのであれば、注意を受けても仕方のないことで……」

「おまえは何も分かっちゃいない。これ以上、署内でうろちょろするな。いいか、くだらん探りは入れるな。これだけは忠告しておく」

いまいましげに舌打ちを残すと、男は私に背を向け、そのまま階段を駆け上がって行った。

そう。彼の言うように私はまったく理解していなかった。彼の憤りの理由がどこにあるのかを。刑事課と交通課に顔を出すと、なぜ警備課の者が忠告を与えてくるのかを。そして、私が何も分かっていないとは、どういう意味なのか――を。

私は乱れた上着の襟を直すと、腕時計に目をやった。八時二十五分。まだ少年係のパトロールまでは時間があった。この川崎中央署の一員である私が、署内のどこへ足を運ぼうと、場違いな課の者から忠告をされる謂《いわ》れはなかった。たとえ階級の上では上司に当たろうとも。

階段を上がり、二階を通りすぎた。会議室や講堂へは何度も足を運んでいたが、今日はやけに三階までの階段が長く感じられた。この署に配属されてもう三年になるが、警備課へ顔を出すのは初めてだった。おそらくは署内でも、私のように慎み深い者はほかにも多くいただろう。

ドアをくぐると二階とそう変わらないデスクの配置だった。うちの課より、多少キャビネットの数が多いか。席は半数近くがまだ埋まっていた。

奥のデスクで男が一人、すっくと立ち上がるのが見えた。先ほど忠告を与えてくれた、親切きわまりない上司だった。窓に近い席を与えられているので、やはりどこかの係長だったようだ。

男は真一文字に口を結び、床を踏み抜くような勢いで私の前へ歩いて来た。その動きに気づき、課員たちがこちらを向いた。部屋中の私語が絶えた。

「何しに来た」

「辺りをうろちょろしたのでは、また注意を受けそうなので、失礼かとは思いましたが、正面から参りました」

男はあっけにとられたように口をあんぐりと開けた。その口が閉じないうちに、続けて言った。

「私が交通総務で調べていたのは、先日の日曜日の事故件数についてでした。その日は珍しく、大きな事故は起きていなかったのですが、競馬場でレースが荒れたらしく、客の一部が辺りで騒いだと聞きました。こちらでは、警備を強化して、事態の収拾に当たったのでしょうか。それが知りたくて、こちらへ来ました」

男はやっと口を閉じ、私を睨みながら首をひねった。

「そんなことを聞いてどうする」

「こちらで何かしらの対策を取った場合には、翌日の朝に、その件を副署長に報告なさったのではないか、と思いましたので」

「だから、どうしてそんなことをおまえが聞きたがる」

今と同じだけの情報から、刑事課の田沼は私の知りたがっていたことに当たりをつけた。あの田沼は、かなり優秀な刑事だったらしい。

「大塚！」

男の背後から声がかかった。男が体ごと後ろに向き直った。

窓前にひとつだけ離されて置かれたデスクの横で、痩身の背の高い男が立っていた。デスクの位置から見て、警備課長の長友に違いない。彼は無言のまま、手にしたボードで扇ぐようにして男を呼んだ。

私に一瞥《いちべつ》を残し、大塚と呼ばれた男は上司のもとへ駆け戻った。すると、示し合わせたように別の男が立ち上がり、さりげなくデスクの通路の脇に立った。私を課内へ案内する気は、警備課の総意としても、ないようだった。

長友の周囲に四人の課員が集まった。係長や主任クラスの者なのだろう。やがて長友がボードをデスクに置き、私のほうに歩み寄って来た。彼の後ろに先ほどの大塚を始め、集まっていた男たちが続いていた。

私はドアの前で、男たちに囲まれた。

「話を聞こうか」

長友が言って、長い顎を小さくしゃくった。廊下に出ろ、と言われたらしい。彼は軽く頭を下げて長身を折ると、ドアをくぐって自ら先に立った。私の後ろを大塚ともう一人の男が固めた。

講堂の隣にある小会議室に連れて行かれた。

中央に置かれたふたつの机の周囲を、六つのパイプ椅子が取り囲んでいた。長友はブラインドを下ろすと、窓前のパイプ椅子を引き、そこに座った。

大塚ともう一人の男も部屋に入った。彼らはドアを閉めると、逃げ道をふさぐように、私の背後に立った。まるで組事務所に連行された債務不履行者のような心境になった。

「座らないか」

長友が懐から煙草を取り出して言った。

課内の会議で何度か使っていたが、今日はまるで初めて通された、よその署の会議室のように感じられた。殺風景な部屋ほど、そこにいる人物の存在感いかんで、どうにでも表情を変える。

「立ってないで、座ったらいい」

長友がブックマッチをちぎって煙草に火をつけ、再び言った。大塚が机の端に置かれたアルミ製の灰皿を無言で上司のもとへ押しやった。一階や二階と違って、署内のざわめきがひとつも聞こえてこなかった。

「お仕事中、突然お邪魔しましたことを、まず最初にお詫びしておきたいと思います」

形ばかりに頭を下げた。それから横で睨みを利かせる大塚に視線を振った。

「先ほど大塚さんにも申し上げたのですが、あまり署内をうろちょろしたのでは目障りに感じられる方がおいでだというので、失礼かとは思いましたが、直接話をうかがわせてもらいに来ました」

「署内の幹部連中を、意気盛んに調べ回っているそうだね」

煙の向こうからのぞき見るように、長友は目を細めて私を見た。

「誤解なさらないでいただきたいのです。何も私は幹部の方々の行動を嗅ぎ回っているわけではありません。あまり信じたくはないのですが、署内の一部に、私が課長を指したのではないか、との見方があるようです。しかし、その噂が根も葉もないものであるのは、私自身が誰よりも承知しています——」

長友が話をさえぎるように、煙草を持った右手を軽く上げた。

「容疑者がすべて犯行を認めたら、どれだけ我々の仕事は楽だろうかね」

「容疑者はあくまで容疑のある者にすぎず、すべてが真犯人だと決まったわけではありませんが」

「当然だよ。どれほど容疑が濃くても判決が出るまでは無罪と推定される。しかし、君の口からどれだけ潔白だと言葉を並べられようと、それがシロだとの証拠になるわけではない。違うかな」

「ですから——」

「それに、だ。たとえシロだろうとクロだろうと、君は警察官として悖《もと》る行動を何かとったわけかな。相手が上司だろうと部下だろうと、関係業者から過剰な接待を受けていた者がいれば、何らかの形で質《ただ》されねばならないだろう。現に、署の若い者の中には、君に賛辞を送りたがっている者までいる。もちろん、君に言わせれば、それも誤解なのかもしれないがね」

少しも誤解だとは信じていない口調で、長友は言った。長い指で煙草の灰をはたき落として続けた。

「君は県警内で、のしていこうと考えているかね」

質問の意図が分からなかった。

「矢木沢君のように、少しでも上に昇進したいと思っているのか、と聞いている」

「考えていません」

正直な思いを口にすると、長友はいかにもそうだろうと言いたげに大きく頷き返した。

「だったら、何の問題がある？　確かに署の一部には、君を白い目で見ようとする者がいるかもしれない。特に上のほうに、ね。しかし、そんな我が身大事の保身しか眼中にない連中ばかりが署にいるわけではない、と私は思う。それに我々に異動はつきもので、君がいつまでもこの署にいるわけではないだろうし、私たちも同様だ。人の噂もいずれは途絶える。何の問題がある？　言いたいやつには言わせておいたらどうだ。それより、今君が動けば、人からどう思われるか、その影響を考えたほうが得策ではないだろうか」

「どう思われるのでしょう」

「分からないか？　こいつと同じような誤解を受けるわけだよ」

芝居じみた仕草で広げた手の先で、脇に立つ大塚を示した。すかさず大塚が相槌を打った。彼の様子を目の端で確認してから、長友は言った。

「いいかな。容疑者はまず誰でも身の潔白を口にする。その証拠集めのために動いているのだと言えば、署内を探る動機づけにもなる。君がここでへたに動けば、誰もがまた新たな密告対象を探ろうとしているのでは、と受け取るのが普通ではないだろうか」

「先ほども言いました通り、私は分不相応な昇進など望んではいません。警察官として恥ずかしくない行動をとっていきたい、という気持ちは人並みに持っているつもりですが」

「分かるとも。だからこそ、君が今、たとえ人からあらぬ誤解を受けたとしても、別に困りはしないはずではないかな。理解してくれる者が皆無ではないのだからね」

「署の周辺に限れば、確かにその通りかもしれません。ですが、どうしても誤解されたくない相手もいます。警察官としてではなく、一人の人間として」

一人の男として、とは言えなかった。男としての体面だけから、美菜子の誤解を受けたくないわけでもなかった。

長友は煙草をくゆらし、ひと呼吸置いた。

「もう一度言っておこうか。君の個人的な事情がどうあれ、現状では、君が密告者ではないという証拠はどこにもない。だとすれば、我々に言えるのは——うろちょろするな、それだけだ」

淡々とした口調を一変させて言った。心底から疎ましげな響きが含まれていた。私を一人の警察官としてはおろか、一人の人間としても認めていない、と分かる言い方だった。

「失礼ですが、私もくり返させていただきます。何も私は長友さんの行動を探ろうと考えているわけではありません」

「同じことだと言っているのが分からないのか」

　本当に分からなかった。誰でも周囲を探られるのは気分のいいものではない。私がどれだけ違うと言っても、彼が信じられないのは仕方ない面もある。だが、なぜ長友は、こうまでして探られるのを嫌うのか。

　あえて言った。失礼は承知で。

「何か人に知られたくないことがおありのように聞こえてしまいますが」

　反応したのは、大塚だった。胸ぐらに手を伸ばしそうな勢いで、私の左横に進み出て来た。

「おまえ、自分で何を言っているのか、分かってるんだろうな」

　いきり立つ大塚を無視して言った。

「私が知りたいと思っているのは、月曜の朝に、それぞれの課で、課長自らが副署長に報告しなければならない件があったかどうか、なのです。もし何もなければ、密告内容について進言したのではないか、という見方も――」

　最後まで言えなかった。大塚が私の肩を力任せに押しやった。いくら階級差があっても、署内で手荒な真似はできない。殴るのとは明らかに差をつけ、私を押した。

　ふいを突かれてバランスを崩した。奥の壁までよろめいた。壁に両手を突き、体勢を立て直そうとしたところへ、大塚がずいと近づいて来た。

「見え見えの言い訳はよせ。おまえは防犯だろ。万引きで捕まった中学生だって、もっとましな弁解を口にするんじゃないのか」

かもしれないが、生憎と私は生活安全総務の一員であり、少年たちから言い訳の手口をご教授願えるチャンスはなかった。

憤然と迫る大塚の前で軽くステップを踏んでかわし、長友の前に進み出た。こんなところでかつて励んだラグビーでの身のこなしが役に立つとは思わなかった。

「お願いです。日曜日の夜にあったという競馬客の騒ぎで——」

「貴様……」

今度は後ろから肩をつかまれ、引き戻された。あまりの力に足を引くのが遅れ、私は腰から床に落ちた。近くにあったパイプ椅子が倒れ、机が跳ねた。灰皿が飛び、測ったように私の頭に降りかかった。からからとアルミの灰皿が薄っぺらな音を立てて転がった。

長友がパイプ椅子から立ち上がった。頭の灰をはらい、私も体を起こした。仁王立ちする大塚の向こうで、長友が何もなかったような涼しげな目で私を見ていた。

「誤解のないように言っておこう。私は君のところの課長とは違い、別に探られて困る事情は何ひとつない。ただ、我々の仕事はよそからでは理解されにくい点がある。情報収集活動の内容によっては、時にあらぬ誤解を受けたりもする。刑事や防犯は、我々の仕事に対して何かと批判的なようだからね。それは分かるな」

ある程度は。所轄署の多くでは、警備課の管轄下に公安係が入っている。右左を問わず、過激派に関する情報収集活動となれば、秘密裡に行われるのが普通で、その捜査に伴う機密費が公安の予算にはかなり計上されていると聞く。ところが、刑事や防犯では、課員の裁量で動かせる予算など限られていた。金と裁量の差から生まれる批判がないわけではない。

「私が何を副署長に報告しようと、君の関知するところではないのも分かるな」

組織上は。

「君の真意は問題ではない。所詮、証明のしようはないのだからね。となれば、紛らわしい行動は慎むべきだ。そうではないかね」

私は肩に残っていた灰をはたき落とした。周囲を探れば人からたたかれ、正面から挑めば階級や組織の壁が行く手を阻む。不祥事の追及が、いつも腰砕けに終わる理由が、私にも初めて理解できていた。

長友はドアの前で振り返った。

「断っておく必要はないだろうが、君が上司に対して非礼とも言える態度をとったので、大塚がやんわりとたしなめようとした。その手が滑って、君が転倒した。いいね？」

よくはなくても、彼の言葉を否定する材料は残念ながらなかった。私以外の目撃者は、誰もが警備課の一員で、長友の忠実な部下たちだった。

「そのお詫びといってはなんだが、ひとつ耳寄りな情報を教えよう」

かすかな含み笑いを口元にたたえ、立ち去りかけた長友が、長い顔を私に向けた。

「竹川君が、明日何をするか、調べてみるのも面白いかもしれない」

すでに交通総務へ立ち寄り、報告すべき事故や事件がなかったにもかかわらず、竹川課長があの朝、副署長のもとへ出向いたのは知っていた。だが、その竹川課長の明日の行動に何があると……。

「そろそろ君も仕事へ戻りたまえ」

声をかけようとする間もなく、長友は二人の部下の背中に隠れるように会議室から出て行った。

不可解な思いに押され、すごすごと三階をあとにした。長友は何を考え、私にあんな情報を与えたのか。

竹川課長が明日何をするか、調べてみろ――。

情報を提供するからには、明日の竹川課長の予定をすでにつかんでいるのだろう。その事実が私にとっては耳寄りな情報になる、と長友は考えたらしい。それとも、私の矛先をそらそうという狙いがあるのか。いずれにせよ、彼にとっては、さして重要なことではなかった。でなければ、目障りな動きをする私に教えてくれるはずはない。長友にとって重要ではなく、少なくとも私には耳寄りな話――。見当すらつかなかった。

　十時が近づいていたが、私は二階に戻ると、生活安全課のドアを通り越し、刑事課の部屋に向かった。まだ彼がいるかどうか不安はあったが、確かめずにはいられなかった。

　二係の一番手前のデスクで、田沼はまだペンを動かしていた。例の結婚詐欺事件の調書書きの続きだろうか。私は彼の背後に近寄った。奥のデスクから、係長らしき男が何事かと、珍客の到来に首を伸ばしてこちらを見ていた。

「遅くまでご苦労様です、田沼さん」

　声をかけると、彼は何気なく顔を上げた。私を見て、戸惑ったように目を瞬かせた。

「何だ、あんたか。……どうした、頭に白墨《はくぼく》なんかつけて。係長にどやされたのか？」

「ええ。たった今、よその課の係長にね」

「よその——？」

　私は親指で天井を指した。

「上です。いらぬことを調べ回るな、と注意されました」

　田沼は一瞬天井を見上げた。それから、急にいたずら小僧のような笑みを頬に浮かべた。

「そうか。早速反応があったかい」

「おかげ様で」

「よかったじゃないか。相手が浮き足立ったってことは、心当たりのある証拠だ」

「というより、どうもおかしな誤解を受けたようです」

田沼は大げさに身を引くと、胸の前で広げた手を左右に小さく振ってみせた。

「おいおい、よしてくれよ、おれを責めるのは。あんたと同じ、おれも巡査部長なんだ。よその課とはいえ、上司から問い質されたら、答えないわけにはいかない」

「どう答えたのです」

田沼は視線を外し、ちょっとだけ周囲をうかがうような目になった。小動物のように素早く動く瞳が、一瞬、小狡そうな光を帯びた。

「正直に言ったさ。あんたが、そちらの課長さんのことを気にかけていた、とな」

そんなことだろうと思っていた。

部屋に残った者がこちらを見ていた。私も声を落とし、田沼に精一杯睨みを利かせながら顔を突き出して、言った。

「なぜ、誤解を与えるような言い方を――」

「よそからの目があったほうが、上も少しはおとなしくなる」

訳知り顔で頷いた。どうやら田沼も、三階の連中を思わしく感じていない、根っからの刑事課員のようだった。機密費を使って陰でこそこそと動き回る公安に、敵愾心《てきがいしん》を持つ者が刑事課には多い。

「それに、そっちのほうが何かと面白くなる。しかも、早速のご反応だ。捜査には横からの揺さぶりも必要になる」

だろ？　と催促でもするように田沼は私に目配せした。

少年係の集中パトロールは、これといった成果もなく終了した。酒に酔って気の大きくなった少年少女が十五人近く補導されたが、いつもの収穫数と変わらなかった。中学生の男の子たちは、署に連れて来られると、誰もが急に自分の歳を思い出したかのようにおとなしくなった。女の子たちは違った。堀之内界隈の女性たちより男を挑発する見事な脚線美を披露する衣装に身を包み、顔色ひとつ変えずに堂々と警官たちと渡り合った。いつだって男より女のほうが、一枚も二枚も上手なのだ。

彼らをいくら補導したところで、また次の週末になれば、同じような連中がどこからともなく小蠅《こばえ》のようにわき出してくる。自ら危険に近づこうとする行為は、若さを彩るスパイスのようなものだった。暴力沙汰や薬物に手を出さない限りは、誰にでもある若気のいたりなのだから、そう目くじらを立てても始まらなかった。どうせ彼らも、少年時代のよき一ページとして記憶にとどめるまでもなく、すぐに忘れ去ってしまうのだ。

宿直室で仮眠をとり、明け方まで勤務した。

朝食を買いに出るついでに、しつこく一階の交通課に寄った。日曜日なので、当番の者以外は署に出ていない。あくびをしながら交通課の宿直と挨拶を交わした。世間話の段取りを踏み、今日のスケジュールについて訊いた。

何ひとつ予定は入っていなかった。竹川課長はもちろん、係長や課員の何人かが出向くような交通指導も取り締まりもないという。

ますますわけが分からなかった。

では、長友は何を思って私に、竹川課長の行動を調べろ、と言ったのだろうか。

10

八時三十分に引き継ぎをすませ、宿直から解放された。疲労はあったが、眠気はなかった。長友の言葉が頭を離れず、睡魔を寄せつけようとしなかったからだ。

署から離れてしまえば、もう私に竹川を探るのは難しい。事前にどこへ向かうか分かっていないのだから、彼を尾行する以外に方法はない。署を出ようとした時はすでに九時をすぎ、たとえこれから竹川の自宅前を張ったとしても、すでに出かけてしまった可能性がある。それとも竹川が午後から動き出すと知って、私にかけた言葉だったのか。いや、そもそも長友は、どこから今日の竹川の行動について知ったのか。それが疑問だった。

私が尾行しなければつかめそうにない行動を、長友が事前に知れるものだろうか。警備課の情報収集活動がいくら秘密裡に行われるにしても、職務から同僚の竹川を探るとは思えなかった。それとも長友こそが密告者で、矢木沢のみならず、すでに竹川の行動を探っていたというのか。仮にそうだとすれば、竹川の行動を、なぜ私に探らせる必要があるのか。自分で何かをつかんでいたなら、矢木沢の時と同様、密告をすればいいのだ。密告者を捜そうという私に極秘情報を告げたのでは、自ら名乗りを上げるようなものになる。

長友の意図が分からなかった。昨日の今日だというのに、私が竹川の行動を追えるとの確信が、彼にはあったのだろうか。

署を出る前に、警務へ寄った。日曜なので、誰もいなかった。探すまでもなく、署員名簿はすぐに見つかった。

迷った末に、駅へ向かう途中で電話ボックスを探した。このまま長友の言葉通りに竹川の行動を追うのは少し癪《しゃく》だったが、動いてみないことには、彼の真意がつかめなかった。直属の部下でもない私が、休日を過ごす上司の自宅へ電話を入れるのはためらわれたが、署内での立場はもう充分すぎるほどに悪かった。臆せずにダイヤルボタンを押した。

呼び出し音が続き、やがて受話器が取り上げられた。夫人らしい中年女性の声が答えた。

「はい、竹川ですが……」

「お休み中、大変失礼いたします。中央署の者ですが、課長はご在宅でしょうか」

いれば直ちに受話器を置くまでだった。

「お世話になっています。主人はもう出ましたが」

出た——。

署からの問い合わせに、すでに出た、と答えた。署の者なら、竹川の行き先を知っていて当然、との意味にも取れる。交通課で確認したところ、今日のスケジュールは何も入っていない。職務ではあり得なかった。

「そうですか。何時ごろに出られたのでしょうか」

「九時には松中さんが見えられましたけど」

松中……。名前に聞き覚えはなかった。何の前置きもなく家族が名前を告げたのだから、署内の者とみてまず間違いはない。

「おかしいわね。まだそちらについてないんですか？」

「いえ、私は署にいますものです。失礼ですが、課長はどちらに——」

所轄署の課長ともなれば、いつ署からの呼び出しを受けるかも分からず、携帯電話やポケットベルぐらいは持参したはずだ。とすれば、家族に行き先を伝えている可能性は低い。

「あら、聞いていないんですか？」

「申し訳ありません。こちらにスケジュールをメモした表が見当たりませんもので」

「河川敷ですよ」

あっさりと夫人は答えた。それにしても、河川敷とは——？

まさか、どこかの関係業者との接待ゴルフにでも出かけたのか。だが、接待に、河川敷のようなつましいゴルフ場を使う企業があるとは思いにくい。

夫人は気取りを保つかのように大きく息をついた。

「でも、あれですよね。いくら市内の大きな会社だからって、どうして警察が運動会の交通整理までしなくてはいけないんでしょうか」

京浜コンビナートの一角を担う川崎には、多くの大企業が工場を構えている。季節柄、春の運動会が開かれてもおかしくない時期になっていた。

所轄内で大規模な集まりがあれば、交通課や地域課で人を配するのが普通だ。にもかかわらず、交通課のスケジュールに何も予定は入っていなかった。となれば、所轄外での開催か。

多摩川沿いに、河川敷のグラウンドならいくらでもあった。生憎と日曜日なので役所が休みのため、グラウンドの利用状況は調べられなかった。

私はいったんアパートへ戻ると、友人から買った十年落ちのマークIIを駆り、多摩川の河川敷を川崎区のほうから北上して行った。

日曜日の河川敷は、どこも人であふれていた。少年野球にサッカー、ゴルフ場と、敷地前の路上には違法駐車の列が続いている。

さして北上することもなく、目指す運動会は見つかった。

多摩川緑地のグラウンドで、色とりどりの万国旗が風にはためいているのが見えた。正面には造花で彩られたアーチが作られ、川崎中央署の所轄内に工場を持つ、さる調味料会社の名前が誇らしげに朱色で染め抜かれていた。

警察官らしき者の姿はどこにも見えなかった。腕に黄色い腕章をつけた男たちが、アーチ前の車道に関係者の車を誘導し、端から縦列駐車をさせていた。駐車係の社員なのだろう。グラウンド横に見える駐車場はすでに満車で、その代わりにと河川敷の緑地を取り巻く一般道を利用していた。

土手上の道には、駐車禁止の標識が見えた。土手下に同じ表示は出ていなかったが、だからといって、公道を占拠してもいいというわけではない。

私は腕章をつけた社員の誘導に従い、アーチから二百メートル近くも離れた路上にマークIIを停めた。

こう人出が多くては、会社の所属を問われる心配もなさそうだった。誰にも呼び止められず、社員たちのマイカーの間を抜けてアーチをくぐった。

グラウンドには軽快な音楽が流れ、観客席から家族の歓声と笑いがわいた。トラック上ではスプーンレースが行われていた。場内を見渡した。観客席の正面に、布張りのテントが三つ並び、「役員席」や「放送席」と書かれた厚紙が風に揺れていた。その中に、「貴賓《きひん》席」の表示もあった。

　テントの下に、制服姿の警察官がいた。

　竹川ではなかった。署の予定にないのだから、制服を着用するはずはない。この緑地の所轄は、幸《さいわい》署だった。そこの幹部に違いない。両脇には、スーツ姿の男たちが並び、テント下の日陰でにこやかに白い歯を見せ合っていた。左端の男に目が吸い寄せられた。

　どう見ても、竹川信久だった。何やら紙コップを手に持ち、ふくよかな頰を赤く染めている。隣で盛んに相槌を打つネズミ色のスーツが、松中という同行した署員だろうか。

　竹川が地元企業の運動会に、貴賓として招かれていた。

　確かにここは川崎中央署の所轄ではなかったが、正式な招待ならば、なぜ制服を着用しないのか。真っ先に疑問がわいた。そして、長友はどこからこの事実を知ったのか……。

　弁当をいくつも抱えた若者が私の横を通りすぎた。競技と歓声の続くグラウンドを離れた。

　アーチの横で、黄色い腕章をつけた四十代の男が腰を伸ばし、缶ジュースを飲んでいた。私はさも観戦に飽きた社員の一人を装い、彼のそばへ近づいた。

「ご苦労様です。駐車係も大変ですね」

　男が慌てたように私を見た。上司の見回りと勘違いしたのかもしれない。

「進行は少し遅れてますが、今のところ順調に進んでいるようですね」

私は言って、暇をつぶす関係者を気取り、煙草をポケットから取り出した。これだけの大企業となれば、顔を知らない同僚は五万といる。社員の一人だと思ってくれたら幸いだ。

男に煙草を勧めながら言った。

「そろそろ弁当が届いたようです」

「そうですか。じゃあ、早いところ取りに行くかな」

煙草に手を伸ばし、やっと男が声を返してくれた。

「お宅、進行かい？」

「いえ、今年こちらのほうに参りましたもので」

「工場か。本社とはずいぶん違うでしょ？」

曖昧《あいまい》に頷き返し、私は観客席のほうを向き、それとなく話題を変えた。

「本部席のほうを見て気づいたんですが、所轄以外の警察署の方も見えているようですね」

「ああ。なんか、そうみたいだね」

男は関心なさそうに、伸びをしながら答えた。

「川崎のほうの交通課の人と聞きましたが、やっぱりあれですか？　こちらの駐車関係の口利きですかね」

「それもあるだろうけど、いつも交通課には世話になっているようだからね。ほら、輸送のほうでさ」

「違反を見逃してもらっているわけではないでしょうね」

つい警察官としての反応が先に出ていた。男は私の尋ね方に驚いたのか、わずかに身を引き、見返した。

「いや、詳しくは知らないが……」

「そういう噂があるのですか」

できるだけ面白半分のような口調で私は訊いた。

「いくら何でも見逃してはくれないんじゃないかな。だけど、ほら、ドライバーに安全運転しろって口を酸っぱくして言っても、中には気を抜く者もいるからね。警察の厄介になることも時にはあるし、まあ、何があるかも分からないから、警官と仲良くしておいて、まるっきり無駄になるってものでもないでしょ」

「しかし、警察のほうには、何か得することがあるんですかね。わざわざこんな日曜に出向いたりして」

男は首をひねりながら煙草を吸った。

「確かにそうだ。事故が少なくなれば、少しは警官の手柄になるのかもしれないけど、こんな運動会に来たって、交通標語を掲げてくれるわけでもないし……。ほんと、何の役に立つのかね」

「それとも、素行不良の社員をリストアップしてもらい、地域の治安維持に努めようって狙いですかね」

「そりゃあいい」

男は言って、私の軽口に笑いで応じた。急に後ろを振り向き、私に言った。

「すぐそこにも警官が一人いるから、訊いてみたらどうだい？」

振り返ると、観客席の裏にも小さなテントが張られ、テーブルと椅子が置かれていた。駐車誘導係の休憩所なのか、五、六人の黄色い腕章をつけた男たちが談笑していた。

そこにいた男の一人が、唐突に立ち上がった。

なぜか彼だけ腕章をつけていなかった。しかも丸刈りのような短髪に、堅苦しげなスーツ姿だった。背筋に鉄板でも入っているように姿勢がよく、どこかほかの男たちとは身のこなし方から違って見えた。よほど規律の厳しい部署にいるのだろうか。それとも……。

テント下の男がテーブルを廻り、こちらへ歩いて来た。

「あれ？　何か用かな」

私につきあってくれていた男が、背をあずけたアーチから身を起こして不思議そうに言った。

嫌な予感がした。「どうもお邪魔しました」と男に告げ、その場を離れた。後ろを見ないように注意して、足早に駐車させたマークIIへ歩いた。

背中が気になってならなかったが、やせ我慢をして振り返りたくなる衝動に耐えた。汗ばむ手でキーを取り出し、ドアを開けた。

エンジンを始動させ、サイドブレーキに手をかけたところで、短髪の男がマークIIの前に廻り込んで来た。行く手をさえぎるように立ち止まった。

悪い予感ほど当たる。思った通り、先ほどのテント下にいた男だった。

彼は私のマークIIのボンネットに手を置いたまま、運転席のほうへ歩いて来た。容疑者を逃がすまいとする刑事のように。振り飛ばすわけにもいかず、観念してエンジンを止めた。男が殴るような勢いで、フロントガラスをたたいた。またも容疑者扱いだった。私をのぞき込むように、顔をサイドウインドウへ突き出した。役員席の竹川の隣にいた男ではなく、こちらのほうが松中という部下だったのかもしれない。

仕方なく、私はウインドウを少し下ろした。

「君に運動会を見て回る趣味があるとは知らなかったな」

「見学禁止の看板は、どこにもなかったと思いますが」

「署内を嗅ぎ回って何が楽しい」

頭から密告者だと決めつけていた。こんな反応ばかりで、もはや否定する気も起こらなかった。

「失礼ですが、ここは川崎中央署でも、その所轄内でもありません」

「いいか。今日のことは署長も知っている。うちの所轄内には、これほどの規模を持ったグラウンドがない。だから、ここを借りている」

「署長もご存じでしたら、なぜ職務として制服を着用なさらないのです」

こういった言い方が、余計に誤解を与える結果になるのだとは理解していた。案の定、男は白髪まじりの太い眉毛を跳ね上げた。

「言いたいことを——」

ルーフに手をかけ、今にも車内へ腕を伸ばしかけた。

「私は竹川課長がここにいる理由を調べようと思って来たわけではありません。なぜかは分からないのですが、それを調べてみたらどうかと、アドバイスをくれた人がいました」

「アドバイスだと?」

「その方も、どうも私が署内を調べ回っていると思ったようです。なぜ私に人を探らせようとするのか疑問でしたので、試しにここまで足を運んでみました」

「誰だ。誰がおまえにそんなことを」

「ですが、署長もご存じでしたなら、問題はどこにもありませんね」

「当たり前だ。おまえに何の権限がある。わかったような口を利くな」

「どうか興奮なさらないでください。私には、なぜあの人がここを調べてみたらいいと言ったのか、そちらのほうが気になってるのですから」

「興奮などしているものか!」

ついに癇癪《かんしゃく》を爆発させ、フロントガラスを平手でたたいた。汗の浮かんだ手の指紋が、くっきりとガラスにプリントされた。

「いいか、萱野。余計な詮索はするな。おまえなんかが首を突っ込んでいいことじゃない。さっさと忘れろ。いいな」

「疚しいことでないのなら、何も隠す必要は――」

少し言葉がすぎたようだった。男が目をむき、右手を車内に突っ込んで来た。肩や襟首をつかまれるのは、昨日からこれで何度目だろうか。

「これ以上挑発するようなことを言ってみろ。署にいられないようにしてやるからな」

何も脅《おど》しに屈して、おとなしく口をつぐんだわけではなかった。なぜ彼は、こうまで私の言葉に怯《おび》えなければならないのか。異常なまでの反応に驚き、私は言葉をなくしていた。

「いいか。分かったら、とっとと消えろ。消えちまえ！」

私がいささか非礼な言葉を重ねたにしても、たとえ相手が階級の上では上司に当たろうとも、人目のある署内でここまでの怒りをあらわにする者はまずいない。警備課の大塚たちの態度といい、どうして幹部とその取り巻きたちは、こうも過剰な反応を示すのか。それほどまでに私は、彼らが触れられたくないと感じている何かを刺激したのだろうか……。

――あんまり藪をつつくのは考え物だぞ……。

吉森の忠告が、ふいに記憶の底からむくりと頭をもたげてきた。

11

多摩川緑地を出て、土手の上でマークIIを停めた。運動会の演《だ》し物は家族総出の綱引きに移っていた。

署長も心得ていると言っていたが、事実なのかどうか、今は判断できる材料がなかった。所轄内に工場を持つ大企業のため、おそらく竹川が幸署に何らかの口利きをしたのだろう。駐車禁止の路上ではないにしても、あれほど大々的に公道をふさぐのだ。なにがしかの許可が必要になったとしてもおかしくはない。

そこまでは予想できた。しかし、休日をつぶして交通課の課長が運動会に顔を出し、どんなメリットが得られるのか。

無論、幸署に話をつないだ手前、顔だけは出しておく必要があったのかもしれない。純粋な善意から、との見方もできた。だが、あの松中と見られる取り巻きの過剰な反応は、どう見ても善意とは無関係に見えた。

長友には話をすり替えられ、竹川にはまだ近づくこともできない。あの松中らしき取り巻きから、私がここへ来たことは、尾ひれをつけて報告されるはずだ。明日になって竹川に近づこうとしても、警戒されるのが落ちだろう。売り言葉に買い言葉で、あの男に反論したのが悔やまれた。いつも私はこうだった。

窓を開け、川からの風にふかれて頭を冷やした。署内から密告者をたぐるルートが断たれてしまえば、自然、残るもう一方のほうから、しかなくなる。

密告が入れられたのは、何も署内だけではなかった。

マークIIを出し、河川敷を離れた。密告は、新聞社へも入れられていた。地方版に掲載されていたのだから、密告を受けたのは横浜支局になる。

日曜日とあって、横浜への街道は比較的すいていた。横浜駅に近いショッピングビルの中に、美菜子の勤めるラグジュアリー・ショップはあった。それを意識しないように努めてハンドルを握りながら、警察からの問い合わせに新聞記者がニュースソースを明かす可能性はどれだけあるか、と考え続けた。

おそらく県警の上層部では、新聞社との密接なパイプを利用し、情報の出所を突きとめようと動いたに違いない。記者クラブ制度がある限り、警察と報道機関は持ちつ持たれつの馴れ合いが続く。警察は情報を小出しにして記者たちを手懐けようとし、記者たちは独自の情報を入手しようと警官たちに色目を使う。次の機会に何らかの便宜を図ろう、と約束すれば、たとえ本来は秘匿すべきニュースソースだろうと、取引の材料に使おうという仕事熱心な記者がいないとは限らなかった。いや、情報機関の使命より、他社の鼻を明かしたがる近ごろの優秀な記者たちなら、きっとそうする。

だが、末端の一警察官である私に、県警の上層部が入手したであろう情報を知るすべはなかった。正面から新聞社に乗り込んで行き、どれだけの成果が上げられるかは疑問だ。

横浜駅を通り越し、紅葉《もみじ》ケ丘《おか》にある県立図書館へ行き先を変えた。マークIIを近くの路上にしばし違法駐車させ、例の記事が載った新聞を図書館で探した。

記憶に間違いはなかった。記事にはやはり、市民団体でも取り扱いに注目している、とあった。新聞記者が矢木沢の件を定例会見で取り上げた時には、すでに市民団体も情報を入手していたのだ。

密告者が警察の内部にいた可能性は強い。その場合、ただ新聞社へ密告を入れただけでは不安が残る。なぜなら、記者クラブを通じて警察と記者の馴れ合いが進んでいたなら、せっかくの密告が記事になる以前に警察側へ流され、どこかでもみ消されてしまうケースがないとは言えない。それを怖れ、不祥事を決して見逃さないであろう者へも同時に密告を入れた。そうしておけば、新聞社も静観しているわけにはいかなくなる。

紙面には、有識者のコメントとともに、市民団体の代表者の声も載せられていた。

神奈川の行政を見守る市民連合、という厳めしくも長い名の団体だった。

棚を移動し、職業別の電話帳をめくった。まともな活動をしている団体なら、「組合・団体」のページに名前が載っている。神奈川の行政を見守る市民連合の名前もあった。住所と電話番号を書き留めた。

県警公安部には、右左を問わず、政治結社や市民団体の活動状況をまとめた詳しい資料が置いてある。それを見れば、どんな団体なのかもつかめたろうが、残念ながら公安部に知り合いはいない。試しに電話帳にあった番号をダイヤルしてみた。すぐに中年女性の声が誇らしげに団体名を名乗り上げた。私は間違えましたと言い、受話器を置いた。

電信柱にあった住所表示から、それほど迷わず目指す場所に行き着いた。相模《さがみ》鉄道の線路が間近に迫る、保土《ほど》ケ谷《や》区川島町の住宅地の一角だった。マークIIを降り、もう一度住所を確認した。

有馬、という表札のかかった家が、該当する番地だった。どこを見ても、表札の周囲に市民連合の名を表示するものは出ていなかった。たとえ代表者の自宅を事務所代わりにしていても、看板ぐらいは表札の横に掲げておくのが普通だろう。

門から一歩身を引き、有馬邸を見回した。

築二十年はすぎたであろう木造二階屋の隣に、軒を連ねるようにして続くプレハブらしき屋根が、コンクリートブロックの塀越しに見えた。五メートルほど左にもうひとつの小さな門が作られていた。駐車場かと思ったが、その奥に車の姿はなく、代わりにプレハブ小屋のドアが見えた。磨《す》りガラスの下に団体名の書かれた看板がぶら下がり、赤いペンキで塗られた木製の郵便受けも設置されていた。ここだ。

軽くノックしてから、プレハブ小屋のドアを開けた。お邪魔します、と声をかけた。

田舎の集会所のような室内を想像していたが、かなり違った。広さは十五、六畳ほどか。子供が成長していらなくなったとおぼしい、見るからに使い古しの勉強机が、正面奥に並べられていた。その数八つ。手前にはソファと書棚、キャビネットが置かれている。そのどれもが、やはり使い古した品のようだ。ノートやコピー用紙が山と積まれた勉強机では、二人の中年女性が背中を合わせるようにして座り、鋏《はさみ》で新聞記事を切り抜いていた。保育園の片隅で、幼児の教材作りをしている年配の保母のようにも見えた。

「こんにちは」

訪問理由を問われるより先に、にこやかな笑顔を向けられた。役人を監視する厳めしい視線を持つ市民団体らしき雰囲気は、部屋のどこにもなかった。

「少しお尋ねしたいことがあって、お邪魔させていただきました」

私が告げると、痩せたほうの女性が鋏を置き、額の上に載せていた銀縁の眼鏡を下ろした。それでPTAの役員程度には貫禄が増した。

「何かしら？」

もう一人のふくよかな女性のほうは少し若く、四十代だろうか。子犬のような黒目がちの目を細めて私を見た。

「先週の木曜日の新聞を見て知ったのですが、こちらでは川崎のある警察署の幹部が関係業者から過剰な接待を受けていた事実を指摘し、疑問を投げかけていたと思いますが」

二人の女性が無言で顔を見合わせた。場違いな客に驚いているような顔だった。

「実は、その人物が私のよく知る人の身内なのではないかと思いまして、できればどういう経緯があったのか、詳しいお話をうかがわせてもらえないだろうかと思って参りました」

痩せた中年女性が眼鏡を押し上げ、どこか得意げに頷いた。

「警察の方ね」

頭ごなしに断定された。

内心の狼狽《ろうばい》をひた隠しにして、私は目を見開き、首を傾げてみせた。とぼけようとしたが無駄だった。彼女は笑顔のまま、あっさりと言った。

「警察の人たちって、よく同じ職場の仲間を身内って言い合いますわね」

仰せの通りだったが、嘘や言い訳を繕おうとしたわけではなかった。言葉通り、矢木沢は、私のよく知る美菜子の夫であり、間違いなく身内だった。今はまだ。

余裕ある笑みをたたえ、二人の女性は意味ありげに視線を交わし合った。痩せた女性が眼鏡を取り、ハンカチでレンズをふきながら事もなげに言った。

「今度はもう少しましな人を選んで寄越したみたいね。だけど、あなたたちって、我々ごく普通の市民とはちょっと違いがありすぎるのよね。自覚なさってないようですけれどね」

今度は、という言葉から、私のように警察官としての身分を隠し——または偽り——ここに探りを入れに来た者が、すでにいたようだった。

「どこがあなたがたと違っているのでしょうか」

興味を覚えて私は訊いた。

中年女性は少し驚いたように眼鏡をかけ直したが、すぐに落ち着き払った態度で、軽く肘を抱えるように腕を組み合わせた。私の全身を眺め回しながら言った。

「あなたねえ。入って来るなり、顔を少しも動かさないで、目だけで部屋の様子をじろじろ見回す人が警官以外にいると思う？　しかも、最初から用意してきたような物言いと、厚かましいほど物怖じしない堂々とした態度ですもの。それは、時にずけずけと私たちに頼み事をしてくる人だって中にはいるわよ。でもね、そういう厚かましい人だって、市民団体って聞いただけで、胡散臭《うさんくさ》いやつらの集まりだろうって考えたがるのか、もう少し警戒心を見せたり、どこか逃げ腰気味になるのが普通なのよ。ちょっと悲しく思えてしまうけどね」

痩せた女性は言って、卑下したような笑いを頬に浮かべた。

少なからず私は衝撃を受けていた。自分では少しも警察官らしい人間だと意識してはいなかった。刑事課や保安係など捜査職の第一線に就いた経験は私にない。刑事たちの持つ、ある種独特の押しつけがましさとは無縁だと思っていた。

「我々のような名もなき市民の集まりにまで探りを入れる暇があるのなら、自分たちの足元をもっとよく見ていただきたいわね」

痩せた女性は、とがった顎と手にした鍬をひとしきり振りながら言った。

「ご指摘のように私は警察官です。しかし、あなた方の今後の方針を探りに来たわけでも、もちろんある種の脅しをかけに来たのでもありません。ただ、もしかすると、あなた方の指摘をさらに補強する材料を提供できるかもしれない、と思って来ました」

新聞の切り抜き作業に戻りかけた二人が、申し合わせたように動きを止めた。こちらを向き、真偽のほどを測るように私を見つめた。

「実は、今回の件で、ある警察官が密告の濡れ衣を着せられ、窮地に立たされています。その人の疑いを晴らすためにも、どこからあなた方がその情報を入手したのかを教えていただきたいのです」

嘘は言わなかった。匿名ではあったが。

ふくよかな女性のほうが、一度仲間に目をやり、初めて言った。

「代わりに、補強材料を提出してもいい、というわけなのかしら」

「あらかじめ断っておいたほうがいいと思いますが、もしかすると、あなた方の情報とさして代わりばえしないものかもしれません。残念ながら、私にはあなた方のつかんでいる情報が分からず、比較のしようがありませんので」

正直に告げた。心細い言い方だった。ふくよかな女性のほうはかなり気が惹かれたように見えた。意見を求めるように後ろの同僚へ視線をやった。

痩せた女性も、興味深そうに眼鏡を押し上げた。

「私に興味があるとすれば、どうしてあなたのお知り合いが、密告の濡れ衣を着せられ、窮地に立たされているのか、その理由のほうね。だって、そうではなくて？　たとえあなた方の言う身内でも、関係業者から過剰な接待を受けて平然としている者がいれば、誰に指摘されたところで反論の余地はないはずでしょう。たとえ警察の中からそれを糾弾する者が出たとしても、同僚や上司から非難される理由はまったくないわ」

まともすぎる正論は、えてして人に煙たがられるものだった。それを押し通そうとするのが彼女たちのやり方でもある。

「もし本当にそういった立場の人がいるなら、詳しい状況をぜひ教えていただきたいわね。その人の警察内での権利を守るためにも、私たちが県警本部長にかけあってあげてもよくてよ」

気持ちはありがたかったが、とてもできない相談だった。そんな事態になれば、ますますこちらの立場が悪くなる。だが、百も承知で、彼女は正論を突いてきていた。

まもとに受け返せず、私は質問で話の矛先をかわそうとした。

「あなた方は、ある匿名の人物からその情報をお受けになった。違いますか？」

「どこのどなたが密告の濡れ衣を着せられたのかしら？」

「手紙ですか、それとも電話で——」

「指摘を受けた生活安全課の課長さんと同じK警察署の方かしら。まさか、あなただってことはないわよね」

最初から濡れ衣を着せられた者などいるはずがない、と決めつけたような言い方だった。つまりは、県警上層部が嘘をついて詳しい経緯を探りに来た、と思っているのだ。

「せめて、入手した情報の内容を教えていただけないでしょうか。警察内でそれを確認することもできるかもしれません」

「あなたもせめて、その困っている方の名前を教えていただけるかしら。その人に会って、私たちが直接話を聞くわ」

眼鏡の女性は取り澄ました笑みで返した。口元の皺が深くなり、そう簡単に妥協するものかと告げていた。相手が警察官である限り、どうあっても彼女は、自分たちの手の中にある情報を提供するつもりはないようだった。

私は考え、迷い、それから言った。

「その人物は、先週の土曜日の夜、例の生活安全課の課長が、さる料亭で接待を受けた現場を目撃した、と言っています」

真っ先に反応したのは、太めの女性のほうだった。小動物のような素早さで太い首を巡らし、眼鏡のほうに視線を転じた。

「名の知れた料亭であればあるほど、客の秘密は守ろうとします。あなた方がどういう情報を受けたのか分かりませんが、料亭側からの裏付け調査がどこまでできたか疑問です。あなた方がその現場を目撃したわけではないのだから、正面切っての追及ができなかった部分もあったのでしょう。だから、県警から発表された、私的交際の範囲を超えるものではなかった、との弁解にも、あなた方は強く反発できずにいる」

その証拠に、図書館の新聞をくまなく見たが、どこにもその後の経過を追った記事は出ていなかった。彼女たちの追及も、そこで終わらざるを得なかったのではないか。

「保証はできません。しかし、警察内部からの調査なら、県警の発表をある程度はひっくり返せる材料が見つかるかもしれません」

警察手帳を提示すれば、料亭も客についての情報を隠すわけにいかない。何人が同席したのか、料金はいくらで誰が支払いを済ませたのか、などの状況はつかめるはずだった。

無論、調査をするとなれば、この私が動く以外になかった。警察手帳を振りかざして、矢木沢の行動を調べるのは、できるならさけたい気持ちがあった。私は彼を探る任にはなく、よって警察手帳を私事で使うことになる。明らかに、職権乱用だった。

その覚悟があるのか、と自分に問いたかった。法に触れる行為なのかどうかは判然としなかったが、明らかに警察官たる規範には触れる。

「――そうなの」

眼鏡の女性が、生徒の容態を気遣う保健教諭のような目に変わって頷いた。

「窮地に立たされているのは、あなたね」

いきなり踏み込まれた。

私は言葉を返せなかった。彼女も答えは求めていなかった。いいのよ、と言うように顔の前で手を振り、立ち上がった。

彼女の態度から、急に警察官への敵意が抜け落ちたように見えた。目にまざまざと同情の色さえある。いや、気のせいかもしれない。彼女が私と矢木沢の過去のいきさつを知るはずはなかった。同情ではない。あら大変なのね。冷めた好奇とわずかな哀れみといったところか。だが、その哀れみが彼女を動かしてくれたようだった。

「我々のような市民団体に寄せられる情報というのは、弱い立場の人が内に秘めた正義感から、そっと提供してくれるケースが非常に多いの。その人の倫理観からは、許されていいものではないと理解しつつも、表だって告発すれば、周囲に摩擦が生じる怖れもあるでしょ。匿名になるのは仕方がない面もあると思うの。だから、情報提供者につながりそうな話は一切できませんから」

「分かります」

彼女の意志が変わらないように、すぐさま頷き返した。

「私たちが今日の件を問題とした時には、すでにいくつかの新聞も知っていたみたいだから、もしかするともう、そっちのほうからあなた方の上司にも筒抜けになっているかもしれないわね。取り扱いには、充分注意が必要だと思う」

さすがに行政の諸悪についても詳しいようだ。県警上層部と記者クラブの馴れ合いもよく知っていた。

眼鏡の中年女性は、鍵のかかった抽出を開けると、中から透明ファイルにはさまれた一枚の紙を取り出した。

「断っておくけど、筆跡を比べようとしても無駄よ。これはうちのほうで書き写したものだから」

言いながら歩み寄り、私の前に一枚の紙を差し出した。

礼を言って、受け取った。日時と会合場所らしき店名が、五行にわたって並んでいた。その下に、はっきりと矢木沢稔の名前と部署名の書き込みがあった。さらに、株式会社東翔《とうしょう》産業、との会社名が書かれ、住所の下には、蔵原嘉郎《くらはらよしろう》、という名前があった。

「あなたのほうの調査がどうなったか、あとでぜひ報告してもらいたいわね。頼める？」

上の空で頷き返した。書面の日時に目が吸い寄せられていた。すぐにもう一度上から、順にリストを眺めていった。何度見ても間違いはない。

私の態度に、痩せた眼鏡の女性が再び猜疑心に満ちた表情に戻りかけていた。もう一人の女性も、じろじろとあからさまな目を向けるのが分かった。

私は気を引き締め直すと、もう一度礼を言い、リストの内容を手帳に素早く書き留めた。

12

早めに夕食をとった。それから私は地図を頼りに横浜駅の西口へマークIIを回した。どの辺りにあるか見当はあったが、実際に足を運ぶのは初めてだった。できる限り互いの勤務先の近くをさけ、私たちは会うようにしていた。

ラグジュアリー・ショップ「銀河」はまだ営業していた。金と銀に飾られたショーウインドウが間接照明によって目にも鮮やかに照らし出されていた。ビルの横手に廻り込み、通用口の見える路上にマークIIを停めた。

休憩中の営業マンを気取ってシートを倒した。張り込みの経験はほとんどなかったが、いつまでも待てる気がした。

ビルの谷間に陽が沈み、街灯がともり始めた。七時が近づいた時だった。

通用口から美菜子が出て来た。

白い水玉模様の入った薄い萌葱《もえぎ》色《いろ》のワンピースだった。今日は髪を後ろでまとめ、左肩のほうへ流していた。私は素早くシートを起こして窓を下ろした。

美菜子の足が一瞬止まった。十メートルほどの距離はあったが、私に気づいた。つかのま、視線が合ったが、彼女は表情も変えず、すぐに何も見なかったかのように横を向いた。

一人ではなかった。通用口からもう一人、紺のスーツを着た女性が現れた。歳は美菜子より少し若い。店長をしている彼女の友人ではない。もう一人の店員だった。

美菜子は同僚と何事か笑顔で言葉を交わしながら、車のほうへ近づいて来た。彼女は私に目をくれなかった。私もあらぬほうを眺めていた。二人が横を通りすぎ、遅れて美菜子の愛用する香水の匂いが車内に漂ってきた。

キーをひねり、マークIIを出した。十五メートルほど先にあった駐車場に乗り入れ、そこでUターンした。ゆっくりと美菜子たちのあとを追った。二十メートルほど前方を、彼女たちが笑いながら歩いている。

時には、念じれば願いが通じることもあるらしい。南幸橋を越えたところで、同僚が手を振り、右手に折れた。彼女は相模鉄道を利用しているらしい。

美菜子が一人になるのを見届けると、私はすぐさまアクセルを踏んだ。

彼女は一人になっても、振り返ろうとしなかった。マークIIのスピードを上げ、横に並んだ。それでもこちらを見なかった。軽くクラクションを鳴らしたが、同じだった。ただ前を見つめ、確固たる足取りでアスファルトを踏みしめていた。

このままでは信号にぶつかる。仕方なく、マークIIを路肩に停めた。車を降りて、美菜子のあとを追った。後ろにつこうとした瞬間、気配を察して足を速めた。毎日こうして私は誰かにつきまとい、いつも逃げられようとしている。

手を伸ばして、美菜子の左の手首をつかんだ。急に引き戻され、彼女の髪が大きく弾んだ。引き寄せて、小さく言った。

「どうしても我慢できなかった」

美菜子は無言で私の手を払おうとした。あくまで視線を合わせようとしない。

「突然押しかけて、すまないとは思っている。だけど、どうしても君に伝えたいことができた」

「離して」

声も体も強張らせて言った。だが、声は小さい。周囲の人目を気にしている。

「連絡をしてくれるなとは言ったが、会いに来るなとは言わなかったはずだ」

「どうかしてる……」

美菜子は髪を振り、やっと私を見つめた。目の奥に熱をはらんだ怒りがあった。悔しそうに唇を噛み、それから言った。

「あまりにも勝手すぎる解釈。そんな言い訳ってある？」

「何度でも謝る。すまない。だけど、どうしても伝えておきたいことができた」

「ずるい。待ち伏せなんて、ルール違反じゃない」

「ずるいのはどっちなんだ。あの人を尾行させるのがどれだけフェアだと言える」

「それとこれとは話が違う」

言うと同時に美菜子は身をよじり、私の手を振り払った。ヒールが鳴った。逃げるように駆け出した。

「待ってくれ、頼む」

肩から提げたバッグが宙を舞った。一歩踏み出し、そのベルトをつかんだ。美菜子は振り返って私を睨むと、投げ捨てるようにバッグから手を放した。背を向けたまま歩き出した。

「頼むから話を聞いてくれ」

私は駆け出し、後ろから美菜子の腕をつかんだ。放すまいと力を込めた。肩を振って、美菜子が視線をぶつけた。

「叫ぶわ」

「こっちも負けじと声を張り上げる。どれだけ人目を集めようと、かまわないんだ」

「そんなの卑怯よ。勝手すぎる。少しは私のことも考えて」

「誰よりもいつも君のことを考えている。考えすぎて、何度自分を呪いたくなったか分からないほどだ」

「そうじゃない。こんな勤め先の近くで——」

「男からの電話が何度もしつこく入ったのでは、君の迷惑になる。だからじっと車の中で待っていた。それとも矢木沢のいる自宅に電話したほうがよかったのか」

「声が大きい。人が見てる」

「君がもっと近づいてくれたら、小声で話せる」

　できる限り私を遠ざけようと、美菜子は腕を突き出し、横を見ていた。子供じみた仕草がいじらしく思えた。だが、はたから見れば、別れ話の最中にも映るのだろうか。私たちの様子を、通りかかった若い女性が横目で気にしながら追い越して行った。

　一歩、彼女に寄った。美菜子は観念したようにその場で肩を落とした。たじろぎもせず、私を押しのけようともしなかった。

「ありがとう。無理を聞き入れてくれて」

「手短にして」

　美菜子は私の手からバッグを奪い返すと、再び歩道を歩き始めた。

「車で近くまで送って行こう」

「だめ。歩きながら聞く。駅の改札まで」

　切れ切れながらも、美菜子ははっきりと言った。車内という密室で二人きりになるのを怖れているように見えた。なぜ怖れるのだろう。彼女の長い足踏みが、私には何よりもどかしくてならなかった。

　横に並んだ。歩きながら、スーツの懐から手帳を出した。

「わざわざここで説明する必要もないだろうが、例の一件で新聞沙汰になったのは、あの人の行動が新聞社や市民団体に密告されたのが原因だった。神奈川の行政を見守る市民連合、という団体の事務所に行って聞き出したんだが、これが密告されたあの人に関するスケジュールだったらしい。見てくれないか」

早口に言って、メモした矢木沢のスケジュールを開いた。美菜子はちらりと横目で手帳をのぞいた。

「もっとよく見るんだ。見れば、何を言いたいのかが分かる」

美菜子は私を一瞥してから、少しだけ足を遅くした。手帳に視線を移した。

彼女の足が止まりかけた。目を見開き、すぐに私へ視線を振った。

「そうなんだ。あの日のことは入っていない」

市民団体に寄せられた密告には、五件の日時と場所が書かれていたが、その中に、私が矢木沢を尾行したあの土曜日の料亭での会合は含まれていなかった。五件のいずれもが、あの土曜日よりもはるか以前の接待ばかりだった。

最初が、ほぼ三ヵ月前の金曜日。場所は銀座のクラブだった。それから二週間を置いた土曜にゴルフと料亭。そしてまた銀座が二度続き、先々週の土曜日と日曜日にかけて泊まりがけのゴルフだった。特定業者と三ヵ月の間に五度の接待。癒着ぶりを指摘されても仕方のない頻度《ひんど》と言えた。

だが、美菜子は駅のほうを見やると、ヒールの靴音を響かせて歩き出した。

「だめよ」

「何がだめだ」

「あの人に見られたかもしれない……そう言ってたじゃない」

「だからどうした」

「尾行に気づかれた日のことまで密告すれば、誰が密告者なのか、あの人にも分かってしまう」

「君から教えられて俺は初めてあの人を尾行したんだ。それなのに、どうして三ヵ月前の接待について調べられる」

「だめよ……。あの人が浮気をしているかもしれないって言ったのは、もっと前だったもの。それに――」

彼女はちらりと私を見てから、視線をアスファルトに落とした。

「私にはその情報が、密告内容のすべてだったと信じる証拠はどこにもないのよ」

「疑おうとすれば、何だって疑える」

「信じようとしたの。でも、いくら気持ちが強くても、不安になってしまうことってあるでしょ」

「君は俺が――」

美菜子はすぐにかぶりを振った。後ろでまとめた髪が大きく揺れた。

「信じたい気はある。でも、だめ……。頭では、そんなの可能性にすぎない。どこにも証拠はない。そう言い聞かせてみた。でも、呑み込もうとしても、胸の奥でいつもつかえてしまう」

「もっとはっきりとした証拠を出せ、そういうわけか」

「そこまで言わない。私を信じさせてくれればいいの」

「同じだろ。君は誰にでも分かる証拠をほしがっている。あの人が自分にはもはや何の関心もなく、この俺が決して卑怯な密告をする男ではない、という証拠が」

「同じじゃないわ」

美菜子が足を止め、私をそっと上目遣いに見た。

「疑うのと、信じられないのは、同じじゃない。それがあなたには分からない？」

女の気持ちが分からないのか。そう問われている気がした。たぶん、大きく違ってはいないのだろう。

「信じさせて」

「君を信じていいんだな」

私は言った。呼び出しは、まずたいてい彼女のほうからだった。この一年、私たちは酒を酌み交わし、互いの不幸を嘆き、握手をして別れた。ぎりぎりのところで、あの時以来いつも美菜子は踏み出せずにいた。信じたいのは私も同じだった。

「信じていいんだな」

念を押した。一瞬のひるみが、美菜子の目の奥に下りたような気がした。気のせいではなかった。彼女はまだ心を決めかねていた。だから、私との八年を埋められずにいる。そしておそらくは今回の密告があったからではない。

「お願い。私を信じさせて……」

美菜子は私の目を見ないで言った。言うなり、駅への階段を駆け上がった。追いかけたかったが、たとえ抱きとめたところで、彼女は私を見つめ返そうとはしない。

階段を四、五段追いかけ、後ろ姿を見送った。行き交う客の中に美菜子が紛れて消えた。

彼女は私より耐えることに強い。一度も私を振り返ろうとしなかった。

酒を飲ませる店ならばどんなドアでも押したい気分だったが、その気持ちに耐えてマークIIを停めた通りに戻った。一人の警察官として飲酒運転がまずいと考えたからではない。今度の結果が出てからでも、酒を浴びるのは遅くなかった。たとえどんな結果が出たにしても。

川崎へ戻った。時刻は八時に近かった。一人で部屋へ帰るには、少しばかり早い気がした。どんな目が出るかは分からないが、握りしめた賽《さい》を振って見ないことに、賭は始まらなかった。

矢木沢への過剰な接待をくり返した蔵原嘉郎はどういった人物なのだろうか。東翔産業という会社名に、残念ながら記憶はない。生活安全総務とはいえ、所轄内の風俗営業店舗をくまなく記憶しているわけではなかった。店にまつわる情報は、現場の刑事たちのほうが詳しい。

非番の日に、そう忙しくもない私が署へ顔を出したのでは不自然だったし、電話をかけるほど親しくしている同僚もいなかった。私は車が川崎市内に入ったところで公衆電話を探した。第一京浜沿いのファミリーレストランへマークIIを乗り入れた。レジ前に置かれたハローページをめくって東翔産業の住所と電話番号を確認した。会社名の後ろに業種の記載はなく、職種はわからなかった。

ハローページの個人名には、蔵原嘉郎の名前はなかった。川崎市の住民ではないか、それとも電話帳に氏名を載せていないのか。法務局へ登記された東翔産業の書類を閲覧すれば、社長の住所も分かるのだが、明日を待たなくてはならなかった。

ビジネス街に近いバーやクラブになると、企業の休みとなる土日を定休日にしている店が多いが、特殊な風俗関連の店になれば、休日に休むところは少なかった。ましてや競馬や競輪が開催される日曜日はなおさらで、当たり客を見込んで店を開けているケースが多い。

受話器を取り上げ、番号を押した。三度のコールで相手が出た。

「はい、東翔産業」

語尾に妙な粘り気のある男の低い声が答えた。客相手の商売にしては、電話から受ける印象度を少しも重要視していない。

「蔵原さんはいらっしゃいますでしょうか」

「どちら様です」

　男の低い声がさらに沈んだ。

「神奈川県警の者ですが」

「県警のどちら様でしょう」

「非常にお尋ねしにくいのですが、先日、私どもの同僚である矢木沢とそちらの社長さんの間をとやかく言われ、新聞の一部をにぎわしましたのはご存じだと思います。その件で少し尋ねたいことがあるのですが、実は警察の正式な捜査とは言いにくいところがあります。矢木沢さんを親しく知る者なのですが、どうしてあの方と――」

「嫌がらせなら、やめていただきたい」

「違います。蔵原さんの行動を問い質そうという意図があるのではありません。おかしなことを言うようですが、そちらの社長さんが警察の誰と親しくしようと詮索するつもりはありません」

「でしたら、どうか放っておいてください」

　有無を言わさず、電話を切られた。

　あまりにも正直すぎる言い方だったかもしれない。しかし、いたずらに警察手帳を振りかざしたくない気持ちがあった。かといって、新聞社や市民団体の名を騙《かた》り、自分を偽るような真似もさけたい。素性を隠さねばならない覚えはなく、誰に恥じる必要もなかった。

それでもやはり、もう少し策を練るべきだったろうか。警察に所属していれば、街や人の情報は入手しやすい。友人から頼まれ、連絡の取れなくなった同級生の足取りを捜してやった経験がある。事故に遭った知り合いの入院先を、同僚に頼んで調べてもらったこともある。警察官なら誰しも、そんな環境に慣れていた。知人に便宜を図ることへの善し悪しは別にしても。

萱野貴之という一個人に戻った時、どうやって見ず知らずの者に近づいたらいいのか。警察官という職から離れた私に何ができるだろうか。

不安になった。警察から離れてしまえば、私には何の力もなくなる。当たり前の事実だったが、初めて言いようのない心細さを感じた。ことさら警察官としての自分を意識してきたわけではなかったが、私は紛れもなく警察という組織の持つある種の力を享受してきたのだった。そして今さらながら、その事実に気づいた自分に何よりもあきれ、驚いていた。

急に弱気になったわけではないが、路上に停めたマークIIの車内で再び時間をつぶした。

東翔産業の事務所は、第一京浜から一本入った路地に建つ雑居ビルの二階にあった。表通りからは事務所の窓の明かりが見え、まだ社員が残っていると分かったが、先ほどの電話からは、正直に乗り込んで行っても、まともに取り合ってくれるとは思えなかった。幸いにも先週の土曜からまだ日も浅く、矢木沢と料亭で会っていた蔵原という男の顔なら、辛《かろ》うじて覚えがあった。正面エントランスと通用口らしきビルの横にある鉄扉の見える場所にマークIIを停め、車内でじっと待った。

九時三十分をすぎて、ダークスーツに身を包んだ体格のいい男が鉄扉を開けて出て来た。髪は短く、手には小さな黒革のアタッシェケースを提げていた。縁なしの眼鏡が四角い顔に似合っていない。男はうつむき加減に裏通りへ歩いた。帰宅するのだろうか。ビルの二階の窓にはまだ明かりが見えた。

しばらくすると、第一京浜のほうから自転車に乗った制服警官が現れた。角を折れると、真っ直ぐにこちらへ近づいて来た。

警官の乗る自転車が私のマークIIのすぐ横で停まった。五十代の男が、サイドウインドウから中をのぞき見るように首を突き出してきた。続いて、もう一台の自転車が表通りからやって来た。やはり制服警官だった。

先に到着した五十代が、自転車を降りた。もう一人は三十代か。所轄であれば、同じ署員だったが、どちらも顔に覚えはなかった。五十代の警官は、同僚の到着を待つと、私の車のガラスを手荒にノックした。

私はシートを起こし、ウインドウを下ろした。軽く二人に会釈を返した。

「ご苦労様です」

「あんた、こんなところで何やってるの」

彼らも私の顔に見覚えがなかったようだ。ここ一週間は話題の主だったというのに。

「人を待っています」

「免許証を見せなさい」

高圧的な態度は気になったが、面倒を起こしたくなかったので素直に提出した。警察手帳のほうを。

「これは失礼しました」

とたんに男たちが直立不動になった。私を捜査課の刑事か何かと勘違いしたらしい。生活安全総務と知れば、紛らわしいことをするなと叱責を受けたろう。

その時だった。正面エントランスの前に、黒塗りのセダンが停車した。と同時に、ビルから二人の男が小走りに出て来た。フロントガラスを通して、男たちがセダンの後部座席に収まるのが見えた。

国道沿いとあって、街灯はそれなりに設置されている。男たちは逃げるような素早さで車内に消えたが、二人の顔の判別はついた。どちらも矢木沢と料亭で会っていた人物ではなかった。気がつくと、二階の窓の明かりはすでに消えていた。

慌てて自転車に戻ろうとした二人を、私は車内から呼び止めた。

「すみませんが、私に声をかけようと思ったのは、なぜでしょうか」

五十代のほうが再び直立不動になった。

「はい。交番に電話が入りました。不審な車がずっと停車していると」

「ありがとう。これからはもう少し張り込みの場所に気をつけます」

二人の制服警官はかしこまって私に頭を下げた。さすがに敬礼まではしなかったが、見る者が見れば、すぐに同業者の車と悟られてしまいそうだった。すでに気づかれたあとでは、もう心配もなかったが。

新聞記者の取材攻勢を受けて、東翔産業の社員たちは対応に困っていたのだろうか。それにしては、車に消えた男たちの中に、社長の蔵原らしき人物は見当たらなかった。

彼らはなぜ、これほどまでに私を警戒したのだろうか。見当もつかなかった。

13

休み明けの朝は、希望に燃える新社会人でもない限り、誰もが軽やかな足取りで勤め先に向かえはしないだろう。ましてや、謂れない非難の刃を向けた上司の謹慎明けともなれば。県警本部でお咎めなしとの裁定が下されたのだから、矢木沢が名ばかりの病気療養を続ける意味はなかった。

ドアを抜けた瞬間、窓前のデスクにつく矢木沢の姿が見えた。

相良と休み明けの打合せをしていたのだろう。彼は私を見なかった。態度を変えたのは、部屋にいた同僚たちのほうだ。始業前の無駄話が一瞬止まった。私をあからさまに見る者はいなかったが、視覚以外の五感を総動員して気配をうかがおうとし、にわかに辺りの空気の密度が増した。

口の中で「お早うございます」と呟き、自分のデスクに向かった。こんな状況の中、私に話しかける者はいないだろうと思っていたが、案に反してこちらに歩み寄る者がいた。防犯係の古手の刑事だった。

「ちょっと出ないか」

彼は低く言って、廊下のほうへ顔を振った。石坂——。下の名前は記憶にない。同じ課内とはいえ、仕事以外の会話を交わした覚えもなかった。石坂は私の反応を見もせずにさっさと廊下へ歩いた。古顔からの呼びかけを無視もできず、あとに続いた。

石坂は廊下を右手に折れると、刑事課の前を素通りした。突き当たりは宿直室で、そこに用がある者以外は誰も通りかからない、廊下のどん詰まりだった。奥までたどり着いても、石坂は私を見なかった。立ち止まり、窓から外に目をやった。

「昨日の夜、何をしていた」

「当番明けの非番でしたが」

「その休みを使って何をしていたのかって聞いている」

語気に明らかな怒りがあった。昨日はどうしてたんだよ？　たまの休日だから酒に決まってるだろ――などという仲間内での気のおけない世間話の口調ではなかった。

「どういうことでしょうか」

素朴な疑問を発したつもりだった。そうは取られなかった。いきなり胸ぐらに手をかけられた。声を殺し、喉にからんだような低音で言われた。

「何様のつもりだ、おまえは。とぼけたって、こっちには分かってるんだよ。俺はな、まどろっこしいことは大嫌いなんだ」

私も回りくどい言い方は好きではなかった。だから、言った。

「私が何をしたと言うのでしょうか」

「いいか。おまえの仕事は防犯総務だ。デスクで書類を見てればいいんだ。勝手に人の縄張りまで手を出すような真似はするな」

「ですから、あなたの職務のどんな邪魔を私がしたと――」

「どれだけの時間をかけて、俺らが業者に顔をつないできたと思ってる。俺らの仕事は、信頼が第一なんだ。それがなくなったら、やつらは裏へ引っ込んでしまう。そっぽ向かれたら俺ら刑事の睨みなんてのは屁《へ》にもなりゃしない。それが分かってるのか、おまえは」

当然ながら理解していた。生活安全課の一員として。

彼らの職務のうち、売春や風俗営業関係の取り締まりは、関係業者との顔つなぎが大きくものを言う。情報提供はもとより、明確な線引きの難しい案件については、許認可権をたてに業者の自粛をうながし、ことの収拾を図る場合がある。また、彼らの末端雇用者が銃や麻薬類への関与を問われるケースも時にあった。その捜査と摘発には、両者の協力関係が必要になる。

本来なら、法に準じた取り締まりに徹すればいいものの、現実的には、あまり法を頼りすぎると、業者同士の庇《かば》い合いや捜査への反発を呼び、事件解決が遅滞しかねない。そのために、持ちつ持たれつと言えなくもない、業者との信頼関係に頼ろうとする、昔ながらの刑事たちがいた。

その功罪を、現場の外から指摘する者もいたが、事件に追われて、休日をつぶしている同僚たちを目の当りにしていると、安易な批判はできにくいのも事実だった。

だが、私が何をしたというのだろうか。

「いいか。課長が誰と昵懇《じっこん》にしてようが、俺にはさらさら興味などない。勝手にあらぬことを野良犬みたいに鼻を鳴らして探ればいいさ。だがな、俺らの縄張りには絶対に踏み込んで来るな。さんざかき回されて迷惑するのは、こっちなんだよ。冗談じゃない。何をして上から嫌われようと、それはおまえさんの自由だが、俺たちにまでとばっちりを向けるんじゃない。いいな、分かったか」

やっと胸ぐらから手を放された。車のナンバーだ、と思い当たった。東翔産業の関係者が、事務所前を監視する不審な車がいた、と顔馴染みの防犯刑事に訴えたのだ。刑事なら、車のナンバーから持ち主を探るなど、たやすくできる。

「話を聞かせてもらおうとしたまでです。それなのに知り合いの刑事に頼って圧力をかけようというのでは、自分からクロとの心証を与えるようなものではないでしょうか」

「うるさい！　いいか、今度近づいたら、ただじゃおかないからな。覚悟しとけよ」

石坂は恫喝《どうかつ》と威圧の視線を私に押しつけると、大股に廊下を歩み去った。

忠告、非難、威嚇、誘導……。この一週間のうちに、どれだけの警察官が私の前に現れては、こちらの予想もつかない反応を示していっただろうか。これに、懐柔《かいじゅう》が加われば、政権維持のため多数派工作をかける政治家さながらの姿だった。私のような何の力もない一警察官に、餌《えさ》をぶら下げ、つり上げようとする者は残念ながらいそうになかったが。

午前中、矢木沢は私を存在しない者のようにことさら無視していた。視線をさけるのは当然、まるで匂いすら寄せつけまいと顔をこちらに向けもしなかった。彼にならって、係長の柳川も同じような態度を貫き、従順な部下に徹した。課内はいつにない静寂に包まれ、誰もがその恩恵に与《あずか》り、仕事が普段よりはるかに進んだことだろう。

午後になると、矢木沢の姿が部屋から消えた。この一週間の不在を埋めるための打ち合わせや謝罪の外回りでもあったのかもしれない。おかげで多少は課内の緊張感が和らいだ。

いつものように定時を少しすぎてから仕事を終えた。私を呼び止める者はいなかった。口の中で「お先に失礼します」と言い残して署を引けた。

駅前で簡単な夕食をすませた。喫茶店で少し時間をつぶした。忠告と恫喝を受け、逡巡していたわけではなかった。辺りが薄暗くなるのを待ったのだ。明るいうちから路地に立っていては、身を隠しての張り込みにはならない。

石坂の反応から、東翔産業の過剰ともいえる警戒感はうかがえた。逃げ腰の相手を引きずり出すには、さらなる揺さぶりをかけるに限る。

第一京浜の周囲をぶらぶらと歩いた。東翔産業の事務所とビルのエントランスが見え、監視のできる場所がないかを探した。通りの向かいに喫茶店があるにはあったが、路地を一本入ったビルの二階の窓はどうにか見えても、エントランスや通用口までは見通せなかった。

腹をくくり、ビルに向かった。

エントランスまで行き着けなかった。

あと二メートルまで近づいたところで、後ろから右の肩をつかまれた。振り返る間もなく、通用口のほうに引き戻された。何かが足にからみ、体が斜めになった。足がついていかず、夜空が流れた。

右肩からアスファルトの上に転倒していた。手を突き、振り上げようとした顔の先に、汚れた革靴が並んで見えた。刑事の靴だ。瞬時に思い当たり、体を起こした。

石坂だった。朝と同じような目つきで、肩を怒らせ、私を見下ろしていた。

「性懲りもなく来やがったか。あれほど言っておいたはずだぞ」

腰を伸ばす間もなく、ずしりとした衝撃が腹を襲った。驚きや痛みより、当惑が先に立った。石坂がまさか私を待ち受けているとは思わなかったし、同僚から公道で殴られるとは想像すらしていなかった。

「そうまでして人を探って、何が楽しい。おまえがどれほどの人間なんだよ。これまでに何か褒《ほ》められるようなことをしたか？　誰かを非難できるような立場か？　自分の不甲斐なさを棚に上げて、人を引きずり落とそうなんてのは最低の行動だ」

あえぐ顔の先に、侮蔑の声とともに何かが落ちた。雨ではなかった。空には星が瞬いている。屈辱に目の前が暗くなった。顔を振り上げ、頬を袖口でぬぐった。石坂を睨み返した。

「関係業者とつるむほうが利口なのか。それを邪魔する者は、誰でも力ずくで排除して当然だというわけか」

言葉ではなく、拳で答えが返ってきた。再び膝を折った。苦痛に視界がせばまる。息が詰まった。立てなかった。

「本部の調査でもう結果が出たんだ。それをおまえがひっくり返せるとでも思ってるのか。身のほど知らずが。迷惑なんだよ。うろちょろするな！」

息を整え、せめてもの抵抗に私は言った。

「だいぶ蔵原の世話になっているようだな」

「ほう。今度は俺を標的にするつもりか？」

「それもいいな。この辺りじゃ、かなりのやり手だと聞いたよ、あんたも蔵原もな。たたけばいくらでも埃《ほこり》が出そうだ」

「馬鹿も休み休み言え」

ジャケットの襟をつかまれた。大売り出しの貼り紙さながら壁に押しつけられた。

「俺らみたいな下っ端が、どうして将来の年金を失うような危ない橋を渡るかよ。いくらだって、調べてみろ。こっちはあくまで仕事だからと、ヤクザまがいの連中にまでおべっか使って、気のいい顔を見せてるんだ。誰が好きでやってるものか。冗談じゃない。毎日机にしがみついてるだけのおまえに、何が分かる！」

「分かるとも。宮仕えは辛いからな。上から蔵原を守るように言われたか？」

石坂は私のジャケットの襟をしわくちゃにした。図星だったのかもしれない。頬を震わせ、力任せに私の体を左へ払った。苦痛に足が乱れて、三たびアスファルトにはいつくばった。

「帰れ。帰っちまえ。二度とここに近づくな。今度おまえをこの辺りで見かけたら、署にいられないようにしてやる。いいか！」

怒りをばねにし、立ち上がった。石坂は涼しげに腕を組んで観察していた。顎を私へ押しやるようにして、行け、と告げた。こちらがすごすごと退散するまで、忠実な番犬よろしくビルの前から動く気はないようだった。

「あんたら、そこで何してんだ」

背中から声がかかった。振り返ると、黒い傘を手にした年配の男性が充分な距離をとって身構え、私たちを見ていた。黒い蝶タイに汚れたエプロン姿だった。手の傘は、用心のための武器のつもりか。仕込みの最中に騒ぎを聞きつけ、近くの店から様子をうかがいに出て来たと見える。

「面倒を起こすと、警察を呼ぶぞ」

正義感からではなく、厄介事を忌み嫌っての言葉に聞こえた。石坂が煩《わずら》わしそうに懐から警察手帳を出し、男のほうに突きつけた。

「何でもない。もう終わったから安心してくれ」

男は一瞬の驚きを見せ、それから急に声を大きくした。

「警察だからって、あんた、何の抵抗もしない人を殴っていいわけがあるかよ」

はたから見れば、一方的になぶられていたとしか見えなかったのだろう。一人が警察官だと分かって安堵したのか、男が意見しながら近づいて来た。

屈辱と痛みをこらえ、私は彼の前に立った。

「こっちも警察官なんですよ。ありがとう」

あっけに取られて首を巡らす男に背を向け、私は縄張り争いに負けた犬のようにすごすごとビルの前から退散した。

近くで見つけたバーに飛び込み、酒を飲んだ。恫喝に屈し、哀れみの酒をあおったわけではない。気つけのためだ。それから私は、覚悟を固め、再び東翔産業の入ったビルに足を向けた。腹を殴られた痛みは引いていたが、代わりに憤りと怒りが混ざり合って腹の奥でどろどろと渦を巻いていた。

彼らにも生活があるのは理解している。仕事を進めやすくするために、業者との信頼関係を崩したくないのは分かる。しかも、直属の上司までがかかわっているのだ。すでに県警の裁定が出た件でいらぬ腹を探られ、両者の機嫌を損ねたくはないだろう。だが、そんな思いは、天下り先を確保するために業界を守ろうとする官僚の寄生的発想も同じだった。

特練員という特別な待遇を得ていたにもかかわらず、大した成績も収められなかった私は、とても優秀な警察官とはほど遠かった。しかし、まっとうな警察官でありたいという気持ちは、少なからず持っているつもりだった。

さすがにもう、ビルの前に石坂の姿はなかった。おまけに東翔産業の窓の明かりも消えていた。まだ九時前だった。忠犬からの情報を得て、今日は早めに引き払ったのだろう。出直しだった。

極彩色のネオンのきらめく裏通りを歩きながら、腹にたまった怒りを反芻した。決して忘れまいと心に誓った。同時に、私は石坂に感謝したい気分だった。

美菜子の疑いを晴らすため以外にも、私は今、明確な別の意志を手に入れていた。


アパートへ帰ると、留守番電話のランプが点滅していた。期待しながら再生したが、美菜子からの伝言はなかった。

二件が無言。残る一件が、堀越幸恵からのものだった。もしかすると、無言の二件も彼女だったのかもしれない。

「堀越です。また明日にでも電話をします」

伝言はそれだけだった。いつも彼女は表面上、私の前では控えめな態度を崩さない。態度だけは。

強化合宿のスケジュールを終えて、寮に戻って来たころだろうか。想像はできたが、受話器を握る気は起こらなかった。少しでも負担はあと回しにしたい。

オリンピック出場を目指す彼女のために少しでも役立ちたい、とは思っていた。だがそれ以上の期待をされては困る。彼女の父親にも、すでに伝えた。彼女のすべてに、私はどうあっても応えられなかった。

翌朝は、いつもより一時間以上も早く起きて、署に出た。宿直がとびきり苦い眠気覚ましのコーヒーを飲まされたような顔で驚き、私を迎えた。「調べ物があってね」と答え、自分で言った言葉の通りに、課内に保存してある許認可関係の書類をキャビネットの前でひっくり返した。東翔産業の傘下組織を洗い出すために。

所轄管内には、酒類を提供して営む飲食店が三軒、特殊浴場三軒、ホテル一軒、ゲームセンター二軒。備考として、管内以外にも多数の遊戯施設ならびに飲食店を経営、との但し書きがあった。これらは法務局の書類を見れば詳細がつかめるはずだ。

書類には、営業所の所在地、管理者の氏名住所、そして法人代表者の氏名と住所の記載欄もある。蔵原嘉郎の自宅は、横浜市港北《こうほく》区篠原町だった。いくら忠実な番犬でも、縄張りの外にまで出張サービスをしているとは思えなかった。店のすべてと自宅の住所をメモに取った。

まだ課員は誰も顔を出していなかった。少し早いが仕事に移ろうと思い、デスクに戻った。椅子を手前に引こうとした途端、背もたれがあっけなく手からすべった。シンバルを転がしたように盛大な音が上がった。宿直が立ち上がり、私を振り返った。

背もたれとシートがひと固まりになって、床に転がっていた。支柱の取りつけ部の金属が、溶接ごとはがれたのだ。

よほど力任せに、誰かが椅子を蹴飛ばしでもしたのだろうか。長年の使用に耐えかねて、溶接が自然とはがれたわけではなさそうだった。シートのビニール張りが、見事な十文字に切り裂かれ、薄っぺらなスポンジが顔を見せていた。

私は椅子の残骸を部屋の隅に片づけると、代わりにキャビネットの間に立てかけてあったパイプ椅子を引っぱり出し、それをデスクの前に置いた。

警戒しすぎているとは思ったが、腰を落ち着ける前にデスクの抽出をそっと開けた。

カエルやネズミの死骸は見つからなかった。だが、蓋の開いたインク瓶が横倒しになり、抽出の中一面が黒く塗りつぶされていた。レポート用紙、伝票、封筒、読みかけの雑誌、辞書、筆記用具がことごとく、インク瓶を倒した者の意志を示すかのように黒く染まっていた。

右袖の抽出も調べた。こちらにはもとよりインクは入れてなかったが、花瓶の水をぶちまけたような有様になっていた。一番下の抽出に入れておいた、堀越幸恵からの手紙とビデオも水に浸され、表書きの住所と私の名前が泣き出したように崩れて見えた。

あまりに念の入った仕事ぶりに感心し、私はもう少しで笑い出すところだった。こんな子供じみた嫌がらせで手を引く者がいる、と本気で考えたのだろうか。だとすればその人物は、かなり楽天的かつお人好しの警察官だった。私のようにこの先の出世は望めないだろう。

一時間早く署に出たのは正解だった。同僚たちの見守る中、一人で荷物を整理するのでは辛かった。笑い者になるのならまだいいが、哀れみの目で見られるのではたまらない。雑巾で黒インクをぬぐいながら、単なる手始めだろう、と考えた。今度はいつ、矢木沢のような密告を、私が受けないとも限らなかった。

役人の中でも警察官は、特に自らの身を厳しく律する立場にあると言えた。罠に陥れる方法はいくらでもある。

金銭や物の貸し借り、一時的な預かりなどには注意が必要だった。いや、銀行口座の閉鎖も考えたほうがいい。口座番号さえ分かれば、一方的な金銭の振り込みは自由にできる。職務柄、警察官ならそういった調査はお手の物で、そもそも署には給与振込先の資料も存在する。やる気になれば、私を署から放り出すのは簡単だ。ひとまずは、その意思表示のつもりに違いなかった。

姿を見せずに、悪意だけを強引に伝える。卑劣でさもしい手段だった。

そう、密告と同じく——。

八時をすぎて、同僚たちが次々と出勤して来た。私は平然とした顔を装い、仕事を続けた。なぜパイプ椅子を使っているのかと問いただそうとする者はなかったし、抽出がどうなっていたかを尋ねる者もいなかった。石坂もこれ見よがしの視線を送ってくるほど迂闊《うかつ》でも軽薄でもなかった。

何事もなく午前中が経過するかと思われたが、打ち合わせから戻って来た柳川に呼ばれた。いつものペースで仕事をしていたにもかかわらず、今日中にたまっている書類をすべて片づけろ、と一方的に言われた。申請書の処理は、デスクワークのみでは行えない。飲食店並びに遊戯施設、営業所の検定、もしくは図面による確認、公安委員会との連絡等、それに付随する雑務が必要になる。まず不可能です、と事実を告げると、やれるだけやれ、との強権が発動された。

なるほど。私が今回の件で動き回っていることは署内の隅々にまで知れ渡っている。私に仕事を押しつけ、時間を奪おうというつもりらしい。

矢木沢からの言いつけか。それとも腹を探られたよその部署からたっての願いが入れられたのか。もしくは、現場課員の総意なのか。いずれにせよ、縦社会の最たる警察署の中では、上司の指令は絶対だった。

敵の思惑通りに仕事を続けた。私を監視するかのように、柳川も遅くまでつき合っていた。外回りから帰った保安係の刑事たちが今日の成果を打ち合わせて出て行くと、宿直とあとは数えるほどの人数になった。珍しく継続捜査以外には、抱えている事件がないようだ。

十時が近づき、ようやく柳川が帰宅の準備を始めた。彼は私の今日の仕事を回収すると、確認もせずに認印を押していった。それを終えると、ねぎらいも一切の儀礼的な挨拶もなく、無言で職場から出て行った。彼としても、損な役回りを押しつけられた自分の身の上を嘆きたいところなのだろう。

私は宿直にねぎらいの声をかけてから署を出た。すでに十時三十分をすぎていた。いくら警察官とはいえ、職務ではない私的な用件で人の家を訪ねるには遅すぎた。今朝の調べ物の成果を利用するには、病欠を取るか、次の非番を待つかする以外になさそうだった。相手側の出方も影響してくるので、早いに越したことはないだろうが。

結論の出ないまま、アパートへたどり着いた。階段を上がり、鍵を開けようとすると、ドアの隙間に折りたたまれた紙がはさまれているのに気づいた。

宅配便の不在通知ではなかった。見なれた几帳面な文字が書かれていた。

——チームで気になる噂を聞きました。ご迷惑かもしれませんが、連絡がつかないので来てしまいました。十一時までポルカにいます——

午前中、濡れた手紙を処分するときにもこの字を目にしていたので見間違えようはない。堀越幸恵の筆跡だった。

14

「ポルカ」のドアをくぐると、奥の席でヤッケを着込んだ女性が立ち上がった。こういったファミリーレストランのテーブルは作りつけになっていて、その場で立ち上がることはできない。彼女はわざわざ席を離れ、私が近づくまでテーブルの横でスポーツウェアの縫い目に手をそえ立っていた。警察官らしく。後輩らしく。

「突然お邪魔して申し訳ありません」

短く切りそろえた髪を振って、幸恵は深く一礼をした。私が座るまで、律儀なまでに座ろうとしなかった。

「途中まではランニングをしていたんです。でも、どうしても気になって、来てしまいました」

言って、ぺこりと頭を下げた。そんな子供じみた仕草で、すべてが許されると信じる若さが表情からは垣間見えた。三年ほど前、彼女の母親の葬儀に初めて堀越の自宅を訪れ、幸恵の笑顔が母親譲りのものだと知った。やや肩幅のある体型と意志の強さが父親から譲り受けたもので、それが彼女の射撃の安定感にもつながっていた。

私は笑顔を作る幸恵から視線を外してコーヒーを注文すると、腕時計に目を落としながら真っ先に問いただした。

「何時までランニングをして来ると丸山コーチには言ったんだ？」

「十一時半です」

木月の寮までは、南武線と東横線を利用し、少なくとも二十分はかかる。電車を待つ時間を考えれば、十一時にはここを出なくてはならないだろう。

「あと十三分だ」

「ご安心ください。この時間なら、車を拾えば十分で帰れます」

形のいい鼻の上に小さなしわを作り、幸恵は笑った。射場では決して見せない、穏やかな笑顔だった。

チームの同僚とともに、ここへ来たのが最初だった。私も監督やコーチから一定の理解を得てはいたが、そうそう射場に足を運べるものではなかった。時間外ならと考え、彼女たちの悩みや相談を受けた。

いつしか、幸恵だけが来るようになっていた。私のアドバイスに価値を見出せないと思ったのか、渋る同僚を彼女が無理やり連れ出していたのか、真相は分からなかった。この一年は、ほとんど幸恵だけの専属アドバイザーのような形になっていた。だが、そろそろ寮から遠い場所に住まいを変えたほうがよさそうだった。

「いくら学生時代から君を見ているといっても、そうそうアリバイ工作に荷担はできないからな。こんなところで煙草の匂いにまみれて時間をつぶしているより、好きな音楽でも聞いてリラックスしたほうが、今の君にはどれだけプラスになるか分からない」

「申し訳ありません、コーチ。今後は気をつけます」

幸恵は表情を引き締め、形だけ非礼と不摂生を詫びた。頭を下げながらも、言葉遣いや仕草が射場とは違って生き生きとしている。

「予選まではもう二ヵ月を切ったぞ。ビデオの件に関しても、手紙で感想を出しておいたはずだ」

「ありがとうございました。銃のバランスを変えてみようかと迷っていたところでした。でも、お手紙を読み、こんな間際になってから、その場しのぎの応急処置でごまかそうなんて間違いだと思い直しました」

「そう。それがいい」

言いながら、心苦しさがつきまとっていた。私はビデオを見ずに形だけのアドバイスを送った。彼女が何に迷っているのかを知りながら。それには応えようのない形だけのアドバイスを。

「そろそろあらゆる雑事を忘れて、集中力を高めていく時期に来ているはずだ。去年の全日本では、そうやって結果が残せたじゃないか。こんなふうに寮を抜け出して来るのはどうだろうか」

「メモにも書きましたが、連絡がつきませんでした。それで、つい――」

「私だって、時には仕事で遅くなる日もある」

幸恵は首を振ると、遠慮がちに目を伏せ、言った。

「いえ、ご迷惑かと思いましたが、昨日から署のほうに電話をしていました」

「はい。予選までの正式な練習スケジュールが決定しました。それをお伝えしておこうと思ったんですが、いつも席を外されていて……」

「署に？」

「誰が電話に出た」

訊き方がやや性急すぎたかもしれない。幸恵が目を見張った。

「いや、少し署を出ていたのは事実なんだが、それだったら、電話があったのを伝えてくれてもよかったのに、と思ってね。水くさいやつがいるもんだよ。誰が電話に出たのか、覚えているだろうか」

「一度は、あの係長さんだったと思います」

あの、との言い方から、幸恵も柳川を好ましく思っていないのが分かった。

「あとは、少し声の高い人で……」

柳川に、べったりと腰巾着《こしぎんちゃく》のようについている佐藤だろう。幸恵のことだから、公私を分け、所属を名乗ろうとはしなかったはずだ。とすれば、私用電話だと誰でも思う。それを私に取り次ごうとしないとは、何という子供じみた嫌がらせか。

いや、明確な嫌がらせの意志があったかどうかは疑わしい。私などのために、女性からの伝言を受けるものか、と考えたまでかもしれない。それとも幹部から煙たがられている私に少しでも慈悲をかければ、自分にまで実害が及ぶと想像をたくましくしたか。見上げた忠誠心だ。階級社会の部下たる者の鑑《かがみ》と言えた。

幸恵が黒目がちの目を細めて私を見ていた。

「ご自宅のほうに電話をしても、やはりいらっしゃらないようでしたし、それに……」

言いづらそうに口を閉じ、肩をすぼめるようにして下を向いた。

その先はあまり聞きたくなかった。だが、チームで聞いたという噂の内容を知りたくて、私はメモを無視できずにここへ足を運んだ。彼女に本当の私を知ってもらいたいがために。

私は平静さを装い、言った。

「私に関する噂を聞いたんだね」

幸恵は顔を上げなかった。

「何を聞いたんだろうか」

今度の密告だけか。それとも、かつての密告も、なのか。県警射撃チームの選手やコーチの中には、昔の事情を知る者が今も在籍している。当然、一方だけではなかったろう。

「たとえ噂が本当だったとしても、私には、人から揶揄される理由が分かりません」

思い切ったように顔を上げて、幸恵は早口に言った。言葉にも姿勢にも充分すぎる力みが感じられた。

「ありがとう」

私は言った。それが答えのつもりだった。

幸恵も瞬時に、私が何を答えたのか、理解したようだ。力なく首を横に振った。庇うような言葉を口にしながらも、彼女は信じたくなかったのだろう。だからこそ、スケジュールが決まったから、という言い訳を自分に作り、私に連絡を取ろうとした。

「――では、矢木沢さんを……」

「言い訳ではないが、今回に関しては私ではない。仮にそうだったとしても、君の言うように人から揶揄されるような行動ではないはずだし、今回のことで君が動揺しなければならない問題でもない。幸いにも私はすでに特練員を離れた身だ。チームに新たな迷惑をかける心配もなければ、外から君へのささやかなアドバイスを送れなくなるわけでもない。君はこれまで通り、オリンピックだけを見つめていればいい」

「でも、身に覚えのないことで人から非難を受けるなんて――」

「十一時になった。そろそろ帰ったほうがいいな」

「私は納得できません」

幸恵は背筋を伸ばすと、ひそめた眉に親譲りの頑迷さをにじませて、かぶりを振った。

「どうして萱野さんが立場を悪くしなければならないんでしょうか。矢木沢さんは間違いなく規則に触れることをしたはずです」

「今回の件については、県警で処分なしとの判断が下された」

「新聞報道が事実だったとしてもですか?」

「私的交際を越えるものではないとの弁解が認められたようだ」

　幸恵は見た目にも強く唇を噛んだ。まるで自分のことのように悔しさをにじませていた。だが……。八年前の密告が、オリンピックのためだけではなかったと知れば、彼女はどう思うだろう。しかも私が、その女性と今も人目をさけて会っていると知れば——。

「そんなことって、あるでしょうか」

　疑問ではなく、若さゆえの確信を込めて彼女は言った。

「矢木沢さんとその人が、いつからの友人だったのかは知りません。しかし、たとえ学生時代からの知り合いだったとしても、所轄内の関係業者とそれを取り締まる立場の者が、そうそう一方的な接待を受けるでしょうか。知り合いだからこそ誤解を受けないようにと、どちらも注意するのが本当のはずです」

「市民団体も新聞も、それ以上の追及は、結果としてできてはいない。証拠のないことで、人を非難はできないからね」

　幸恵は私のほうに顔を近づけ、声をひそめた。

「だって矢木沢さんは、八年前にも知り合いに、警官としては絶対にしてはならない便宜を図った過去があるんですよ」

　そういう見方もできた。確かに彼は、知り合いの女性に、競技用とはいえ銃を貸与し、射場で試射をさせた疑いが強い。それが事実であれば、今回も——。

しかし、そういった考えは、私の周囲の視線と同じだった。八年前に一度密告という手段を執った者は、今回も——。犯罪者は同じ過ちをくり返すものだ、という一方的な先入観に縛られた見方だった。しかも、銃の貸与に関しては、確たる証拠があったわけではない。そう世間に思われるよう、私が仕向けたまでだった。

「十一時五分になった。タクシーをつかまえに出よう」

私は伝票に手を伸ばした。幸恵が素早く反応し、先にそれを掌で押さえ込んで言った。

「県警本部に同期の者がいます。彼女に頼んで、本部の調査がどこまで行われたのか、詳しい事情を聞いてみようと思います」

私は幸恵の右手を握った。幸恵がはっとしたように慌てて手を引こうとした。私は彼女の手の下から伝票を奪い返し、席を立った。

寂しげに瞬く幸恵の目が私を見上げていた。その目を見て、言った。

「オリンピックに出たくないのか。君のオリンピックへの想いは、その程度のものだったのか？」

再び唇を噛み、幸恵はテーブルに視線を落とした。

「君には私のような失敗をくり返してほしくなかった。だから、越権行為とは知りつつも、アドバイスを送ってきたつもりだ。しかし、君にその気がないのなら、今後は出すぎた真似は慎もう。監督やコーチにすまないからね」

幸恵は唇を噛んでいた。彼女のオリンピックへの想いが少しも失われていないのは理解している。それ以上の想いが、彼女を乱していたのだ。選手としてではなく、一人の女性としての想いが、おそらくは――。

「私に連絡が取れなかったのは、あくまでも偶然だよ。今回の件で、私は何も不自由な目に遭っていない。だから、余計な心配はせずに、目標に向かって全力を傾けてほしい。――行こうか」

肩をたたき、促した。幸恵は無言で席を立った。

店を出て、通りでタクシーをつかまえた。彼女は覇気のない声で、今後のスケジュールを告げた。それから、突然の訪問を再度詫びて頭を下げた。オリンピックを期待している、との私の励ましに、やっと小さく笑みを返した。

タクシーが動き出した。彼女も私を振り返らなかった。女性はいつでも強い。私は走り去るタクシーに一度手を振った。

幸恵を見送りながら考えた。君は若い。若すぎるために、人が見えていない。君の前にいる男は、オリンピックを棒に振ってまで想いを傾けるような男ではない。少なくとも今はとても言えなかった。アトランタへの予選が最も優先されるべき時なのだから。

アパートへ帰った。期待を込めて、留守番電話を再生した。幸恵からのものしか入っていなかった。その事実に落胆し、同時に幸恵を見送った直後から、電話を気にし続けていた自分に強い自己嫌悪を感じ、その日も酒をあおった。

翌日。わずかに頭痛の残った頭を振って六時前に起きると、私は車を出し、横浜市港北区篠原町へ向かった。

東翔産業代表取締役である蔵原嘉郎の自宅は、横浜と川崎を中心に手広く風俗関係営業店を営む実業家として恥ずかしくない敷地の広さがあった。玄関前をゆっくりと流してみると、鉄格子のように頑丈そうな門の向こうに濃紺のメルセデスが停められていた。

あの日、等々力の料亭前で見かけた車種と同じものだった。

ナンバーを記憶し、通りの先でマークIIを停めた。手帳に控えてあったナンバーと照らし合わせた。

違った。

結果が信じられず、もう一度反対からマークIIを流して確認したが、同じだった。距離はあったが、読み違えではない。どういうことだ？

たとえ車種が合っていようと、肝心のナンバーが違うのでは、あの料亭前で見かけた車ではあり得なかった。あの日、矢木沢と食事をしていたのは、蔵原ではなかったのか。しかし、市民団体や新聞社に密告された業者は、蔵原だったはずだ。あのメルセデス以外にも、同じ車を持っているのだろうか。

先日、東翔産業の入ったビルの前で見かけた黒塗りの高級車とも違った。だが、こちらのほうは何も問題はない。運転手が自宅から乗りつけ、その車で出勤していると考えればいい。

私は公衆電話を探し、署に連絡を入れた。所用のために午前中を休む、と宿直に告げた。どんな言い訳を繕おうと、これから蔵原の家を訪れようというのだから、いずれは知れるはずだ。矢木沢にも。そして石坂にも。だから、へたな嘘をつくつもりは最初からなかった。

電話をしながら、なぜかざわざわと背筋が疼き出すような気がした。受話器を持つ指先が冷たくなったように感じて、途中で持ち替えていた。まるで八年前の、試合開始の時にも似た、全身の神経が研ぎすまされていく感覚が甦ってきたようだった。

そう。私は今、引き金を引いたのだ。警察への。矢木沢をふくめた幹部たちへ向けた銃の引き金を、今——。

これから試合が——戦いが始まる。

一方的に半休を取りつけて、電話を切った。高ぶりを押し隠して車に歩いた。再び蔵原邸にマークIIを向けた。

玄関前をさけて、十メートル近く離れた駐車場の横に停車させた。捜査ではない、私的な用件だった。人の家を訪問する時間には、世間の常識というものがある。新聞記者の「夜討ち朝駆け」ではないのだ。相手は、いくら疑わしくとも容疑者ではなかった。

八時半まで待った。まだ迎えの車は蔵原邸に現れてはいない。ゴルフか何かで早朝から出かけてしまったのだろうか、と不安になった。たとえまだ外出していなくとも、私が半休を取ったのを知り、相手が何らかの妨害に出てこないとも限らなかった。これ以上は待てない。限界だった。

マークIIを降り、蔵原邸へ向かった。御影石でできた門柱につけられたインターホンのボタンを押した。

「はい、お待ちください」

穏やかな女性の声が、こちらを誰何《すいか》することなく答えた。鉄の門扉が、電動式なのか、前触れもなくガラガラと音を立てて開いていった。運転手の到着と間違えたらしい。

私はさらにボタンを押して言った。

「初めてお訪ねします。川崎中央署に勤める萱野という者ですが、ご主人にお目にかかりたくて参りました」

「警察の方？」

声が裏返った。息を吸う音までが聞こえた。

「といいましても、今日は警察官として参ったわけではありません。あくまで私的な立場でご主人とお会いし、お話をうかがわせていただきたい件があります。お取り次ぎ願えませんでしょうか」

返事がなかった。どう対処していいのか、迷っているのだろう。私は時間を充分取ってから、もう一度ボタンを押した。門から家までの距離があり、家の中で鳴っているはずのチャイムの音は聞こえなかった。その代わりというわけではないだろうが、車の走行音が聞こえてきた。

左手を見ると、狭い通りの向こうから、車幅の広い黒塗りのセダンが近づいて来た。門柱の前に立つ私をはね跳ばそうとするような勢いで迫ると、ブレーキ音を蹴立てて、門の前で急停車した。

運転席のドアが開いた。見るからに体格のいい、スーツ姿の男が降り立った。見覚えがあった。三日前の夜、東翔産業の入ったビルの通用口から出て来た男に違いなかった。

「何の用だよ、あんた」

低い声で言い放ち、男が私のほうに歩み寄って来た。

15

東翔産業の社員と思われる男は、ただの運転手にしては体格がよすぎ、ボディーガードにしてはあまりにもスーツの着こなしが悪すぎた。格闘技の心得のある者だったなら、見かけを気にし、裾を引きずるような身の丈に合わないパンツをはいたりはしない。明らかにフットワークよりも、見場《みば》を優先させた姿だった。

男は四角い顔をさらに角張らせて、私の横に迫った。電話の時よりさらに低い声で言った。

「うちの社長に、何の用かね」

「先日は余計な手間をおかけして、失礼しました」

男は私を足元から見上げていった。あの時は路地に停めた車の中にいたので、こちらの姿までは確認できなかったらしい。

「会社の近くの路上に不審な車が停まっていると、わざわざ交番までご足労をかけたみたいですから」

男の演技はなかなか堂に入っていた。彼はとぼけて目を見開き、大きく首を傾げてみせた。

「分からないな、何のことだか」

「私が警官から職質を受けている間に社長を会社から出すとは、随分と念の入った警戒の仕方でしたね」

「何を言っているのか、さっぱり分からん。あんた、何の用でここへ来た？」

私は男の前で右手を上げげた。門柱のインターホンを指し示すためだったが、男は過剰に反応し、身構えるような慎重さで素早く一歩後退した。

「用件なら、これを通じてすでに伝えましたが」

「社長には分刻みのスケジュールが入っている。おまえのような得体の知れないやつの相手をしている時間などない」

「秘書の方が、毎朝わざわざ社長の送り迎えですか」

「何？」

「社長のスケジュールを分刻みまでご存じとは、当然、運転手ではなく、秘書の方だと思ったまでです。お近づきの印に、名刺をいただけますでしょうか」

手を差し出すと、男はあっけにとられたように細い目を瞬かせた。それから急に、顔を紅潮させた。

「図に乗るんじゃねえぞ。てめえは——」

男の目がすごみを増した。本性がちらりと瞳の奥に垣間見えた。顎を引き、上目遣いに私を睨み、にじり寄ろうとした。

「やめなさい、長谷川。今私がそちらに行こう」

今まで沈黙していたインターホンから、声が流れ出た。こちらに手を伸ばしかけた男の動きが、ぴたりと止まった。ようやく蔵原嘉郎のご出勤らしい。

接客態度はともかく、社内での上下関係については徹底した教育が行われているようで、長谷川と呼ばれた男は振り上げた手を所在なげに下ろすと、おもちゃを取り上げられた幼子のようにいらいらと足を揺すり、アスファルトに向かって唾《つば》を吐いた。社員教育はともかく、公衆マナーまでは行き届いていない。

おそらく蔵原はインターホンの向こうで、こちらのやりとりに耳をすませていたのだろう。先ほどの言葉通りに私が警察官だった場合、このまま長谷川が手を出せば、事が大きくなりかねなかった。無論、だからといって、警察官に手を出そうとした部下の身を案じて声をかけたわけではないだろう。

メルセデスの奥に見えた玄関のドアが開いた。ダブルに身を包んだ恰幅のいい紳士が姿を見せた。

一目で違うと分かった。どこから見ても、私が等々力の料亭前で見かけた男ではなかった。

年齢はそう変わらないかもしれない。だが、矢木沢と談笑していた男は、明らかにもっと痩せていた。頰がこけ、笑顔を作った喉元が筋張り、どちらかと言えば長身だった。目の前を歩いて来る蔵原は、どう見ても痩せてはいない。たっぷりとした頰の下に顎鬚をたくわえ、黒々とした髪をオールバックになでつけていた。手にはチェック柄のアタッシェケースを提げ、彼はいかにも人を待たせるのに慣れた足取りでゆっくりと歩み寄って来た。

長谷川が踵をつけて一礼した。蔵原は部下を見向きもせず、私の前で歩みを止めた。

「まずはあなたの身元を確認させていただけますね」

私は警察手帳を開き、提示した。隣で長谷川が大きく身じろぎをした。日曜の夜に、彼らの会社へ電話を入れたはずだったが、まさか本当に警察官だとは思ってもいなかったらしい。

「ここでもう一度お断りしておきますが、先ほども言いましたように、私はあくまで私的な立場でここへ参りました。警察の職務とは一切関係がありません」

「そんな話を鵜呑みにすると思いますか？　私の知る警察官は、誰もが頭の天辺から足の先まで警察官ですよ」

蔵原は口元を崩し、私を見据えた。冷笑の向けられた先は、私か、それとも彼の知る警察官になのか、は分からなかった。

「あなたのご友人でもある矢木沢さんも、例外ではないと？」

「当然でしょう。友人ではあっても、間違いなく彼も根っからの警察官ですよ。だから、私とのつき合いも慎重だった。それを何か、裏のある関係だと言われては、私としても心外の極みだ」

「なるほど、たとえ友人でも、お互い油断はしていなかった、とおっしゃるわけですね」

今度は頬にまで笑みが広がった。

「どうして私が友人と会うのに、人目をさけなければならないような言い方をなさるのですかね。たとえ友人が警察官だろうと――いや、そもそも私は誰と会うにしても、警戒などしたことはありませんよ」

こちらの誘導尋問に対する警戒だけは怠《おこた》りなかった。言葉尻を捕らえられないよう、発言にも慎重を期している。

「先ほどもこの長谷川が言いましたように、私はこれから社に出なくてはなりません。本来なら約束をしていたわけでもないのですから、ここであなたに時間を割く理由は私にはないと言えます。しかし、警察からの願いを、一市民として無下に断るわけにはいかないでしょう。——最大譲歩して、三分です。三分なら時間を差し上げましょう。ですから手短に願います」

蔵原は値の張りそうな腕時計にこれ見よがしの視線をそそぎ、早口に言った。長谷川が、いつでも私の前に割り込めるよう、すぐ脇に立った。

私も早口に礼を言い、早速本題に入らせてもらった。

「——実は、あなたと矢木沢さんの関係が密告された件で、なぜか私が密告者との名指しを受け、非常に迷惑をしています」

ほう、と蔵原の唇が興味深げに動いた。私の名は友人からも聞かされていなかったようだ。

「私的な立場で来たとは、そういう意味でした。大変立ち入ったことをお訊きしますが、矢木沢さんとのつき合いは、いつからだったのでしょう」

「あなたがどんな迷惑を被っていようと、私とは何の関係もないことだ。そうではないですかね？　私と矢木沢さんの件については、すでに県警から人が来て、私も正直なところをお話しして、一切の疑惑は晴れたはずです。だから、矢木沢さんも何の咎めも受けなかったし、新聞や市民団体も騒ぐのをやめた。あなたは行き先を間違えている。話を訊くなら、県警のお偉方に会いに行きなさい」

自信たっぷりに蔵原は言った。この件で県警上層部が調査に動いたのは、どうやら間違いないようだった。

「しかし、密告内容がもし事実に即していたとすれば、あなたと矢木沢さんのつき合いが、過剰な接待だったと見られても仕方はないと思いますが」

「分からない人だな、あなたも」

蔵原は大仰な仕草で首を振った。押しつけがましい口調になった。

「いいですかな。どんな密告が入れられたのかは知らないが、確かに私は矢木沢さんと親しくさせてもらっている。それは事実ですよ。友人なんですからね。しかし、私が一方的に接待などした覚えは一切ない。時には、私が彼の分を払うことだってある。でも、次の機会には当然、彼が支払いをすませる。友人であれば、そうやって交代に支払いを分け合うのは当然ではないですかね」

ようやく頷けてきた。県警上層部は、指摘を受けたゴルフ場やクラブでの支払い状況についても調査していたのだ。その領収書のいくつかには、蔵原だけでなく、矢木沢の名前もあった。しかも、金銭の配分は、どちらか一方に偏っていたわけではなかったのだろう。

友人同士がゴルフや酒を楽しむのは当然だった。矢木沢にはまだまだ警察内での将来もあり、二人の関係を考えれば、ある程度の対策を講じていないほうがおかしい。無防備に蔵原がすべてを支払っていれば、発覚した時に問題化はさけられなかった。

だが、どんな会社にも、使途不明金はある。たとえ蔵原の金でも、矢木沢が支払う形にさえすればいいことだった。金の出どころの追跡調査を、県警上層部がどこまでやったのか。それが問題だった。

「私らが何か告発でもして警察を動かし、あなたに迷惑をかけたというのならまだ分かりもするが、私らだって被害者なんだ。たとえあなたがどんな状況に置かれようと、それは私らとは無関係だ。お分かりですな」

蔵原は言い終えるなり、門の前に乗りつけられた黒塗りのデボネアに向かった。長谷川が素早く反応して車の脇に廻り、ドアを開けた。

「最後にもうひとつだけお願いします」

開け放たれたドアの前で、蔵原は私を振り返った。

「先々週の土曜日は、何時まで会社のほうにいらしたのでしょうか?」

唐突な質問に思えたのか、蔵原は前屈みの体勢のまま、長谷川と視線を合わせた。長谷川が私を見て、語気鋭く言った。

「それがどうした」

「何かのアリバイのつもりかね？」

蔵原が身を起こしてウインドウに手をかけ、悠然と微笑み返した。

「参考のために、お聞きしたいのです」

「あなたなら、もう調べはついているだろうが、うちの定休日は月曜と隔週の火曜なんだ。土曜といえども、生憎と休みにはならない」

「では、先々週も遅くまで社におられたのですね」

「だと思うが。どうかな。長谷川」

「間違いなく、社におられました」

「お疑いのようなら、彼以外にも証人を用意しましょうか？」

「いえ、その必要はないと思います。お忙しいところを、ありがとうございました」

蔵原は私の言葉を最後まで聞かず、さっさと車内に消えた。長谷川も私に一瞥を食らわせ、運転席に収まった。

車を見送りながら、考えた。

どこから見ても、蔵原は等々力の料亭前で見かけた人物ではない。彼自身も、その日は社に出ており、長谷川以外にも証人を用意するとさえ言った。もちろん彼なら、どんな証人でも用意できる立場にあるのだろうが、その態度は自信にあふれていた。

等々力の料亭での会合は、密告の内容にふくまれてはいなかった。となれば当然、県警上層部もあの件については、蔵原に確認をしていないはずだ。彼はすでに矢木沢との交友関係を認めている。先々週の土曜日の会合についてだけ、否定する理由があるとは思えなかった。にもかかわらず、彼は私の質問にも、驚く素振りすら見せなかった。

蔵原は、言葉通り会社にいて、あの日の会合には出席していない。そう見たほうが自然だろう。だが――。

私が矢木沢を尾行し、彼に気づかれたのは、あの等々力での会合の時だった。そして密告は、蔵原との交友関係に限られている。ところが肝心の蔵原は、等々力での会合に参加していたとは思えないのだ。しかし……。

では、なぜ矢木沢は、私を密告者と決めつけたのか。それが不可解だった。


蔵原邸の前を離れ、マークIIを横浜へ向けた。署に出る前に、もうひとつだけ、すませておきたい用があった。

横浜の繁華街に近づくほど、渋滞がひどくなった。停滞し続ける私の思考と同様に。

この先、矢木沢を追及しようというのなら、方法がないわけでもないだろう。密告内容はすでに判明している。その日時と金額と、実際に彼が自由に使えた額を調べ出し、比較してみればいいのだ。矢木沢の支払いが形だけだった場合には、彼の出費は普段とそう変わらなかったはずだ。

たとえ気持ちが離れていたとしても、妻が夫の懐具合を探ることは、決して不可能ではないだろう。美菜子が引き受けてくれるかどうかは疑問だったが。それに、私の目的も、矢木沢の追及にはない。ただ――。

矢木沢が私を密告者と決め込んだ事実は、やはり気になる。

蔵原の出席していない会合で、矢木沢は私の姿を見かけ、その事実のみで、過去三ヵ月にわたる蔵原との関係を知られたと、すぐに思い込んだのだろうか。早合点もあったかもしれない。しかし、蔵原との交友に関して言えば、たとえ県警から調査をされたにしても、言い訳のできる方策を彼らは採っていたのだ。彼が取り乱す必要はない。

にもかかわらず、彼は部下たちの前で私を痛罵《つうば》した。そうせずにはいられなかった深い理由があったのではないか。昔の彼を知るからこそ、私にはそう思えた。

その理由とは何か？

私は左手をハンドルから離し、胸のポケットに手を当てた。今もこの手帳にある、あの会合相手の車のナンバーが重要な意味を持ってくるのではないだろうか。その人物と蔵原との間に深い関係があった。蔵原はたまたま出席できなかったが、彼もその会合で交わされた話を承知していた、とすれば――。

生憎と、交通課に気心の知れた同僚はいなかった。射撃チーム時代の知り合いが何人かいたが、私同様にほとんどが警備関係の部署に回されていた。

一人だけ、心当たりがないわけではなかった。

堀越幸恵がいた。

彼女は一時期、交通課にいた経験がある。女性の特練員はまず教養課へ配属され、そこでの生活に慣れるまでは外へ出されるケースは滅多になかった。彼女はたった一年半で、どこへ出してもやっていけると上から見なされたのだ。射撃の腕はもとより仕事の面でも、彼女は仲間内から秀でていた。間違いなく彼女なら、喜んで私に協力してくれる。こちらの心苦しさと疚しさは、確実に募るだろうが。

銀行の駐車場は満杯だった。十五分近く待たされてマークIIを預けると、私は相談窓口のカウンターへ足を運んだ。

現時点ではまだ、私の備品に危害を加えるという、可愛らしげのある嫌がらせにすぎなかったが、いつ本格的な排除にかかってくるかは分からなかった。たった今蔵原の自宅を急襲したことで、まだ懲りずに私が動いていると知れば、敵がどう動いてくるか、不安はあった。

私は行員に、もし万が一給与以外の振り込みがあった場合には、必ず事前に報告を入れてほしい、と頼み込んだ。

そういう依頼がほかにもあるのか、銀行員はさして驚いた様子もなく、私の願いを聞き入れた。これでひとまずは、汚職警官との密告を受ける心配はしなくてすむ。

一度アパートの近くまで帰って車を駐車場へ戻した。それから急いで川崎へ向かった。現場の刑事たちなら、顔パスの効く地元の駐車場もあるのかもしれないが、内勤の私にはそういった役得を得る機会はなかった。もちろん、だとしても、何の不都合はない。

迷った末に、公衆電話を探した。

ほかに方法を見つけられなかった。警察内での友人の少なさと、そんな偏狭な生き方しかできなかった自分が情けなく感じられた。忸怩《じくじ》たる思いを噛みしめ、警察学校へ電話を入れた。

堀越幸恵は勤務に就いていた。

「昨日はすみませんでした」

私が名乗ると、彼女は真っ先に昨夜の訪問について詫びた。殊勝な声を作りながらも、言葉の端々が生き生きとしていた。たとえ些細な、秘密にもなりはしないひと時だったにせよ、それを共有できたことを喜び、ほのめかすかのように。彼女は若い。秘密を欲しがり、それを楽しめる年齢だった。

つい美菜子を思い浮かべていた。彼女はいつも電話口でより完璧な演技を心がけた。友人が近くにいるせいもあったろうが、話しながら、決して含み笑いをにおわせたりしなかった。私たちはもう、秘密を楽しめるような間柄でも年齢でもなかった。

「確か前の所属は、本部の交通課だったはずだね」

「ええ、こちらに来て一年になりますが」

「今もそこに、親しくしている人がいるだろうか」

「任せてください。昨日、本部に友人がいると言ったのは、彼女のことなんです」

「誤解のないように言っておくが、これは昨日の件とは無関係だ。知り合いに、ちょっと頼まれてね」

「ええ、分かっています」

そう。彼女は間違いなく理解していた。私の弁解が、嘘であると。

「ちょっと知り合いが事故に巻き込まれてね。民事で解決したいと言ってるんだが、それで、ある車の持ち主を調べてもらえないか、と相談を受けている」

「分かりました。友人に頼んでみます。ナンバーをお願いします」

手帳にメモしてあった車のナンバーを伝えた。書き取るような気配があり、幸恵は声を弾ませて言った。

「今日のうちに分かると思います」

「ありがとう。じゃあ、頼みます」

彼女はまだ何か話したそうにしていたが、私はあえて堅苦しく言い、受話器を置いた。

息苦しさを覚えて、逃げるように電話ボックスから出た。私が感じた息苦しさも、私自身の身勝手から出ている、と充分すぎるほどに承知していた。

16

署へ上がると、まだ昼前とあって課内の席はほぼ埋まっていた。矢木沢も柳川も、さらには石坂も一見仕事を続けていたが、私が姿を見せると同時に、手や背中の動きが微妙に止まった。

私は彼らの動きを見ないようにして柳川の傍らに歩み寄ると、急な半休を取らせてもらったことを形だけ詫びた。彼も形だけは頷き返した。

席に着いた。半ば疑心暗鬼で抽出を開けたが、昨日新しく補充したインク瓶は倒れていなかった。私が蔵原邸へ寄った事実は、ことによるともう知れている可能性もあったが、それに対する反応はまだこれからなのだろう。

山のように用意された仕事に向かった。私が署内を歩いても、恐れていた事態は起こらなかった。トイレで石坂が待ち受けてもいなければ、交通課や警備課の者から呼び出しもかからなかった。

その代わりというわけでもないだろうが、昼をすぎて私に電話が入った。幸恵から、電話をつないでもらえなかったと聞いていたので、生活安全総務のデスクで鳴った電話は、私が真っ先に取り上げるようにしていた。

「萱野貴之さんはいらっしゃいますでしょうか」

　幸恵ではなかった。今朝顔を出したばかりの銀行だった。

「萱野は私ですが」

「いつもご利用いただきありがとうございます。今日の午後、カガワマサミ様より百八十五万円のご入金がございました」

　来た——。背筋が凍った。

　こんなにも早く、敵が動いてくるとは——。

　もつれそうになる舌を動かし、何とか声を押し出した。

「——申し訳ありませんが、心当たりがありませんので、そちらでしばらく預かっていただくようにお願いします」

「は？」

「私の口座へは入れないようにお願いしたい、という意味です」

　それから私は、午前中に相談窓口で応対に出た行員の名前を告げ、彼にすべてを頼んであると伝え、受話器を置いた。

　背中にびっしりと汗をかいていた。間違いなく、敵は私を警察から追いやろうとしている。私へ向けて狙いを定めた銃の引き金に手をかけてきた。

　確かに石坂は私に面と向かって、この署にいられないようにしてやる、と告げた。だが、彼がその言葉通り動いたかどうかは疑問だった。百八十五万円という、一介の警察官にとってはずしりとした重みを感じさせる金と引き替えにして、彼が私を追いやることにどれだけの意味があるだろうか。

石坂ではあり得なかった。たとえ彼が動いたにしても、黒幕が――いる。

この署内で――おそらく県警内でも――私は矢木沢を密告した人物だと思われている。彼を告発し、次の獲物を狙って動き回っている、と考える者がいるのだ。いや、その人物こそが、真の密告者なのか。それとも、矢木沢と同じ傷を持つ同類だろうか。

呼吸を整え、辺りに目を走らせた。いつもの課内の風景だった。私を注目している者は誰もいない。

だが、私ははっきりと背中に敵の銃口を感じ取っていた。

四時までは滞りなく仕事を続けた。五時が近づき、待ち切れずに席を立った。外から幸恵に電話を入れた。

「すみません。夜にでも電話をしようかと思っていました」

そうされたくなかったので電話している、とは言えなかった。幸恵の声が小さくなった。

「よろしいでしょうか。――サクママサオ。長野県佐久市の佐久に、間のマ。日曜の日を重ねた昌に夫のオ、です。住所は横浜市保土ケ谷区桜ケ丘……」

私は佐久間昌夫の住所と生年月日をメモに取った。

「ありがとう。早速知り合いに伝えるよ。協力してもらった友達にも、いずれ正式なお礼を考えると伝えておいてくれるだろうか」

「いえ。たぶん、お気遣いなく、って言うと思います」

「助かったよ、ありがとう」

もう一度礼を言った。

「あの――」

幸恵の声が、にわかに大きくなって、ふいに途切れた。とてもそのまま受話器は置けなかった。彼女は電話を切られまいとしている。

迷うような息づかいが聞こえた。しばしの沈黙ののち、今度は打って変わって自分の足元を見るような弱々しい声になった。

「あの……父と、お会いしたとか？」

「ああ。先週の木曜だったかな。会議でこちらのほうに見えられたとかで、三ヵ月ぶりぐらいでお目にかかりましたよ」

幸恵が急にくすくすと笑った。

「おかしい。私にまで、急に丁寧な言葉づかいになって」

無理して明るく振る舞おうとするような、作りものめいた笑い声が耳に届いた。健気《けなげ》さを見せる彼女に、痛々しささえ感じた。

「少し……痩せたみたいだったね」

当たり障りのない話題を選んで私は言った。

「随分忙しくしているみたいです。私のほうにまでとばっちりがきます」

「それだけ肩にかかる荷の重さが増した証拠だよ。少しはお父さんにつき合って上げるといい」

「あの――」

再び幸恵の声が細くなった。

「その時――父が、何か失礼なことを言わなかったでしょうか」

「いや。久しぶりに楽しい話を聞かせてもらった」

「そうですか。それなら、いいんですが」

少しもよくはない、と聞こえる口調だった。

居たたまれずに受話器を握り替えた。堀越達郎を、私は恨んだ。オリンピック予選を間近に控えたこの大事な時期に、あの人は娘に何を言ったのか。まさか真っ正直に伝えてはいないだろうが、それに近いことを言ったのではないか。

「何かと忙しい時期に、無理な願いを聞いてもらって助かったよ。ありがとう。予選が目の前に迫って一番苦しい時だろうが、今を乗り越えれば、結果は自ずと出ると思う。精一杯練習に打ち込んでほしい。陰ながら応援している」

ありきたりの励ましを口にして、受話器を置いた。電話を切ったが、まだ手にしたコードの先に、彼女の想いが残っているような気がした。

卑怯な男だった。彼女の気持ちを知りながら、都合のいい時だけ利用し、一方的に会話を終えた。身勝手な自分が我慢ならなかった。だが、どうあっても私は彼女に応えるすべはない。

彼女は若く、自分の感情に素直な女性だった。優秀な警察官でもあり、人より秀でた射撃センスと抜群の集中力をも持ち合わせていた。射撃チームの若い特練員の中には、彼女に想いを寄せる者もいると聞いた。

計算や理論の埒外《らちがい》で感情は動いてしまう。自分の気持ちが思うように操れたなら、どれだけ楽になる者がいるだろうか。そう考えながら公衆電話の前を離れた。


六時をすぎて、課内の人出が一時的に少なくなったころを見計らい、私は辺りの様子をうかがい、キャビネットの書類をひっくり返した。

佐久間昌夫の名前は発見できなかった。人目を気にしながらでは、じっくりと調べられなかったが、目を通した限り、川崎中央署の所轄内に、佐久間昌夫は風俗営業の許可を必要とする店を持っていないようだった。

佐久間昌夫とは何者なのか。矢木沢とはどういう関係にあるのか。あの土曜日の夜の現場からは、単なる友人とは見えなかった。あれは、どう見ても接待だった。

美菜子に聞けば、矢木沢の交友範囲は、ある程度分かる――。そう考えつき、彼女へ連絡するまっ当な理由を見つけられたことを喜び、ずっとそれを探していた自分を深く恥じた。しかし、たとえ一時《いっとき》は恥じても、それに逆らえない自分を知っていた。

いつ彼女へ電話を入れたらいいか。彼女への迷惑が少なくすむか。時間が気になってならなかった。どんな言い訳をすれば、彼女は納得してくれるだろうか。仕事の手を止めては、体のいい理屈ばかりを考え続けた。頭の隅に残る、堀越幸恵の顔を押しやりながら。

七時前に、もう一度署を抜け出した。コンビニエンスストアの前で再び公衆電話に飛びついた。

残念ながら、電話に出たのは美菜子ではなかった。正直に名前を告げては、電話口に出てくれない怖れもある。私はわざと高めの声を作り、トウワ貿易の清水と名乗った。

「お電話代わりました、矢木沢ですが」

はっきりと疑心をにじませ、美菜子は探るように言った。私からだと見当をつけている。切られないように、私は詫びの言葉も前置きもなく本題に入った。

「等々力であの人が会っていた人物の名前が分かった」

「そうですか」

にべもない言い方だったが、少なくとも聞こうという意志は感じられた。関心は示している。

「佐久間昌夫。心当たりがないかな」

「さあ、どうでしょうか」

「単なる友人と料亭で会うとは思えないが、念のために、あの人のアドレス帳や手紙などを調べてもらえないだろうか」

「それをこちらがすると、どうなるのでしょうか？」

「佐久間昌夫の素性によっては、あの人が何を恐れていたのかが、つかめるかもしれない。確かに料亭の前で張っているところをあの人に見られはした。だからといって、三ヵ月におよぶ彼の行動をすべて尾行していたことにはならないはずだ。なのに、あの人は私を密告者と早々に決めつけた。無論、昔のことがあったからとも考えられる。だけど、佐久間昌夫と、実際の過剰接待を密告された相手である蔵原嘉郎との間に、何らかの共通項が発見できればどうだろうか。真の密告者が、その背後にいるのかもしれない。そうも考えられる」

こんな言葉で、どれだけ真意を伝えられたろうか。まるで初めて女性に想いを打ち明ける中学生のように心許ない心境だった。

「そちらのご意向は確かに承りました。こちらで少し検討させていただきます」

「明日また同じころに電話を入れるよ」

「今日の明日では、どうでしょうか？」

「とにかく電話を入れる」

「一応、承っておきます――」

電話を切られそうな雰囲気に、私は受話器を口元に引き寄せた。

「あの人がもし何らかの汚職行為に手を染めていたのなら、どんなことをしても告発しようと考えている。昔のことがあったからではない。君のためだ。君にあの人の本当の姿を見せるためだ。いいかい。その動機を分かってほしい」

答えはなく、電話は切れた。


柳川は今日も私に多くの仕事を押しつけ、自らも遅くまでデスクに居座った。できる限り私の自由な時間を奪え、という指令が今も継続されているのだろう。ご苦労なことだ。明日は宿直のローテーションになっており、それが終われば、当番明けの自由な時間が私にもできる。いくら上司に忠実で仕事熱心な柳川だろうと、署外での私にまで監視の目はそそげなかった。

九時が近づき、デスクの電話が鳴った。生活安全総務には私と柳川以外に誰もいなかった。私は素早く受話器を取った。

「萱野さん、ですね」

男の低い声が、いきなり私の名前を告げた。

「そうですが。どちら様でしょう」

「遅くまでご苦労様です。実は、少々耳寄りな情報をあなたに伝えておこうかと思いましてね」

受話器を握る手に力が入った。声に聞き覚えはなかった。妙にくぐもって聞こえるのは、ハンカチか何かで送話口を覆っているからだろうか。外の公衆電話からかけているらしく、街角の騒音までもが、もやって聞こえた。

「どなたです？」

「今夜十時から、あなたのよく知る人が、上野毛《かみのげ》の『セキレイ』という店の個室である人物と会うことになっています。その人物のあとをつければ、かなり面白い事実をつかめるでしょうね」

「どういう――」

言葉を返す間もなく、電話は切れた。柳川が向かいの席からこちらを見ていた。間違い電話のようです、と言い、私は受話器を置いた。

喉が干からびたようになっていた。仕事が手につかなくなった。

今の電話は何だったのか。

どう思い返しても、声に聞き覚えはなかった。だが、男ははっきりと私の名前を告げた。

しかも私が矢木沢の件で動いていることを明らかに知っていた。

彼が、真の密告者なのか――？

いつだったか、この上の三階を訪ねた時のことを思い出していた。警備課長の長友は、立ち去り際に、交通課の竹川課長の明日の予定を調べてみろ、と私に告げた。言われるままに追いかけてみると、竹川は部下とともに地元企業の運動会に私服姿で出席していた。その事実にどんな意味がふくまれていたのか、私に情報を告げた長友の意思は何だったのか、まだ真相はつかめていない。それと同じようなことが、今回も――。

私のよく知る人、とは誰だろうか。

男の口振りは、言わずとも分かるだろう、と言いたげだった。とすれば、矢木沢――そう思えてならない。彼が会う人物とは誰か。いや、そもそも匿名電話に、どれほどの信憑性があるだろうか。

何も分からなかった。こうしてデスクにしがみついているだけでは。

九時十分をすぎて、柳川が私の仕事をチェックし、帰り支度を始めた。私は彼を見送ると、電話に飛びつき、ＮＴＴの番号案内で、上野毛にあるという『セキレイ』の電話番号を確認した。

店は確かにあった。直ちにダイヤルし、住所を聞いてメモを取った。念のために十時から矢木沢の名で予約が入っているかどうか、を訊いた。彼の名前での予約はなかった。さりげなく、ほかにどんな名前で予約が入っているかを尋ねたが、丁重に断られた。まともな店ならそうする。あまりしつこく訊いて、予約を入れた者に伝えられてもことだった。矢木沢は招かれた側なのか、それとも私のよく知る人とは、矢木沢ではないのか。

迷っている時間はなかった。

署を飛び出し、表通りでタクシーを停めた。男の言葉を頭から信じていたわけではなかったが、見逃すには心引かれる情報だった。

このまま上野毛へ直行しようか、少し迷った。だが、タクシーでは尾行車として目立ちすぎるし、ある程度の費用もかかる。九時二十一分。一度アパートへ寄り、車で出直す時間は辛うじてありそうだった。十時には間に合わなくとも、よほどの渋滞につかまらない限りは、遅くとも十一時前には上野毛につける、と踏んだ。

幸いにも世田谷は、多摩川を挟んだすぐ隣だった。だからこそ矢木沢も、地元の川崎や横浜では会いにくい相手との密会場所に、その地を選んでいたのだろう。

九時五十二分に、アパート前へ到着できた。幸いにも、マークIIの鍵はポケットの中だった。裏手の駐車場へ走り、エンジンを始動させた。

中原街道も第三京浜も、上りの車線が渋滞する時間ではない。駐車場からマークIIを出し、右に折れた。もうひとつ先の角を右に曲がれば、幹線道路へ通じる。

標識通りに一時停止するのももどかしく、素早くブレーキからアクセルに踏み替えた。カーブを曲がり、さらにアクセルを踏み込もうとした時だった。

前方のライトの中に、自転車が右手から飛び込んで来た。

とっさにブレーキを強く踏んだ。タイヤがわずかに鳴った。遅れて、ガシャンという金属音とともに、ほんのわずかに車体が揺れた。体がかすかな衝撃を感じ取っていた。ライトの中から、自転車が消えた。乗っていた人影も倒れて見えなくなった。

泡を食って、車を降りた。

事故を起こした。たとえ一時停止を守っていようと、あまり関係はない。私の運転する車が自転車と接触した。駆け寄る足がわずかに震えた。真っ先に頭をよぎったのは、自分が警察官だという認識だった。

「大丈夫ですか！」

薄暗い街灯の中、横倒しになった自転車が車のライトを受けて、浮かび上がったように見えていた。その三メートルほど向こうで、うつ伏せに横たわる男の影があった。肩と腰の辺りがわずかに動いた。駆け寄り、声をかけた。

「どこか痛みますか」

「足が……足が……」

男に意識はあった。骨折か、打撲か。震え声でうめきながら、男が背中を丸めて足のほうに手を伸ばしかけた。

救いを求めて、辺りに首を振った。ブレーキ音が聞こえたのか、角の家の玄関から中年の男性が顔を出していた。仕事帰りらしい若い女性が通りの先で立ち止まった。

「誰か、救急車をお願いします！」

野次馬の集まり始めた中、私はマークIIを道路の端へ寄せると、あとは路上でうめく男のそばにつき添っていた。あまり体を動かさないほうがいい、と告げたが、男は足を押さえて盛んに苦しがった。事故を見ていた者がいなかったかどうかを野次馬に向かって訊いた。悲しいまでに反応はなかった。

人の視線にさらされて、救急車を待った。上野毛に向かうどころの騒ぎではなかった。男のうめきと野次馬のざわめきを耳にしながら、私は何と言って署へ連絡を入れたらいいのだろうか、と考えていた。

17

救急車の到着までが、恐ろしく長かった。幸いにも被害者の怪我はひどくないように見えたが、その心配よりも、この先自分の身に及ぶであろう責務のほうが、私は正直気がかりだった。野次馬たちの遠慮ない眼差しと身勝手なささやき声に苛《さいな》まれて立っていると、警察官である私を非難するものにさえ感じられた。

救急車のサイレン音が聞こえ始めてきた時、救われた思いを感じたのは、路上に倒れて立てずにいた怪我人よりも、私のほうが強かったかもしれない。

担架が運ばれ、うめき続ける被害者が荷台に収容された。救急隊員の一人から、警察への連絡の有無を確認された。しているはずだ、と私は答えた。それから私の連絡先を伝えるために、恐る恐ると名刺を差し出した。

隊員の目が見開かれた。私の顔と名刺をまじまじと見比べた。警察官が事故を起こしたのか。驚きと非難が瞳の中で交錯したように、私には見えた。

救急車が出発し、二分ほどしてから中原署のパトカーが到着した。車から降り立った制服警官たちに、私は覚悟を決めて歩み寄った。

「ご苦労様です。川崎中央署生活安全総務の萱野と言います」

私が名乗ると、四十年配の警官が意外そうな顔で姿勢を正し、中原署の田川です、と言った。

「おっつけ交通課の者が参るはずです」

パトロール途中に連絡を受けた地域課の者だった。彼としては、てっきり同業者が事故現場に居合わせたものと思ったのだろう。

「運転手はどちらです？　救護隊に運ばれたのは、はねられたほうだと聞いたのですが」

「……私です」

弱気に押されてつい声が小さくなった。

「は？」

「私が交差点を曲がろうとしたところに、自転車が飛び出して来まして――」

田川という警官の表情が凍りついた。瞬きをくり返しながら、野次馬でにぎわう現場の様子を機械的に一度見渡した。

「あなたが――事故を？」

「はい。あのマークIIを運転していたのは私でした」

ようやく田川の顔に表情が戻った。眉間を引き締め、唇の端をわずかに噛んだ。厄介なことになったぞ、と胸の裡で呟く声が聞こえるようだった。

彼は言いにくそうにして視線を私の周囲にさまよわせると、まもなく交通課の者が参りますから、と先ほどと同じ台詞《せりふ》をくり返し、逃げるように私の前から離れた。そして同僚とともに、現場の整理に当たった。

続いてもう一台のパトカーが現われたが、同じようにパトロール中の警官だった。彼らは先に来ていた田川たちと額をつき合わせては、ちらちらと私に視線を振った。こちらに近寄ろうとする者はいなかった。

十五分以上も待たされたろうか。ようやく交通課が到着した。田川が代表するように進み出て、私を見ながら報告をした。心して私も彼らに歩み寄った。警官たちが身構えるようにこちらを向いた。四十年配の肩幅の広い私服警官が進み出て、型通りに一礼した。

「中原署の本間《ほんま》です」

「ご面倒をおかけします」

本間はちらりとしか私を見なかった。失態を演じた同胞を、まともに正視できなかったのだろう。横にいた制服からボードを受け取り、その紙面に視線を落とした。

「えー。では、詳しく事情をお聞かせください」

説明した。事実をありのままに。本間は律儀そうに頷き、ボードに何やらメモを取った。彼は最後まで私の言葉を聞くと、くり返しますが、と断って、確認に移った。

「あなたがこの交差点で一時停止をしたのは間違いないのですね。停まったつもりでブレーキを踏んでも、車自体は動いている場合もありますが」

「間違いなく停まったと自分では思っています」

「その時、ライトはついていましたね」

「はい。角を曲がろうとアクセルを踏んだ瞬間、ライトの中に自転車が右方向から飛び込んで来ました」

「一時停止をした時ですが――」

本間がボールペンを持った右手を上げた。交差点の一角を示して言った。

「あのミラーを確認はしなかったのですかね。確認していれば、自転車が見えたはずですが」

左前方の曲がり角に、交差点の右手方向を見通すためのミラーが設置されていた。手を振り向けた本間の横から、田川が遠慮がちに口をはさんだ。

「いや、実はですね。あのミラーはヒビが入っておるのですが」

本間は手を振り上げたまま、体ごと交差点に向き直った。田川が確認しようと、手にしていたハンドライトでミラーをかざした。大きくヒビの入った表面が照らし出され、光が辺りに乱反射した。ところどころが割れ落ち、とても鏡の役目は果たしていなかった。

そこまでは私も知らなかった。つまりは、鏡を見ていなかった。左右の確認を怠っていた、と見られても仕方がないのかもしれない。だが、少なくとも停止線で停まり、左右を見たつもりだった。それなのに私は、近づいて来る自転車に気づけなかった。とすれば――。

本間は交差点の左右を見渡して言った。

「では、こう言い換えましょうか。あなたは停止線で停まったにもかかわらず、前方右手の路上から近づく自転車に気づけなかった。そういうことなのですね」

「はい。無灯火だったと思います。自転車がライトをつけていれば、いやでも目に入ったと思いますから」

結果はどうあれ、私にも少なからず弁解の余地は残されていた。多少、目の前が明るくなったような気がした。それで許されるとは思っていないが。

「参考のためにお聞きしたいのですが、こんな時間にどちらへ出かけようとなさったのです？」

正直に告げていいものだろうか。一瞬、私は躊躇した。どこまでよその署に知れているかは分からなかったが、私は新聞沙汰になった件で密告者の汚名を浴びた身だ。署内でも、上司の行動を探る者だと思われている。噂が彼らの耳まで届いていれば、寄せられた情報の真偽に気をとられ、一刻も早く上野毛に急ごうとしていた、だから左右の確認を怠ったのではないか、そう思われては損になる。

真っ先に、保身が頭をよぎった。いらぬ腹は探られたくない。私は言った。

「気晴らしに、ビデオでも借りに行こうかと思いまして」

「なるほど。別に急ぐ理由はなかったと」

本間はメモを取って頷いた。

直ちに詳しい実況検分を行いたいのだが、夜間では路上に残されたスリップ痕などの状況がつかみにくい。明朝あらためて行いたいのだが、と本間は言った。事故車については、とりあえず現況を写真に収めはしたが、許可を出すまで修理には出さないように、と釘を差された。言いつけを守らなかった場合には、あとでどんな問題が起きても、私の言い分が認められることはないのだという。それなら、署で保管してもらったほうがいいと私は申し出て、本間も了承した。マークIIのキーを渡し、彼の部下が預かった。

本間たちが簡単な打ち合わせをすませたあと、私はパトカーに誘われた。被害者が収容された病院へ向かうためである。本間たちは被害者から事情を聞き、私は酒気帯び運転に関する血液検査を受けるのだ。

少しだけ時間をもらいたい、と私は告げた。まだ川崎中央署へ連絡を入れてなかった。本間はパトカーのドアを開けると、言いにくそうに口元をゆがめて言った。

「すでに、うちのほうから連絡がいっていると思いますが」

酒気帯び運転の判別には、何よりも速やかな検査が必要とされる。ひいては、あなたのためにもなる。そう言われては、とても拒否はできなかった。

パトカーに乗せられ、近くの救急病院へ運ばれた。車内には、各パトカーに呼びかける無線が絶え間なく聞こえていた。窃盗、無銭飲食、喧嘩、誤報……本部からの指示と処理の報告がいつ果てるともなく続いた。街は絶えず動き、どこかで事件が生まれ、警察官が出動して行く。たとえ深夜だろうと街は鼓動を止めない、とあらためて実感させられた。その渦中に私もいた。事故の当事者として、被害者の収容された病院へ向かっている。本来は同僚であるべき警察官に両脇を固められて。

深夜の診察室で、警察官の立ち会いのもとに左腕から血液を抜かれた。検査結果はすぐに出るという。

　廊下に出てしばらく待った。五分もすると、被害者の病室に向かった本間たちが戻って来た。ロビーの明かりが落とされ、薄暗い中を二人の影が近づいた。彼らの足取りと表情が重苦しく見えたのは、薄暗い廊下の光の加減だろうか。それとも被害者の怪我の具合が予想以上に悪かったのか。私は長椅子から立ち上がっていた。

　本間ともう一人の若い警官は、なかなか口を開こうとしなかった。人気のない暗い廊下で、私たちは互いの表情を探り合っていた。こらえきれずに口を開いたのは私だった。

「怪我の具合はどうだったのでしょう」

「幸いにも、左の腓骨《ひこつ》にヒビが入った程度ですんだそうです。本来ならギプスで固めて今日にも帰れるところなのですが、本人が事故の影響か、まだ軽い興奮状態にあるため、一晩だけの入院となったようです」

　本間が淡々と説明した。怪我はそれほどでもなかった。では、なぜ本間たちは、こうも浮かない顔をしているのか。

「萱野さん」

　顎を引き、一線を画すような口調で、本間は私の名前を呼んだ。

「同業者であるあなたに、こんな言い方はしたくないのですが……。正式な実況検分が終わってからでは遅くなります。ここは正直なところを言っていただけませんかね」

「は？」

「警察官でありながら事故を起こしてしまったあなたの心境は察するにあまりあります。ですが、やはり正直に打ち明けていただいたほうが、のちのちのためにも、いいのではないかと思うのです」

「正直に話していますが」

「お気持ちはよく分かります。しかし、もう一度、事故の状況を最初からじっくりと思い返していただけませんかね。誰にでも思い違いはあります。あの時こうしていればよかったのに、と思うあまり、つい自分がそうしたはずだと頭から信じ込んでしまう場合もあります。どうかもう一度、冷静に振り返ってみていただけませんか」

「あなたは、私が嘘を言っていると——」

本間は顔色ひとつ変えず、手を上げて私の言葉をさえぎった。

「嘘とは申していません。思い違いがないか、事故の際の状況をよく振り返っていただきたいのです」

誠実そうな物言いの中に、断固たる意志が織り込まれ、目には明らかな猜疑《さいぎ》の色があった。もう一度お聞きします、と本間は前置きをし、事故の状況を最初から再び問い直していった。

証言内容が曖昧な時、明らかに被疑者が虚偽の証言をしていると思われる時、我々警察官は、その内容をしつこく何度もくり返させる。被疑者は嘘を繕うためにまた嘘をつき、証言内容が風見鶏の差す風向きのようにくるくると時とともに変化していく。証言にくい違いがないか、細部をついて問い質し、言い逃れができないように被疑者を追い込んでいくのが、尋問に際しての常套《じょうとう》手段だった。本間も、同じ方法を私にとっていた。警察官である私に対して。そんなやり方など当然知っているはずの私に――。

「私は何も隠し立てをしていません」

本間の質問をさえぎって言った。声が大きくなっていたのかもしれない。廊下の先を通りすぎようとした看護婦が足を止めてこちらを見ていた。

「そう思いたいあなたの気持ちは分かります」

本間が、手を焼かせるなと言わんばかりに隣の若い警官と顔を見合わせた。私は冷静になろうと努めた。できる限り、声を抑えた。

「何が分かると言うんです。何度もくり返したように、事故の状況は正直に申し上げています」

「萱野さん」

本間はたしなめるように言うと、物憂げに首を振った。

「状況はあなたにとって、非常に不利なのです」

「何をおっしゃっているのか、私には――」

「分かりました。ここまで申し上げても理解なさろうとしないのでは仕方ありません。ご説明しましょう」

丁寧ながらも、本間の口調が紋切り型に変わった。若い警官からボードを受け取ると、本間は形ばかりに用紙をめくった。片足に体重を預け、もう一方の足を私のほうに投げ出して言った。

「まず第一に、事故を目撃していた者がいました」

目撃者がいた——。

知らなかった。私が野次馬に向かって声をかけても、名乗り出てくれた者は一人としていなかったはずだが……。

「その方の証言によりますと……あなたの車が急に角から飛び出して来た。とても一時停止をしたようには見えなかった、そう証言が得られました」

「そんな馬鹿な……」

「しかも、です。自転車のほうは、無灯火ではなかった。間違いなくライトをつけていた。目撃者はそうも言っているのですよ。いくら角のミラーにヒビが入っていたにしても、あなたが一時停止をしていれば、自転車のライトに気づけたはずではないですかね」

あまりにも事実に反していた。断じてそんなことはあり得なかった。

「誰が見ていたと言っているのです」

「冷静に考えてください、萱野さん。よろしいですか？　誰が見たかは関係ないでしょう。

警察官が目撃証言を信じなくてどうするのです。事故にあった自転車を私も確認しましたが、ダイナモが間違いなく前輪のリムにセットされていました。もちろん、電球も、それらをつなぐ線も切れてはいませんでした。前輪が回っていれば、ライトは確実に点灯していたはずなのです」

　声が出なかった。私は確かに一時停止をし、左右を確認したはずだ。自転車のライトなどは見ていない。

「あなたが一時停止をしていれば、自転車のライトが見えなかったはずはない状況なのです。それを見なかったとおっしゃるのですから、あなたが一時停止を怠った、としか思いにくい。それとも何ですか？　事故に遭われた人が、あなたの車と衝突してから、しまった、ライトをつけていなかった、これではこっちに非があると思われると、瞬時に思いついて、慌ててダイナモをリムにセットし、それから派手に転がったとでも言うのでしょうか？　事故にあった直後に、そんな芸当のできる者がいるでしょうか？」

　彼の言葉に、背筋が震えた。

　確かに、事故直後にライトのダイナモをセットし、それから跳ね飛ぶなどは不可能だろう。だが、地面に倒れてからなら――。何者かが手助けをすれば――。

「検分はまだですか、目撃者の証言、現場の状況、すべてあなたにとって、非常に不利だと申し上げる以外にはありません。同業者であるあなたの立場は分からなくもないが、このままでは取り返しのつかないことになりませんかね。ここは潔く認めるべきことは認めておいたほうが、あなた自身のためではないでしょうか」

交差点に設置されていたミラーが何者かによって割られていた。ありもしない現場を見たと言う目撃者の存在。そして、署に入った密告情報の電話——。

「目撃者の住所と名前を教えてください」

「いいかげんになさい、萱野さん！」

薄暗い廊下に本間の低い声が響いた。たまりかねたようにボードの表面を掌でたたき、彼は続けた。

「あなたが身内だと思えばこそ、我々も慎重に言ってるんだ。このまま証拠を固めて有無を言わさず、あなたを署へ引っぱってもいいんですよ」

「待ってください。急にこんなことを言い出しても、すぐには信じてもらえないかもしれませんが、調べれば必ず分かるはずです。——これは罠なんですよ。私を陥れるために何者かが動いている可能性があります」

本間が唖然とした顔になった。若い警官がぽかんと口を開けた。何の前置きもなく、罠だと叫び出したのでは、誰もがこんな顔をするだろう。

「実は——川崎中央署のほうで、私は署内の不祥事を盛んにかぎ回っている者だと思われています。それを快く思っていない何者かがいるようなのです。今日の夜にも、署内のある人物が、上野毛の店で何者かと会う、という密告の電話が入りました。私に電話を入れれば、必ずやその人物を探ろうとする。それを狙っての電話だったのですよ。私は敵の狙い通りに車を出し、上野毛に向かおうとした。そこを敵は待ち受けていた。都合よく交差点のミラーが割れていたなんて、彼らが事前にやったとしか思えないではないですか。罠なんですよ。私を陥れるために、何者かが罠を仕掛けたんだ」

言いながらも、次々と自分の言葉がどこかへ弾き飛ばされて行くような気がした。本間と若い警官は、そろって苛立ちと軽蔑の入り交じった目で私を見ていた。彼らの冷ややかな視線に跳ね返されて、反論の言葉はぼろぼろと崩れ落ちて私の足元を埋めていった。

本間が哀れみをにじませて言った。

「そんな話を誰が信じます？」

「事実なんです。本当に今日、署のほうに匿名の電話があったんです」

「何か証拠がありますかね。その電話を録音したとか？」

首を横に振るしかなかった。録音はしていない。そもそも、私のデスクの電話に録音装置などはつけられていない。

「電話をしました。上野毛に『セキレイ』という店があります。そこで私のよく知る人が、ある人物と会うことになっているとの密告内容でしたので、信憑性を確認するために……九時前後だったと思いますが、電話をしました。住所を聞き、十時から予約が入っているかどうかを問い合わせたのです。確認してください」

「確認はしますよ。しかしですね、たとえ確認が取れたにしても、あなたが密告電話を受けたかどうかの証拠になるとは思えませんね。その店で、あなたが十時から誰かと待ち合わせをしていたのかもしれない。ところが、店の正確な場所を忘れてしまった。だとすれば、住所を問い合わせる電話を入れても不思議はないし、時間に遅れないよう急いでいたため、一時停止と左右の確認を怠ったのかもしれない」

「本当です。信じてください」

自分自身が聞いても、何の重みもない言葉だった。警察の捜査は、すべて証拠によって導かれて進む。ただの切なる懇願に、本間たち捜査員が心を動かされるはずはなかった。

本間はちらりと私を見ると、すぐに横の白い壁を見つめて言った。

「仕方ありませんね、萱野さん。署へ来ていただき、ゆっくりとお話をうかがいましょうか」

18

沈黙と蟠《わだかま》りを乗せて、パトカーは深夜の中原署へ到着した。まるで逃がすまいとでもするかのように、私の両脇には若い警官がぴたりとついていた。時刻は一時をすぎ、周囲のビルの窓は明かりが落ち、そこだけが誘蛾灯のように光を放つ署の中へ、私は引き立てられた。

交通課は一階だった。見通しの利く大部屋の一角に、衝立《ついたて》でさえぎられた応接コーナーが作られており、そこのソファに座らされた。取調室へ通されなかっただけ、まだ対応はよかった。その程度には、彼らも同業者への心づかいを忘れずにいてくれたようだった。

すぐさま本間たち交通課の者に囲まれ、矢継ぎ早の質問を浴びた。

「なぜあなたは最初から、昨夜かかってきたという、電話の内容を我々に告げようとしなかったのです」

「申し訳ありません。上野毛まで急いでいたと思われては損だと、つい考えました」

「なるほどね。密告電話が事実だったとしても、やはりあなたは、かなり急いでいたわけだ」

「時間的にはまだ余裕があったと思います」

「しかし、十時から、その『セキレイ』とかいう店で、どなたかと会うことになっていたのですよね」

「私が、ではありません」

「ええ、そうでしたね。しかし、あなたが事故を起こしたのは十時すぎだ。約束の時間をすぎている。これでは誰がその店へ現れたのか、わからないではありませんか」

「十時という遅い時間に待ち合わせをしておき、すぐに場所を移すとは普通では考えにくいのではないでしょうか？　ですから、十一時ごろまでに上野毛へ着ければいいと考えていました」

「あの時間に家を出て、十一時までに着けますかな？」

「着けるはずです。あの時間、世田谷へ向かう上り車線はそう混んでいませんので」

「ほう。交通課でもないのに、よく道路事情をご存じだ。何度も上野毛辺りに向かわれたことがあるようですね」

警官の一人が皮肉まじりに言った。続いて本間がいかにもさりげなく、白々しいことを訊いてきた。

「先ほどからあなたは、自分のよく知る人と言って明言をさけてますが、誰とその店で会う予定だったのです」

「私ではありません。その人が何者かと会うとの情報を得たのです。おかしな誘導尋問はやめてください」

「で、あなたは、その人物を誰だと思った？」

本間は私の躊躇を見逃さなかった。

「誰です？」

「……矢木沢さんです」

「どこの誰かをお教えください」

「川崎中央署、生活安全課の課長です」

「あなたの上司じゃないですか。しかしどうして、自分の上司の行動を探る必要があるんです」

「ですから、何度も言ったように、矢木沢さんの行動を探ろうとしたわけではありません。矢木沢さんがその店で会う人物を調べてみろ、と言われたからです」

「同じではないですかね。要するにあなたは、上司が誰と会っているのか、知りたかった。なぜです？」

　ひとつ答えを返せば、そこから本間たちはあらゆる事実を引き出そうとした。それが警察における尋問の仕方だった。私も曲がりなりにも生活安全課に所属し、保安係や少年係のやり方をすぐ近くで見ていた。彼らがすべてを聞き出さなければ納得しないのは理解している。

　だから、言った。二週間前の密告の件について、を。八年前には触れずに。

　本間は途中から、口元にうっすらと笑みを浮かべていた。

「やはりあなたには矢木沢さんを探る理由があったわけだ」

「密告者は私ではないと言っているではありませんか」

「その証拠がありますかね」

「だから真の密告者を探ろうとしていた」

「おかしいじゃないですか。あなたは密告者ではないのだから、もう矢木沢さんの行動を探る必要はないはずですよね。なのに、電話一本で、慌てて車を飛ばそうとした。どうして矢木沢さんの行動を探ることが、自分の汚名を晴らすことにつながるのです？」

迷いながらも私は言った。言わざるを得ない状況に追い込まれていた。

「実は……密告者を探る過程で、同じ署の人から、ある人物の行動を調べてみると面白い、と言われたことがありました」

本間は目をむき、これ見よがしに手を広げた。

「またまたある人物ですか？　いいかげんにしてくださいよ、萱野さん」

「本当なんです。同じ署の警備課長から、交通課長の行動を調べてみろと言われました」

「これは驚いた。生活安全課長の次は、警備課長に交通課長ですか。川崎中央署は、よほど幹部ぐるみで何か隠し事をしているらしい」

少しも驚いたとは思えない口調で、本間は言った。その場にいた誰もが同じような顔をしていた。何を言っても無駄だった。誰も私の話をまともに聞こうとしなかった。もう一度最初から聞きましょうか、と話を振り出しに戻された。彼らは私の言葉に耳を傾けていたが、内容ではなく、言葉尻をとらえようと網を張って待ち受けているにすぎなかった。

「そうじゃないでしょう、萱野さん？　あなたは矢木沢さんの行動を探っていた。そのために上野毛へ急いでおり、一時停止を怠った」

「違います。駐車場の近くだったというのも、相手が私を待ちかまえていた証拠ですよ」

「いいですかね。交差点のミラーは三日前から割れていたんですよ」

「三日前から仕掛けの時期を待っていたのかもしれない」

「あなたを罠にかけて、どうしようっていうんです」

こんな状況では、とても銀行口座に何者かから百八十五万円にも及ぶ振り込みが入りそうになった、とは言えなかった。言えば、私が受け取ろうとした金だと思われる恐れがあった。私までが、不正行為の片棒を担がされてしまう気がした。

「被害者と目撃者の背後関係を調べてください。必ず何かが出てくるはずです。私に動いてほしくない者が、間違いなくその近くにいるはずです」

「あなたが動くと、誰が迷惑するんですかね」

「ですから、それは――」

そしてまた堂々巡りの質問攻めだった。

どれほど言葉を費やしても、最初から聞く耳を持たない者に、こちらの真意が通じるわけがなかった。それでも答えを求められた。何度でもくり返した。声がかすれ、喉が詰まった。もどかしさに奥歯を噛み、こめかみが疼いた。彼らは質問をやめなかった。疲れ果てた時、被疑者はようやく真実を述べ始める。そう彼らは教え込まれている。

果てしない押し問答に気が遠くなりかけた時だった。

ふいに本間たちの質問がやんだ。

時刻は深夜の三時が近かった。衝立の陰から、誰かが本間を呼んだ。やがて足音が近づき、私を取り囲むように座っていた男たちが椅子から立って姿勢を正した。「ご苦労様です」と聞き覚えのある声が、耳鳴りを越えて私に届いた。

衝立の向こうから、矢木沢稔が顔を出した。

深夜だというのに髪を綺麗になでつけ、品のいいスーツに身を包んでいた。私はその姿をぼんやりと見上げながら、署からの連絡を受け、美菜子が急いで用意したものだろうか、と場違いなことを考えていた。

矢木沢はスーツのボタンに手をかけ、無表情に私を見下ろした。

「面倒なことをしてくれたよ」

私は昂然と顔を上げた。彼の前では、意地でも打ちひしがれた姿はできなかった。空元気を出して言った。

「まんまとしてやられました」

「私が上野毛で誰かと会うらしいという電話をもらった、と言ったそうだね」

「こうなるとは思いもせずに、うまうまと誘い出された私が馬鹿でした」

矢木沢は軽く頷き、私の言葉を聞き流した。あるいは、同意を示したのかもしれない。

「私なら、今夜は一晩中家にいたよ。家内に確かめてみるといい」

冷や汗が脇を伝った。美菜子がかつて射撃チームの集まりに顔を出し、私とつき合いがあったのは、彼としても承知している。嘘だと思うなら、訊いてみればいい。深い意味ではなく言ったにすぎない。きっと、そうだ。私と美菜子を怪しんでの発言とは思えない。

矢木沢は衝立の奥へ視線を振った。

「どうやら一部の新聞が早くも聞きつけ、本部のほうで騒ぎ出しているらしい。そのうちこちらにも押しかけてくるかもしれない」

「誰かが密告でもしましたか。私を陥れる仕上げとして」

嘲笑が浮かんだ。過去に何度も向けられた笑みだった。

「状況が状況だ。あくまで事故を事故と認めるつもりがないのでは、私らとしてもお手上げだ。署長にどう説明していいか、言葉すらない。このままでは、悪いが君をかばう手だてはありそうにない」

「かばっていただけるとは思ってもいませんでした」

矢木沢の肩が揺れた。頰が締まり、笑みが消えた。

「部下の失態は、私の失点でもあるんだよ。ひいては、署の失点にもつながる。それが分からない君じゃないだろ」

「処分ですか」

「このままでは避けられないだろうな。とりあえずは、現時点での署長の意見を君に伝えておこう。――この件の結果が出るまで休んだらどうだ。そう言っておられた」

「あなたの時と同じ扱いですね」

矢木沢は私と違って大人だった。皮肉にも、表情ひとつ変えなかった。

「理由はどうでもいい。速やかに休暇届を提出したまえ」

「拒否した場合はどうなるのでしょう」

「県警から呼び出しを受けることになるだろう。君は事故を認めていないのだから、詳しい調査をしかるべき者から受けねばならない。それにも応じられないとした場合には、逃亡の意思があると見なされて逮捕状の請求もあるだろう。身内の者だからこそ、犯罪まがいの行為に対しては、県警としても厳しく当たらねばならないだろうと言っていた」

県警本部の威を借りた、実質的な謹慎処分だった。

「明日中に休暇届を提出すること。以上だ」

矢木沢は宣告を終え、顔を背けた。私は固いソファから立ち上がった。

「矢木沢さん。あなたはどうして私が密告者だと思い込んだのです？」

立ち去りかけた矢木沢が足を止めた。肩越しに、顔だけを私に向けた。

「例の密告は、蔵原嘉郎との交際についてだけを指摘されたものだったはずだ。ところが、私が目撃したのは、佐久間昌夫という人物との会食現場だった」

近くにいた中原署の警官たちが、何事だろうかと私たちを見ていた。矢木沢が目を細め、埃を払いでもするように小さく肩を揺すった。

「まだ馬鹿を言っているのか」

「あなたは密告内容をろくに確かめもしなかった。佐久間との現場を私に見られたのだから、てっきりその件を密告されたと思い込んだ。それほど佐久間と会ったのを、人に知られたくなかったわけだ」

標的に向かう前と同じく、矢木沢はあくまで無表情を崩さなかった。動揺や興奮を顔に見せては、相手につけ入られる。駆け引きの重要性を、彼は経験から学び取っていた。

「くどいようですが、密告者は私ではない。あなた方は誤解している。たとえ私をどんな手段で陥れようと、真の密告者は今後もあなた方を追い詰めようと動くはずだ。私も誤解を解くためには、嫌でも抵抗をしないわけにはいかない。考え直すなら今のうちでしょう。正直に佐久間との関係を本部に打ち明けてみたらどうでしょうか」

「休暇届を忘れるな。忘れればおまえの立場はない。いいな」

突き放すように言い、矢木沢は私に背を向け歩き出した。彼を追いかけ、その背中に言った。

「佐久間さんによろしくお伝えください」

矢木沢は中原署の関係者にあらたまった礼を返すと、足早に部屋から出て行った。

帰宅してよし、との許可が出たのは、もう明け方に近い時刻だった。新聞記者が動き出したと言っていたが、本部のほうで会見を行ったのか、幸いにも中原署に押しかけて来る者はいなかった。

血液検査の結果は、当然ながら、シロと出た。それを本間から簡単に告げられ、解放された。面倒をかけたことを彼らに詫び、そのついでに私は、残務に戻ろうとしかけた本間を後ろから呼び止めた。

「お願いがあります。私の事故を目撃したと言っている人の住所と名前を教えていただけないでしょうか」

本間の目が、見る間につり上がった。

「あんたは何を考えてるんだ！」

明け方が近く、ただでさえ静まり返っていた署内から、一切の音が消えた。フロアにいたすべての警察官たちが動きを止め、こちらを見ていた。彼らの頭上を、本間の胴間声が響きわたった。

「馬鹿も休み休み言え！　あんたに教えられるわけがないだろ。まさかあんた、目撃者の家に押しかけようってんじゃないだろな！」

無理だろうと予想はしていた。これほどの怒りを買うとは思わなかった。本間は手にしていたメモをデスクにたたきつけると、私の足元めがけて怒りをぶつけた。

「俺たちだってな、捜査をする気はあるんだよ！　あんたの馬鹿な話も、いちいち裏を取らなきゃ上司に報告できやしないんだ。警官だったら、あんただって分かるだろ。頼むから、これ以上厄介を押しつけないでくれ。処理しなきゃならない仕事は、それこそ山のようにあるんだ。まったくいい迷惑だよ。とっととどこかへ消えてくれ。もう消えてくれよ！」

蝿を払うように部屋から追われた。誰もが私に背を向けていた。立ち番の警官すら、私を見ようとしなかった。風にあおられた古新聞だけが、いつまでも足元にまとわりついた。うっすらと明け始めた夜空を、灰色の雲が驚くほどの早さで流れていた。風に押され、逃げるように中原署の前を離れた。

バスの動いているような時間ではなかった。タクシーを探し、明け方の国道を歩いた。歩きながら考えた。

何者かはまだ分からないが、敵は私を恐れている。一刻も早く、私を警察から追いやろうとしている。だから、金を口座に振り込もうとし、さらには今回の事故をでっち上げた。私を陥れ、警察官として唾棄《だき》すべき者に落とし込めば、誰もが耳を貸さなくなる。敵の狙いは明らかだった。

だが、私を陥れるために、敵は明らかな第三者を使ってきた。

今度の事故が仕組まれたものであるのは間違いない。被害者や目撃者となった者に何らかのルートから今回の指示や協力依頼が出されたはずだ。その背後をくまなく探れば、必ずや黒幕にたどり着ける。

　敵も追いつめられているのだ。私が振り込みを事前に阻止したと知り、窮余の策として、今回の事故を仕掛けてきた。無論、今後も露骨でしつこい妨害行為に出てくる可能性は捨てきれない。敵は第三者を使うという危険をすでにおかしており、何としても私を警察から葬り去るつもりでいる。今回の事故で敵の策が終わると思い込むのは危険だった。

　どちらが先に相手の喉笛に食らいつけるか。——それがこれからの勝負だった。


　アパートへ戻り、着替えもせずに、そのままの格好で横になった。どうせすぐに出かけるつもりでいた。少しでも眠っておこうとしたが、してやられた怒りと屈辱に、陽が昇る時刻になっても寝つけなかった。

　ようやくうとうとしかけた時、ベッドサイドで電話が鳴った。

　まだ八時前だ。美菜子からの電話ではあり得なかった。自宅から彼女が電話をかけて来るはずがない。

　二度のコールで留守番電話につながった。昨日出かけた時のままになっていたのだ。聞きあきた張りのない声がもそもそと応え、やがて信号音が鳴った。

「——堀越です」

幸恵だった。声の調子がひどく慌てていた。息せき切って寮を飛び出し、公衆電話まで走ったのかもしれない。

「たった今新聞を読んで驚きました。何があったんです。これではまるで、コーチが一方的に悪いようで――」

どうやら私の起こした事故が、もうどこかで早くも記事になっているようだった。

「今日は一日、学校のほうにいます。連絡をください。お願いします」

健気な願いにほだされたわけではなかったが、私は考え直して受話器を取った。

「心配をかけてすまない」

「萱野さん……」

彼女は私を、コーチとは呼ばなかった。何ヵ月も連絡を取れなかった人の名前を呼ぶかのように、幸恵は私の名を口にした。その意味を考えないように、胸の中で固く目を閉じ、私は言った。

「まだ新聞を読んでいないんだが、事故のことが出ているんだね」

「ええ。神奈川日報の社会面です。小さな記事ですが、警官が勤務外の時間に人をはねたと。しかも、飛び出した相手が悪いと言い、少しも反省の色がないとまで……」

かなり正確な情報だった。そこまで県警本部が事細かに発表をするだろうか。身内の起こした事故で、しかも上層部の管理能力まで問われかねない内容となれば、事故の有無は認めざるを得ないだろうが、その状況については、ありのままに報告するとは普通では考えにくい。

想像が当たっていたのかもしれない。矢木沢への反発で口にしたにすぎなかったが、彼の時と同じように、新聞社に密告が――。

「何があったんです。どうしてこんな記事に……」

事実を幸恵に告げた。間違いなく曲がり角で一時停止をしたと。そして、昨夜入った密告電話についても。

「まさか、萱野さんを……」

ここまで聞けば、誰でも予測はつけられる。ましてや、私の潔白を心から信じている者であれば。

「――すまないが、またひとつ頼まれてくれないだろうか」

私は言った。それを切り出すことが受話器を取った理由だったからだ。

彼女は私の頼み事に見当がついたらしい。

「分かりました。目撃者の名前を聞き出せるかどうか、友人に訊いてみます」

「すまない。何とお礼を言っていいか分からないよ」

「いいんです。私は萱野さんを信じています」

言葉が胸に突き刺さった。こうやって私は、幸恵を都合のいいように利用してばかりいる。彼女の気持ちには一切応えず。応えられるはずがないというのに。

「すまない。ありがとう」

言葉少なく礼を言って、電話を切った。もう横になってはいられなかった。

顔を洗い、髭を剃り、出かける準備を調えた。私は味気ない部屋を出て、昨日幸恵から教えられた、佐久間昌夫の自宅の住所に向かった。

19

午前九時十五分、佐久間昌夫邸の門が開き、濃紺のメルセデスが滑り出た。乗っているのは運転席に一人。フロントガラス越しに痩せた頬と銀縁の眼鏡が見えた。歳は五十前後。あの日、等々力の料亭前で矢木沢稔と笑い合っていた男に間違いなかった。

私はアクセルを踏み、歩道に片輪を乗せて停車させていた車を出した。朝一番で近所のレンタカー屋へ飛び込み、借り出したばかりのファミリアだった。

先を行くメルセデスのあとに続き、渋滞の国道を越えた。裏道らしき細い路地を通り、環状一号に出ると、メルセデスは永田から高速へ上がった。横浜市中区のほうへと向かうようだ。

佐久間昌夫に関する情報は何ひとつなかった。仕事は何か。矢木沢とはどんな関係にあるのか。時間ならたっぷりとあった。しばらくは署へ出る必要もない。私を罠にかけたつもりで、逆に捜査のための時間を与えてくれたようなものではないか。そう思おうとした。

高速とは名ばかりに、時折思い出したように車は十メートルずつ進んだ。おかげで、尾行には困らなかった。この渋滞では、後ろにずっと同じ車が続いていたとしても仕方がない。先ほどから佐久間昌夫も、渋滞中を利用して、車内からどこかへ携帯電話をかけていた。

花之木を越え、阪東橋でメルセデスは左へ車線を移した。早くも高速を出るらしい。それがいつものコースなのか、渋滞にたまりかねたのかは分からなかった。同じく渋滞の大通り公園脇を抜けて、弥生三丁目で左に折れた。

九時五十八分。メルセデスはシティホテル横の立体駐車場の中に消えた。伊勢佐木町のネオン街からほど近い裏通りだった。

私は路上駐車の列に割り込み、ファミリアを降りた。

佐久間昌夫は車を預け終え、もう黒革の鞄を手に駐車場から歩き出していた。暇つぶしのために買った週刊誌を手にして、私も続いた。辺りに民家らしき建物はほとんど見えない。新旧取りまぜた小さな雑居ビルの見本市のような裏通りだった。

最初の横断歩道を渡った。一本目の路地を左に曲がった。通りから数えて二軒目のビルの中へ、佐久間昌夫は消えた。両脇のビルに支えられて建っているような細い五階建てのビルだった。一階が旅行代理店になっていて、扉の横に狭い通路が伸びていた。

看板を見上げた。赤地にグリーンの文字で「エス・アンド・エス興産」とある。その上にもうひとつ、小さな目立たない看板も見えた。こちらは白地に黒く、申し訳程度の小さな文字で「佐久間企画」と書かれていた。名前の符合が気になったが、もちろんエス・アンド・エス興産に、メルセデスを愛車にして、かつ横浜市内の一等地に豪邸を構える佐久間という名の社員がいないとは限らなかった。

狭い通路を入ると、突き当たりにエレベーターが見えた。扉の手前には鍵のついた郵便受けが並んでいた。二階から四階までがエス・アンド・エス興産で、五階が佐久間企画のフロアだった。中をのぞいてみたが、どちらにもダイレクトメール一枚入っていなかった。

ビルを出て、裏通りを見回した。会社の噂を聞くには、近所の飲食店を回るに限る。社員が常連になっていることもあるし、出前で社内へ出入りをする機会も考えられる。

通りの向かいに蕎麦《そば》屋の暖簾《のれん》が見えた。五メートルほど先には、喫茶店の看板もある。試しに一本手前の表通りに出てみると、中華に定食、喫茶店と、ランチタイムに困る心配はしなくてすみそうだった。

十一時の開店を待って、蕎麦屋に入った。席に着くなり、レンタカーの鍵をテーブルに投げ出して吐息をついた。外回りの途中に車を停め、早めの食事に寄った営業マンに見えてくれたらお慰《なぐさ》みだ。

「ねえ、オヤジさん。そこの細いビルに入ってる会社、何やってるのか知ってる？　これから回ろうかと考えてるんだけど、少しでも情報仕入れておこうと思ってね。コピー機とか入れてもらえそうかな」

二軒の喫茶店とラーメン屋をはさみ、五軒目の定食屋で手応えがあった。白衣に身を包んだ主人が、野菜を刻みながらカウンター越しに答えてくれた。

「どうかな。バーとかクラブとか、いくつも持ってるって話だけど、そういうところには、コピー機なんかいらないでしょ」

箸を持つ手が止まった。酒場の経営——となれば、所轄外ではあったが、矢木沢との接点も考えられなくはない。

「それ、どっちの会社です」

「エスエスさんのほうだけど」

「じゃあ、その上に入ってる会社はどうですかね。何の業種なんでしょうか」

主人は包丁を握る手を止めた。軽く小首を傾げ、横で立ち上る湯気をしばし見つめてから言った。

「いや、俺もよくは知らないんだけど。なんかエスエスさんの関連会社だとかって訊いたけどね」

久保弘樹は待ち合わせた喫茶店に、人目をさけるようにしてやって来た。扉の前で背後を見回し、辺りに見知った顔がないかどうか確認した。店内に入ると目だけで私を捜した。

手を上げると、どちらが謹慎を食らったか分からないような顔になり、彼は私の前へ歩いて来た。

「わざわざこんなところまで出て来てもらって、すまなかった」

「ぼくは知りませんよ」

久保は席に着くなり、釘を差した。電話でも同じ文句をくり返していた。昨日の今日だ。いくら昔の先輩とはいえ、二年間も音沙汰なく、突然の電話をもらえば、交通事故の件を噂で聞いた者なら彼でなくとも見当をつける。私がつてをたどり、目撃者の住所氏名を聞き出そうとしているのだと。

電話口で渋る彼に、私はこの待ち合わせ場所を強引に告げてから受話器を置いた。律儀な男であるのは昔から知っていた。あまりにも律儀すぎるため、彼は自分のフォームを気にしすぎて、なかなか結果を出せずにいた。私は彼の欠点を指摘し、ささやかなアドバイスをおくり続けた。律儀にも彼は、私が特練員から解かれると決まった時、監督やコーチにその判断は性急すぎるのではないか、とかけ合ってくれたのだった。

久保は四角い顔をさらに角張らせ、四角四面に言った。

「中原署に友人はいませんよ」

「それは電話でも聞いたよ」

「まずいですよ。私だって、萱野さんのためなら、できる限りのことをさせてもらいたいとは思ってます。だけど、今回のことに関しては、とても協力できるような雰囲気ではないんです。うちの署でも、今朝早速、上からのお達しがありました。何かあった場合でも、決して無様な真似はするな、と。それでは再就職の道もなくなるぞ、と」

「ありがとう」

礼を言ったにもかかわらず、久保は目をむいて、私を睨んだ。

「落ち着いて私なんかに礼を言ってる場合ですか？　本部まで動き出したって噂もあるんですよ。萱野さんを信じたいという気持ちはありますけど、今のこの状況では……」

ありがとう、と私はもう一度礼を言い、久保の言葉をさえぎった。

「しかし、その件はいずれ白黒がつくと思う。それより今日は、別件で君に頼みたい用があってこちらまで来た」

久保は警戒を崩そうとしなかった。探るような目で見返した。

「横浜市内でバーやクラブを手広く経営しているエス・アンド・エス興産という会社がある。若葉町のビルに本社があるんだが、五階には佐久間企画という名の事務所が入っている。エス・アンド・エスの関連会社だという話なんだが、その詳しい事情が分からないだろうか」

「萱野さん。私は地域課で――」

「地元の会社だ。生活安全課へ行けば、風俗営業店舗の資料が間違いなくある。パトロールの途中で気になる噂を聞いたとでも言えば、資料は見せてもらえる。友人が、その会社から誘われたと持ちかける手もある」

　久保の視線が心なしか鋭くなった。

「あなたは何を考えてるんですか」

　咎めるように言った。理由を告げない限り、たとえ恩ある人物からの依頼だろうと、彼は簡単に動く男ではない。

「実は、その佐久間企画のある人物と、私のよく知る人がさる料亭で会っていた。しかも、その事実を隠そうとしている」

「まさか、うちの社の者だというんじゃないでしょうね」

　彼は辺りをはばかって、声を落とした。周囲に人目がある時、我々警察官は勤務先を「会社」と称して話を進める。

「今は想像に任せるよ。でも、裏の事情がつかめた場合には、必ず君にも報告する、と約束しよう」

「萱野さん、ぼくが言いたいのは……」

「分かったよ。隠そうとしてすまなかった。正直に打ち明ける。その人物は――」

「そんなことを言ってるんじゃありません！」

久保の声に、周りの客が一斉にこちらを向いた。投げかけられた好奇の目にも、久保は動じず、テーブルの端をつかむと、ぐいと身を乗り出した。声を抑えながらも、投げつけるように言った。

「あなたは上の弱みを握って、もみ消しを依頼するつもりですか。冗談じゃない。誰がそんなことに手を貸せますか」

「一人で早合点して、勝手に怒らないでくれ。そうじゃない。弱みを握ろうというわけではないんだ」

「じゃあ、何です。どうしてそんなことを」

「君は同業者が関係企業と深い仲にあったと知った場合、黙って見すごすつもりか」

久保は身を引き、静かに首を振った。

「もうやめましょうよ、萱野さん。今さらあの人を憎んで、どうするんです。あの人の件は、会社だって調査したと聞きました。これ以上あなたが動いて、どうなるんです？　自分が惨めになるだけじゃないですか」

彼は昨日の事故だけではなく、もうひとつの新聞沙汰になった件の噂までを聞いていた。特練員時代の同僚を通じ、噂はよその署にまで知れ渡っているようだった。

「しかし、佐久間昌夫という人物については、まだ上も知らない。だから調査もされていないはずだ。嘘だと思うなら、本部の誰かに訊いてみるといい。君がそういったデリケートな質問をできる親しい上司を持っていればの話だがね」

　久保は顎の先をつまみ、真偽のほどを探るように私を見据えた。今の私にできるのは、頭を下げるぐらいのものだった。

「頼む。頼れるのは君しかいない。どうか、手を貸してもらえないだろうか」

　久保はまだ疑わしげな目で私を見ていた。誰からどんな目で見られようとかまわなかった。いらぬ誤解を受けたくなかったが、たとえ人にどう思われようと、私自身が耐えればいいことだった。

　猜疑の目を送る後輩に向かって、頭を下げた。テーブルに額を押しつけた。近くの客が何事かと振り返るのが目の端で確認できた。久保が慌てて、頭を上げてください、と言った。それでも頭を下げ続けた。人の視線は気にならなかった。今の私に耐えられないものは、ひとつしかない。

　美菜子からの誤解――それだけだった。


　神奈川日報の本社は、横浜駅に近いテナントビルの六階から八階に入っていた。

　断られるのを覚悟の上で、エレベーターを上がった。受付では警察手帳を提示した。身分証明書の代わりとして見せたつもりだったが、受付嬢は何を誤解したのかすぐにインターホンを取り上げ、社会部に話を通してくれた。

人の行き交うロビーの端で待った。二分もすると、五十年配の男が受付に走って来た。ある程度の役職にある者なのか、見栄えのするスーツに身を包んでいたが、足元が、ビニール製のサンダルだった。署内にも似たような趣味の中間管理職は多い。

受付嬢に指を示され、男は私を振り返ると、記憶を探るように目を細めた。記事にはしても、さすがに顔まで見覚えはなかったようだ。

「初めまして、萱野と言います」

進み出て言うと、男は崖っぷちで後ろから背中をたたかれたような顔になった。そこまで驚いてもらえるとは、正直私も思わなかった。

「え？　じゃあ、まさか、あなたが……」

「記者クラブで発表になったのが、昨夜の十二時五分だったと思います。ところが、その前から騒ぎ出していた新聞社が一社だけあったそうですね」

男は頬を震わせて、精一杯の落ち着きを取り戻そうとしたが、喉よりもっと高いところから出ているような声になった。

「——あんた、何かい？　記事にしたのを恨みに思って、意見をしに来たのか」

「とんでもない。大新聞の支局よりも早く、よく情報をつかまれたと思って感心して来たまでです」

男は小さな鼻の穴をこれ以上はないほどにふくらませた。

「そりゃあ、あんた。地元だからこそ、大手なんかよりはフットワークも利くし、情報源だって多く持っている」

「電話がありましたか？」

男はようやく余裕が出てきたのか、唇の端を持ち上げて笑い返した。

「だとしても、ニュースソースはあんたに明かせないよ」

「そうでしょうとも。あなた方に騒いでもらいたくて電話をしたんですから、正直に名前を告げる馬鹿はいなかったでしょう」

男の頬が小さく震えた。怪訝《けげん》そうに短い首をひねった。私の訪問理由を量りかねているようだった。

「なあ、あんた。なぜ事故を認めようとしない？」

「事故ではないからです」

「分からないな。たとえ人が飛び出して来たにしても、車の側が責任を取らなきゃならないのは当然だろ？」

「何らかの意図を持って、車に飛び込んで来た場合でも、事故になるでしょうか」

私は男に餌を撒いた。その匂いに反応して、男が眉間に皺を寄せた。

「じゃあ、何かい？　あんたはあれが、仕組まれた事故だって――？　でも、なぜあんたがそんな目に遭う？」

「事情を説明したら、どんな密告電話がいつ入ったのか、教えていただけますかね」

急に余裕あふれる笑みが消え、代わりに張りぼてのような笑顔を作った。

「そうだな。電話を受けたうちのやつを紹介してやってもいいかな」

あっさりと密告の電話が入った事実を認めた。思った通りだった。その確認さえできれば、ここに用はなかった。

男に背を向け、私は言った。

「悪いが、信頼のおける記者しか用はないんだ」

「待てよ。俺が信頼できないって言うのか」

「新たな情報と引き換えに、ニュースソースを明かそうとするのでは、いつ私の話が警察へ筒抜けになるかも分からない。お時間を取らせました。では」

鼻先で手をたたかれたように目を瞬かせる男を残し、私はエレベーターに歩いた。

やはりここにも何者かから密告の電話が入れられていた。県警が事故の事実を認めざるを得ないよう、先に情報を流し、記者をたきつけたのだ。つまりは、あの事故が罠だった——と敵が自ら認めるようなものだった。

もちろん、事故を見かけた善意の第三者を装い、敵は密告したに違いない。県警上層部も、たとえ電話の事実を知ったにしても、私が罠にかかった証拠とは見ないだろう。だが、手を伸ばせば届きそうな近くに敵が見え隠れしているとの確信を、またひとつ私ははっきりとつかみ取っていた。

ビルの一階へ下りて、公衆電話を見つけた。アパートの番号を押し、留守番電話のメッセージを確認した。夫から私の謹慎を聞かされていれば、美菜子が電話をくれる可能性もないわけではなかった。

伝言は二件。だが、どちらも美菜子からのものではなかった。

「堀越です。電話をください」

十三時八分と十四時十三分に同じメッセージが入っていた。カードを素早く入れ直し、警察学校の番号を押した。

コール音を待ちながら、幸恵を呼び出すには偽名を使ったほうがいいだろうか、と一瞬迷った。一夜にして私の名前が県警内に知れ渡った可能性もある。

たった一度のコールで受話器は取り上げられた。

「はい――」

幸恵だった。デスクでじっと私の電話を待ち受けていたような素早さだった。

「萱野です。二度も電話をもらったようだね」

「今どちらです？」

「横浜駅の近くなんだ。例のことかな？」

「五時にはこちらを出られそうです」

前置きも説明もなく幸恵は言った。直接会って告げるとの意思表示だった。

あえてそれを聞き流して言った。

「読み上げてもらえないだろうか。メモぐらいは持っているんだ」

彼女はすぐに答えなかった。私の気持ちを推し量ろうとするような間のあと、固い声で言った。

「五時三十分には、そちらへ向かえると思います」

続けて彼女は、駅ビルの地下にあるというコーヒーショップの名前を告げた。

「今は教えてもらえないのかな」

受話器を握ったまま動かずにいる彼女の姿が見えるような沈黙があった。

「言えばあなたは一人で行きます」

確信に満ちた言い方だった。

「行ったところで、会ってもらえると思いますか？　警戒されるのならまだいいでしょう。悪くすると、会社に電話をされます」

幸恵も慎重に、会社という言葉を選んで言った。

「そうなれば、あなたの立場はどうなると思います？　心配なことは、まだあります。事業本部も動いているという時期に、あなたまでがしゃしゃり出れば、どうなると思います？」

至極もっともな意見だった。私を説得するには、正論でねじ伏せるしかないと思ったのだろう。彼女の気持ちは理解できた。しかし、どうしても承伏しがたい感情が胸にある。彼女にこれ以上の迷惑はかけたくない。彼女のためではなく、私自身のかかえる重荷を増やしたくないために——。

「……私が行きます」

行かせてくれ、とは言わなかった。当然の権利を行使するかのように彼女は言った。

「私ができる限りのことをします。そのほうが、もし何かあった場合にも、相手に与える心証も和らぐはずです。五時三十分にはそちらへ行けると思います。ですからどうか、待っていてください、お願いします」

20

飼い主から指示を出された忠犬のように、約束の十五分も前に指定されたコーヒーショップの隅に席を取った。

幸恵は遅れずに来た。約束した時間の一分ほど前になると、地下の歩道を軽やかな足取りで駆けて来る彼女の姿がショップの窓から見えた。襟首のあいた長袖のサマーセーターに細身のスカートという出で立ちなので、寮に戻って着替えたのだろう。オリンピック予選を控えた日本有数の射撃選手とはとても思えず、約束の時間に遅れそうになって駆け出した、どこにでもいる若い女性にしか見えなかった。

大学時代の彼女には、射撃チームで二年先輩に当たる恋人がいた、という噂があった。真偽のほどは知らなかった。

彼女が最後の大学選手権で二位に入った時、警察へ進む相談を受けた時、目指していた特練員に指名された時、その折々に私は幸恵に請われるまま二人で食事をともにした。射撃に打ち込みながらも、若い女性なのだから、やはりそれらしい格好もするのだな、と私は彼女を見ていた。ところが彼女の同僚と会う機会があり、男性との席でも幸恵はいつもジーンズばかりをはいてくる、もっとおしゃれをすればいいのに、と聞かされた。薄々とは感じつつあった彼女の気持ちをあらためて知らされるような思いがした。

若い彼女たちにまで噂は届いていないようだったが、いずれ私の過去を知らされる時が来る。振り返りたくない昔が、私に二の足を踏ませた。堀越の顔もちらつきはした。目をそらしているうち、美菜子とあの駅のホームで再会したのだ。

幸恵は小走りにドアを抜けると、私を見つけ、胸の前で小さく手を振った。息を切らしながら、席についた。夜のランニングを欠かさない彼女が呼吸を乱している。ホームからずっと駆け続けて来たに違いない。

そんな女性の姿を見れば、普通ならいじらしさや愛しさが募るのだろう。だが私は、美菜子なら、たとえ待ち合わせに三十分遅れたとしても、決して走ったりはしないだろう、と考えていた。

「今日は、朝からどちらにいらしてたんです?」

身を案じて訊いてきたのは分かっていたが、問いかけには答えず、私は言った。

「名前は?」

幸恵の顔から、浮かべていた笑みが肌の奥へ吸い込まれるようにして、消えた。手にしていたバッグから、彼女は一枚のメモを取り出し、テーブルに置いた。女が引き出してきたばかりの現金を性根の腐った男に差し出すような仕草に見えた。

「ありがとう」

口先ばかりの礼を言ってメモを手にした。目撃者、竹井弘泰、四十一歳。その下に東京都板橋区の住所が書かれていた。被害者は、三波孝、五十六歳。住所は川崎市高津区千年新町《ちとせしんまち》だった。

幸恵の頼んだコーヒーが運ばれて来た。私の横に伝票が置かれた。それをつかんで今すぐにも立ち上がりたかった。

できなかった。そうしたのでは幸恵の立場がなくなる。ただ私のために、金を渡しに来た女も同じだった。

彼女の目が、私の手元にそそがれていた。こちらの逡巡に気づいている。いや、恐れながら、私が何を思っているのか、気持ちを読もうとしている。

伝票に伸びかけた手を止め、幸恵に訊いた。

「この二人の職業はもうつかめているんだろうか」

幸恵の目に、安堵の色がかすかに浮かんだ。縮こまるようにすぼめていた肩から、見た目にも力が抜けた。

「目撃者のほうは、大手の運送会社に勤めるサラリーマンで、被害者のほうは現在、無職だといいます。とりあえずは所轄以外に、本部のほうでも調べを進めていると聞きました」

声にも急に張りが増した。私の反応ひとつで顔つきまで変える彼女が痛々しく思えた。同情は、彼女を慰むことにすぎなかった。

「昨日の今日ですから、どれだけ調査が進んだのかは分かりませんが、二人とも暴力団関係者との交際は浮かんでこないし、個人的に多額の借金を背負っているという情報もないそうです。ただし、被害者のほうは、現在無職で、家族もかかえているそうですから、安穏としていられる立場ではないと思いますが」

調べられてすぐに馬脚を現してしまうようでは、わざわざ罠を仕掛けた意味がなかった。一見何のつながりもないと見える者を、敵は協力者に仕立てあげたはずだ。

「乱暴な調べ方はしないでください」

思い詰めたように幸恵は言った。あまりにも深刻そうな物言いに、私は苦笑を返した。

「心配はいらない。こう見えても警察官としての自覚くらいは持っているつもりだ。手荒な真似をして口を割らせたところで、証拠にならないのは分かっている」

そうは言ったが、事故直後に目撃者の住所を知っていれば、どうだったかは怪しい。時間をおき、多少は冷静さを取り戻していたにすぎない。

「では、どうするつもりで……」

「二人に関する個人情報を徹底的に集めるしかないと思っている。家族構成から交際範囲、特に彼らが親しくしている者、彼らが庇《かば》ってもおかしくない者、そのすべてをだ」

「本部も調査しているとは思いますが」

「どれだけ親身になって動いてくれるかは疑問だよ。昨日の対応からも、身内とはいえ、誰もが私の話を信じようとしなかった。本部だって、同じだろう。いや、悪くすると、私を早く処分したがっている者もいるかもしれない」

幸恵は手にしかけたカップを忙しなく置いた。

「まさか萱野さんは、本部の上層部に……」

「署の幹部連中の間には、少なからず覇権争いがあると聞く。そのもとをたどっていけば、必ず本部へつながる。ある人からは、藪をつついて蛇を出さないほうがいい、と忠告も受けた」

「何か心当たりが？」

「心当たりとは言えないかもしれないが、実は署内を調べているうちに、ある幹部から耳寄りな情報があると告げられてね。業者とのつながりを持っているのは、何もあの人だけではない、と言いたげな情報だった。おそらくその幹部は、私が例の密告をした者だと思い、署内に火を放つようなつもりで情報を教えてくれたんだろうと思う」

幸恵は唇を嚙み、テーブルに視線を落とした。幹部と業者のつながりの先に、県警内の覇権争いまで待ち受けているとなれば、出口を見出すまでにはかなりの障害が降りかかってくるものと覚悟したほうがよかった。

「この竹井という人物なんだが」

メモに目をやり、私は言った。

「自宅は板橋となっているが、なぜあんな時間にうちの近所にいたんだろうか」

「身内の者を訪ねた帰りだと聞きました」

「誰かな?」

「そこまでは、まだ……。ですけど、引き続き何か分かり次第連絡をもらえるよう、友人には頼んであります」

作られた目撃証人である竹井弘泰にすれば、被害者とともに私をあの現場で待ち受けていなくてはならず、どうしてもあの日に身内を訪ねる理由が必要だったはずだ。私の周囲で嫌がらせが起き始めたのは今週になってからで、敵にそれほどの準備期間があったとは思いにくい。となれば、その訪問理由は、とってつけたようなものだった可能性は高い。少なくとも、急な訪問であったのは間違いない。そうであれば、たとえ偽証の直接証拠にならなくとも、その信憑性を揺るがせる材料にはなるかもしれない。

「被害者のほうは、どうだったんだろうか」

三波孝の自宅は高津区千年新町となっており、現場までは少なくとも三、四キロは離れていた。自転車で買い物に出るような距離ではなかった。

「職探しのために多摩川沿いの工場街を訪ねたそうです。それがうまくいかず、駅前で酒を飲み、帰る途中だったといいます」

なるほど、職探しとは考えたものだ。求人雑誌や職業安定所で私のアパートに比較的近い会社を選び出せば、それだけで現場を通りかかる真っ当そうな理由が作れる。問題になる点があるとすれば、いつから三波孝が職探しを始めたか、にかかっていそうだった。

「色々と本当にありがとう」

あらためて礼を言った。彼女は悟った。私が話を切り上げようとしていると。だから早口になって言った。

「被害者の住所は高津区です。寮からもそう遠くはありませんから、やはり私が――」

「君は君のやるべきことをしてくれないか」

「しかし……」

「今日は私のために、貴重な練習時間を奪ってしまった。君には感謝の言葉もないほどだ。だけど、この先は自分一人で何とかする。君はオリンピックだけを見つめ続けてほしい」

代表を決める予選を控えた彼女が、仕事のあとで自由な時間を持てるはずがなかった。それを知りつつ、私はここで幸恵を待った。

「あとたった二ヵ月なんだ。今は競技に集中してくれ。このままでは悔いを残すことになるかもしれない。経験者が言っているんだから、聞いたほうがいい」

「コーチは言いましたよね」

呼びかけが、かつてと同じように、コーチへと変わった。

「目をそらしては、標的を撃ち抜けはしない。だから、練習に集中できない時には、原因を徹底的に見つめてみろ、と。恐怖や動揺を感じるなら、その原因を突き詰めて、それを自らの力で乗り越えない限り、結果にはつながらない、と」

彼女たちに何度も言った言葉だった。技術論ならともかく、経験者を気取って下手な精神論をぶつものではないと知らされた。

「練習時間を減らすつもりはありません。それほど私は自信過剰でも愚かでもありません。でも――協力はさせてください。コーチでなくとも、親しい人が窮地に陥りかけていると知れば、それを見すごして、自分だけ目標のために集中するなんて、とても私にはできません。ましてやコーチは……私に……経験や技術のすべてを……教えてくださった方で……」

彼女はあえて今、自分だけの目標ではない、と言った。それは暗に、私のためでもある、と告げたかったからだ。その言葉尻をとらえ、さらなる忠告や励ましの言葉を重ねることはできたが、所詮はごまかしにすぎない。彼女の誠意に応えず、自分一人が安全な場所へ逃げ込むのも同じだった。

幸恵は強い精神力を持っていた。だからこそ、彼女はオリンピックに近づいていた。そして、私から目をそらさずに言った。

「練習はこれまで以上に打ち込みます。ですから協力をさせてください。お願いします」

だめだ、と言うべきだった。言えなかった。言えば、彼女は予選に向かう気力を失う。一人の有望な射撃選手の芽を摘む結果になる。彼女なら必ずやオリンピックをつかめると、私は信じていたし、それが県警射撃チームの願いでもあった。一人の若い女性が輝かしい未来を捨てるようなことをしてほしくなかった。いや、そうではない。私はその責任を浴びたくなかった。

だめだ、と言うべきだった。

私は沈黙を通し、ここでもまたいたずらに結論を引き延ばした。

今からでも練習に向かえと言い、幸恵を寮へ帰した。彼女はまだここに残り、これからの調査の方法について打ち合わせをしたいと言った。それは電話でもできるし、今すぐ目撃者の自宅を訪ねたりはしない、嘘だと思うなら寮からアパートへ電話をくれ、もしいなかった場合には本部へ報告するなりして、目撃者のもとへ人をやればいい、と私は応じた。それで彼女はようやく席を立った。

改札まで彼女を送った。幸恵は足を止め、祈るような目で私を見た。その視線に耐えかねて、私は手を振ると人混みの中へ逃げた。

いつかの美菜子と同じように、私は幸恵を一度も振り返らなかった。振り返れなかったのだ、と初めて知った。振り向けば自分の気持ちがぐらつく。私の場合は、幸恵に対して今はできる限り優しく接しようと誓った気持ちが、だった。請われるような目にこれ以上さらされたのでは、気持ちを偽れずについ厭わしげな目を作ってしまいそうだった。

美菜子の場合はそこにどんな感情があったのか。愛情、辟易、同情、拒絶……。私の目から、彼女は何を隠そうとしたのだろうか。

駅の構内で公衆電話を見つけ、留守番電話をもう一度チェックした。新たなメッセージは残されていなかった。美菜子からの連絡はない。

駅前の駐車場に預けたファミリアを引き取り、幸恵との約束を守ってアパートへ帰った。国道の渋滞をさけ、三ツ沢から第三京浜を経由するルートを選んだ。

敵はどこから目撃者と被害者を用意したのだろうか。運転を続けながら考えた。

よほどの恩義か弱みがない限り、警察官を罠に陥れようという計画に進んで荷担する者はいない。あるいは私が警察官であると、彼らは聞かされていなかったのか。いずれにしても偽の被害者と目撃者の周囲には、敵とのつながりが必ずどこかにあるはずだった。

警察官は、市民の様々な情報を入手しやすい立場にあった。捜査の過程で、ある人物の思いもしなかった秘密を握るケースも出てくる。だが、交通違反を見逃す程度では、今回のような見返りは要求できないし、その反対に、大きな事件から派生した秘密となってしまえば、揉み消そうにも限界はあった。被害を受けた側が騒げば、警察組織としては捜査をしないわけにはいかず、やがてマスコミにも知れてしまう。

罪が重く、それでいて被害者が泣き寝入りをしがちな、都合のいい犯罪があるだろうか。強いてあげれば、強姦、器物損壊、名誉毀損などの親告罪が該当すると言えるか。それらは被害者からの告訴がなければ、犯人を罪には問えない。だが、その犯人を協力者に仕立てようとした場合には、同時に被害者の口まで封じる必要が出てくる。

社会的立場のある者なら、微罪でも相手に協力を迫ることは不可能ではないかもしれない。だが、目撃者は一介のサラリーマンで、被害者は無職の中年男性だった。社会的立場があるとは言いにくい。自分の身を守るためとはいえ、新たな犯罪行為に手を貸すとは思いにくい。

考えられるとすれば、身内のため、ではないだろうか。人は、愛する者を庇うためには、なりふりかまわぬ行動を取る時がある。敵は身内を庇う心につけ入ったのではないか。やはり彼らの周囲にまで調査の対象を広げるべきだと思えた。

駐車場近くの曲がり角に差しかかったが、今日は誰も飛び出して来なかった。今は主をなくした駐車スペースにレンタカーを停めた。

階段を上がり、殺風景なアパートに帰った。留守番電話にメッセージはない。ネクタイを外して、冷蔵庫を開けた。わずかな調味料類と缶ビール、黴《かび》の生えかけた食パンが入っている。腹はすいていたが、私は迷わずいつものように缶ビールに手を伸ばした。

二缶空けたところで電話が鳴った。約束だから、受話器を取った。まさか本当にかけてくるとは思わなかった。

「ついさっき帰ったところだよ」

「どこへ行ってらしたのかしら？　謹慎と聞いていたのに」

私は空になったビールの缶を投げ捨て、ベッドから立ち上がった。

美菜子だった。

「君だったのか……」

「誰からだと思ったわけなの」

美菜子は明るく吹っ切るように言った。時刻はそろそろ九時になろうとしている。美菜子ならもうとっくに店を出て、家に戻っている時間だった。予想もしていなかった。どこへ行っていた、と訊くからには、これまでにも何度か電話をくれたのだろうか。

「伝言を残してくれればよかったのに」

「誰もいない部屋に向かって話しかけるなんて、味気なくて趣味じゃないの。それに、伝言を残しても、連絡の方法がなかったから。今日は私、一日外に出てたから」

「今、どこなんだ？」

「自宅まであと二百メートルのところにある公衆電話」

「ありがとう。電話をくれて」

「何があったのかは聞かないわ」

「聞いてくれないのか」

「うちの人から聞かされたから」

　二人の間でどんな会話が交わされたのかは、私も聞きたくなかった。美菜子があの男の妻である現実を今さら知ったところで得るものはない。

「電話をしたのは、昨日の返事です。アドレス帳にも葉書にも、佐久間昌夫という名前はなかった。あの人の同窓会名簿を見ても、名刺入れを見ても同じ」

「わざわざありがとう」

「どういたしまして」

　意識してそうするように、彼女は軽やかに答えた。私を気遣ってくれている。それが受話器を通し、ささくれた岩を洗う波のように伝わってきた。

玄関から、ドアをノックする音が聞こえた。

こんな時間に誰か来るあてはない。今は美菜子との会話を邪魔されたくなかった。ノックを聞き流して、私は話を続けた。

「佐久間という男の素性がつかめてきた。やはり横浜のほうでバーやクラブを経営している会社と――」

ノックの音が大きくなった。

部屋の明かりがついているのは外からも確認できた。私が中にいるのは誰にでも分かる。なおもノックがしつこく鳴った。

「何か聞こえるけど」

「すまない、誰か来たようなんだ。ちょっと待っててくれないか」

「取り込み中のようなら私は――」

「すぐに終わる。切らないでくれ、頼む」

ひとまず受話器を電話の横に置いた。ノックの音がまた少し強くなった。

まさか、警察が――。一瞬、思った。いや、それはない。中原署で事情聴取には答えているし、夜中に彼らが私のアパートを急襲しなければならない理由も思いつかない。

「いるんだろ、私だよ」

ドアを通して野太い声が聞こえた。かつて何度も射場で怒鳴られ、時に声援も送られた声だった。つい先週も食事をともにしていた。

「私だよ、開けてくれないかな。夜分遅くにすまない。堀越だ」

足を止め、置いたばかりの受話器を振り返った。ここで電話を切れば、またいつ彼女からかかってくるか分からなかった。そうかといって、堀越相手に、明かりのついた部屋の中で居留守を使うわけにもいかない。

とっさに、少し待ってください、と玄関先へ声をかけた。電話のもとへ駆け戻り、受話器を手にした。

「すまない。特練員時代の恩師とも言える人が来てしまった」

「気にしないで。ご依頼の件は確かに伝えましたから」

美菜子は急に儀礼的な口調になって答えた。

「十分後にまた電話をもらえないだろうか」

「あきれた。たった十分で、わざわざ心配して来てくれた恩師を追い返すつもり？」

それだけ君と話していたい、という意思表示のつもりだった。美菜子も察していたのだろう。はぐらかすような明るい口調で言った。

「人づき合いも時には大切になさい。じゃあ……」

余韻も残さずに電話は切れた。どうしてこうもタイミングが悪いのか。

いつまでも不運を呪い、受話器をにらんでいても仕方がなかった。玄関へ急いだ。１ＤＫ

の狭いアパートのダイニングでは、ろくに気を取り直している時間もなかった。

ドアを開けた。薄暗い通路の照明を背に、堀越達郎が立っていた。もともとが愛想のいい男ではない。だが、私をとらえる目が、いつになく厳しく見えた。こんな時間にわざわざ訪ねて来るのだから、気軽に話せる用件ではない、と承知していた。

「夜分遅くにすまない。お邪魔させてもらうよ」

挨拶代わりの笑顔も作らず、大きな体を縮めるようにして玄関を入って来た。

奥の六畳間には脱ぎ散らかしたシャツや読みかけの雑誌が散らばり、とても人を通せるような部屋ではなかった。引き戸をしめて目隠しをし、ダイニングに置いた小さな二人がけのテーブルの椅子を引いた。

「汚いところですみません」

「君も座らないか」

「今お茶を入れますから」

時間稼ぎに私は言った。小さなテーブルに男二人が向き合ったのでは、膝がぶつかり、間近で見つめ合う格好になる。ましてやつい先ほど幸恵と別れたばかりで、堀越の顔を見ていたのでは、彼女の姿が目の前をちらつきそうになってしまう。

ケトルをコンロにかけた。急須に葉を入れながら、言葉を探した。

「今日はまた、本部のほうで会議でもあったのでしょうか」

「いや、そうではない」

妙に固い声で言い返した。見るからに体まで固くして、堀越は本部長の前に呼び出された巡査のような姿勢で、正面の薄汚れた流しに目をやっていた。私のような一警察官が、署長の自宅を訪ねてそうするのなら、まだ分かりもするが、署長職にある警視が、巡査部長のアパートを訪ねて畏《かしこ》まるとはどういうことか。こちらの予想以上に、私の置かれた状況は厳しいものになっているのだろうか。

「そちらにまで噂が届いたのでしょうか」

「座らないか」

私はコンロの火を止め、椅子を引いた。どうやら悠長にお茶を飲みながら世間話をしている暇はないようだった。堀越の真向かいをさけ、やや左に椅子を寄せて腰を下ろした。

堀越は私から視線を外すと、喉の奥に絡んだものを払おうとするように空咳をした。

「君が抜き差しならない事態になっているのは、電話で聞いた。確かに昔はオリンピックの予選を巡ってごたごたを起こしはしたが、あれは別に、君の警察官としての自覚とは別問題だった。私としては君を信じるつもりではいる。立場上あってはならない交通事故を起こしたからといって、君が無様な嘘をつく男だとは思えないところが私にはある」

「ご心配をかけてすみません。本部から私のことで問い合わせでもあったのでしょうか」

堀越は首を振った。座らないか、と言いながら、彼の視線は私をさけて、汚れた流しのほうへまだ向いていた。

「今日電話があったのは、丸山君からなんだ」

丸山——といえば、思い当たる人物は一人しかいない。神奈川県警射撃チームのコーチを務める丸山警部だった。彼は今、オリンピック予選を前にした強化選手たちの専任指導に当たっている。

堀越の堅苦しい態度の意味を理解していた。先日と同じく、彼は娘のために来たのだった。

「これでもう、何度彼から電話をもらったか分からない。彼としても、どうしていいか分からず、親である私に電話をしてきたんだろうとは思うがね」

堀越は胸にためていた息を吐くように言うと、テーブルに右肘を載せて小さく首をひねった。

「こんなことを君に訊くのは、ある種、親として恥とも言えるのかもしれない。しかし、相談できるのは、君しかいない。今日もあいつは、無断で練習をすっぽかしたそうだ。何か心当たりがあるだろうか」

無理して抑えたような低い声が、とても問いかけの言葉とは聞こえなかった。ごまかしはできない。堀越の調べはもうついている。私は事実を認め、無言で頷いた。

「あいつ、どうしたんだろうか」

堀越は私と目を合わせずに訊いた。私の視線もテーブルへ落ちた。顔をまともに見ていられなかった。

「もしかすると許可を得ていないのではと思いましたから、すぐに宿舎へ戻るように言いました。ですから、今はもう戻っているはずです。しかし、強化選手に指名された者が、そう時間を自由にできるはずはないのですから、約束をした時点で私のほうから一言、丸山さんに電話をするなり、ほかに取るべき方法があったかもしれません。——申し訳ありませんでした」

「そうか。やはり君だったか。その前も君なんだな」

断定して言った。

「昨日は二時間近くも夜間練習に遅れたそうだ。その前日は、夜中にランニングをすると言って出たのはいいが、日付が変わってからタクシーで寮に戻って来たという」

昨日は、車のナンバーから持ち主を調べ出してもらえないか、と彼女に頼んでいた。一昨日は、彼女が私の帰りを待ち受けていた。どちらも私のせいだと言えば言えた。

「丸山君もひどく心配していて、あいつの同僚やチームの仲間にそれとなく訊いてみたそうだ」

丸山警部がコーチとなって、もう五年になる。警部への昇進前の一時期は、チームから離れていたが、三年前までは私たちとともに射撃チームの一員だった。彼も当然、私と矢木沢の間に何があったのかを知っている。

「訊いていいかな」

堀越は私を見ないで言った。私も視線を返さずに頷いた。

「車のナンバーというは、何かな？」

「――先日、矢木沢さんが接待を受けていた現場を見たことは伝えたと思います」

「ああ」

「その時の相手が乗っていた車のナンバーを幸恵さんに調べてもらいました」

「例の密告の件か」

「何を言われようと毅然としていればいいとアドバイスをいただきましたが、やはり自分でも調べてみようと考えました」

「確かあの時は、前があるからある程度の覚悟はしている、そんなことを言ってたような気がするが」

「はい。……ですが、人から誤解を受けるのは、やはり辛いところがあります」

「まさか今度の事故も、密告の件と関係してると言いたいわけじゃないだろうな」

「私にはそうとしか思えません。被害者だと言っている男が、自分から私の車の前に飛び込んで来たのですから」

堀越が大げさに首をひねるのが視界の端に映った。

「分からないな。君を陥れて何になる？」

「私にも分かりません。ですが、私に動かれてはよほど目障りに思う者がいるようです」

「単に目障りだと感じるだけで、被害者や目撃者まで作るような大がかりなことをするだろうか。共犯者を用意すれば、確実にその分、危険が増す」

「相手がそれだけ私の動きを恐れている証拠だと言えるのではないでしょうか」

「何を恐れる？　たとえ矢木沢の件を誰が密告しようと、それは彼が警察官として規範に悖《もと》る行為をしたからであって、密告者が責めを受ける理由はどこにもない」

「私を陥れようとした相手が、何も密告者だと決まったわけではありません。逆に私こそが密告者だと信じる者がいた場合には、自分の腹まで探られては困ると警戒を強めたとも考えられます」

「なるほどな」

堀越はぼそりと答え、一応の理解を示した。とても納得したようには見えなかった。

「で、被害者と目撃者の詳しい情報を知りたかったわけか」

「申し訳ありませんでした」

協力を頼むなら、つてをたどり、ほかの者に依頼する道もあっただろう。だが、私は幸恵を便利に使おうとした。オリンピック予選を前にした大切な時期に来ていると知りながら。

堀越の喉がまた小さく鳴った。言いにくそうに口元をゆがめ、一度は開きかけた唇を閉じた。署長職にある警察官としての堀越はそこにいなかった。娘を思う一人の父親がいるだけだった。

堀越は細く息を吸い、やっと声にして言った。

「噂の好きなやつはどこにでもいる。こういう立場にいると、聞きたくない話も時として耳に入ってくる。不確かな情報に惑わされて、色眼鏡で人を見るようなことはしたくないと思ってきた。だがな、中にはどうしても聞き逃すわけにはいかない種類の噂もある。——もうひとつだけ訊かせてくれないか」

「……はい」

「君は純粋にオリンピックを夢見ていた、そう私は考えていたが、あの時は、色々と好き勝手なことを言う者がチームの中にいた。そのことがまだ私には引っかかっている」

問い返すまでもなく、あの時がいつを指すのかは理解できた。当時、美菜子は私たち若い警察官の集まりに何度も顔を出し、射撃チームの者も知っていた。あの直後に、どんな噂が流れたのかは想像がつく。だが、八年も前の話を今になってまた持ち出そうという者がいるとは思わなかった。

「なあ。あの日——君は矢木沢のあとをつけていたのか？」

堀越が私に初めて視線を振った。

「本当にあれは、偶然だったのか？」

否定はできる。そうです、あくまで偶然でした。そう言うべきだったかもしれない。けれど、私は否定も肯定もできなかった。声を出すことすらできず、うつむいていた。

「世間は狭いもんだ。ましてや同じ県警にいれば、何かと噂も聞こえてくる」

美菜子の兄は、今も県警の警備部にいる。美菜子が兄に、矢木沢との仲をこぼしていたのだろうか。いや、それは彼女らしく思えない。二人の様子を見て、きっと兄のほうが心配したのだろう。その話を耳にした者が、昔の私たちの事情と結びつけ、面白おかしく噂にしたに違いない。矢木沢夫妻の仲を、かつて噂のあった男が引き裂こうとしている。そこに密告の真の目的があったのではないか。しかも、その男はまだ執拗に警察内を調べ続けている。矢木沢の処分に不満を覚え、決定的な証拠を探している。そう勘ぐられたとしてもおかしくはなかった。

「君だって、あいつに期待をかけていたはずだろ」

しかし、私は彼女の練習時間を奪う依頼を平気でしていた。彼女なら、私のために協力を惜しまないだろう、と思い。気持ちに応えるすべは持ち合わせていないというのに――。

黙って頭を下げているしかなかった。

「もちろん、君が誰と会っていようと、他人がとやかく言う問題ではないと思う。だが、まさか矢木沢の女房と会っているわけではないだろうな」

質問ではなかった。忠告だった。そして、譴責《けんせき》と非難も、言葉の裏にはふくまれていた。

「なあ。——いつかと同じような密告をしたわけではない、それを女に証明しようというのか」

テーブルの上に置いた堀越の拳が、いつのまにか固く握りしめられていた。

「——すべては女のためか。同じ誤解を受けたくなかったからか」

何も言えなかった。テーブルに視線を落とし続けた。形ばかりに否定の言葉を口にするのは簡単だったが、幸恵の気持ちを踏みにじり、そのうえに堀越まで欺いたのでは、私という人間は何なのだろうか。

「あいつが誰に手を貸そうと自由だろうし、私がとやかく言うことではないのかもしれない。噂に近い不確かなことで、わざわざ意見をしに来るなど、自分でもどうかしていると思う。しかし……。仮に、それが本当だとしたら——。あいつは……あの子は……何をしてるんだろうか」

学生時代からの目標としていたオリンピックをなげうち、おまえに協力している娘は何なのだ。そんな直接的な言葉を、堀越は奥歯を嚙むようにして呑み、腹に納め込んだ。はっきりと口にしてしまったのでは、娘があまりにも惨めすぎる。

「何も言ってくれないのか」

言葉を探したが、思いつかなかった。

「黙秘権か」

堀越はまだ冗談めかして言う冷静さがあった。私は身を縮め、息をひそめた。堀越の握りしめた手の甲を見ていた。

「私の聞いた噂に、誤解だとも違うとも言ってくれないわけか？」

手の甲に浮かんだ筋と青い血管が、気持ちを表すかのようにうごめいていた。

「そうか、分かった。よく分かったよ」

堀越は喉の奥から絞り出すように言い、立ち上がった。椅子が後ろへ押され、フローリングの床がすすり泣きのようなきしみを立てた。

堀越は私の胸ぐらに手をかけも、悪し様になじることもしなかった。それほどの値打ちもないと思われたのだろう。足音が狭いダイニングを遠ざかり、靴をはく気配がした。私はまだテーブルから目を上げられずにいた。

背中から堀越が呼びかけてきた。

「たとえ人の上に立つ地位に就いても、私は個人的な感情から、みだりに職権を行使するような男にだけはなるまい、と考えていた。けれど、人間なんてのは弱いものだな。身内が絡んだだけで、こうも気持ちが変わる」

声が途切れた。堀越は深く息を吸った。そして、初めて語気を強めて言った。

「――いいか、萱野。どんな手を使ってでも、もうおまえに警察内を自由に探らせたりはしない。娘も二度とおまえには近づけさせない。いいな」

玄関のドアが手荒く開けられ、安普請な部屋が揺れた。階段を下って行く堀越の足音が耳に届いた。投げ捨てられた言葉に足元を埋められ、私は椅子から立てなかった。

21

翌朝は目覚ましの力を借りて七時に起きた。ベルが鳴りやんだというのに、頭の中で誰かがバケツを打ち鳴らしていた。狭い部屋の中が、まだどこか酒臭かった。ビールの缶とワインの瓶を蹴飛ばして流しへ歩いた。顔を洗った。昨夜の酒は早く寝て今日に備えるためで、自己嫌悪を紛らわそうとしてのものではなかった、と再び自分の胸に確認をした。

警察内での数少ない理解者である堀越の信頼を失ったのは、大きすぎる痛手だった。が、自らが招いた結果ではあきらめるしかなく、いずれは幸恵にも、何らかの形で告げねばならないことでもあった。代わりに堀越から伝えてもらえるのなら――という安堵にも似た思いがあるのもまた事実だった。確かに堀越は昨夜、私の調査の妨害をすると告げたが、一地方署の署長に、どこまで振りかざせる職権があるのか疑問は残るし、言葉通りに実行のできる男とも思えなかった。いずれにせよ、周囲からの反応を恐れて立ち止まっていては、浴びせられた密告者の汚名をそそぐことはできない。

都内の渋滞を考えると、電車を利用したほうが時間を有効に使える。私鉄とＪＲを乗り継ぎ、目撃者の竹井弘泰が住む板橋へ向かった。

自宅を訪ねたところで、目撃者は仕事に出ているはずだし、家族がまともに応対してくれるわけもなかった。私は板橋区役所が開くと同時に、戸籍住民課証明係へ直行した。

手数料を払えば、住民票の閲覧はできたが、そこには、目当てとする本籍地までは記載されていない。竹井弘泰の住民票を請求した。本来、本人または家族が窓口に来られない場合は、委任状が必要になるのだが、請求に来た者の身元を必ずしも窓口では調べようとしない。しかも、住民票の請求には印鑑さえも必要とせず、同性で、似たような年齢の者であれば、よほどの不審者でない限り、誰でも住民票の取り寄せができた。委任状は、建前上の規約にすぎなくなっている。それを利用させてもらった。

窓口の係員は私を疑うことなく、竹井弘泰の住民票を交付してくれた。さすがに本籍地が私のアパートの近くという幸運には恵まれなかった。そうであれば、事故当夜に目撃者が訪ねたという身内の者をたどる時間が節約できた。だが、それでも住民票と本籍地が同じでなかっただけ、まだ救われた。その場合には、こうして住民票から親戚をたどる以外の方法をまた考えないといけない。

竹井弘泰の本籍地は茨城県水戸市だった。結婚後も本籍地を移していないからには、今も水戸市に身内が住んでいると考えられた。パスポートなどの取得時に、いちいち水戸まで足を運んで戸籍謄本を取らなくてはならないからだ。

戸籍住民課証明係をあとにした。ロビーにあった公衆電話から、NTTの番号案内で、調べ出したばかりの住所を告げた。案内係の女性は何の迷いもなく住所と名字をくり返して言った。

「ご案内します」

やはり本籍地には竹井弘泰の身内が今も住んでいた。親か、兄弟か。そう遠い親戚ではないだろう。

問題はこれからだった。水戸まで足を運ぶ時間と手間を節約するには、何かしらの方便と他人にそれを押しつけても平然としていられる臆面のない度胸が必要だった。胸に言い聞かせて、メモしたばかりの番号を続けて押した。コール音が聞こえる間、罪悪感と自尊心が交互に重みを変えて胸をたたいた。

「はい、竹井ですが」

年配の女性が答えた。私は腹をくくった。某宅配会社の事故処理係の者だと名乗った。

「大変申し訳ありません。そちら様宛の配達伝票を手違いで破損してしまい、正確な住所が読めなくなってしまいました。水戸市笠原町の、番地は……」

白々しくも遜《へりくだ》った声を作って言った。年配の女性は人を疑わずに本籍地の住所をくり返して告げた。

「ありがとうございます。ちなみに、送り主様の住所ですが、私どもの地区番号で神奈川県の川崎方面から発送されたとまでは分かっております。ところが、まことにお恥ずかしい話ですが、こちらもお名前が読めなくなってしまいました。お手数ですが、川崎方面にお住まいで、どなたかお心当たりの方はいらっしゃいませんでしょうか」

「あら。じゃあノブコかしら」

「ご親戚の方でもいらっしゃいますか」

「ええ。末の娘が川崎にいますが」

「そちら様にもご確認とともにお詫びの電話をいたしたいと思いますので、電話番号をうかがわせていただいてよろしいでしょうか」

　こちらの心配と胸の疼きをよそに、女性は狙い通りに、末娘の電話番号を教えてくれた。市外局番044の次に来る数字は、5——幸《さいわい》区内の番号だった。なるほど幸区なら、板橋から車で来た場合には、私の自宅の近くを通ったとしてもおかしくはない。

「もう一度ご確認させていただきます。お名前は竹井ノブコ様。住所は川崎市幸区の、えーとこれは何と読むのでしょうか」

　いかにも伝票が読みにくいといったふうを装い、私は訊いた。ここまでくれば、もうこちらを疑う素振りも感じさせず、母親らしい女性はその後の住所を続けて答えた。竹井という姓を告げても、訂正しようとはしなかった。いずれ、末娘から何も送られてこないと知った時、彼女はどう思うだろうか。

「ご面倒をおかけしました」

礼と、心の中で詫びの言葉をくり返し、受話器を置いた。

竹井ノブコの住所と電話番号を手に入れた。目撃者は竹井弘泰一人だと聞いている。妻の身内を、夫が一人で訪ねる可能性は低い。竹井が訪ねたという先は、ノブコの住まいと見ていいのではないか。

ノブコは竹井の姓を変えていない。となれば、まだ独身なのか。昼間は働きに出ている確率が高いだろう。中原署の捜査員も、当然、彼女からすでに話は聞いたはずだ。どの程度の裏づけ捜査だったのか、何を訊かれたのか、それらを知るには、直接話を聞きに行く以外になかった。電話では途中で切られてしまえば、終わりである。

素性を偽ったほうがいいのか。ありのままに述べた場合の反応はどうだろうか。警察官だと馬鹿正直に告げれば、いずれは中原署の者たちにも知られる恐れはあった。捜査の妨害とも取られかねないし、肝心の竹井ノブコにも警戒されてしまうのが落ちだった。

さして考えるまでもなく、答えは出ていた。

レンタカーを取りに、一度アパートへ戻った。二時すぎに帰宅すると、留守番電話のメッセージランプが点滅していた。期待せずに再生した。メッセージは三件。最初は十一時十分だった。

「――堀越です。また電話します」

父親からまだ何も聞かされていないのか。オリンピック予選を前にしては、堀越も娘の淡い気持ちを打ち砕くような意見はできなかったのだろうか。幸恵からの話に興味はひかれたが、もうこちらから彼女に連絡はできなかった。

次は十一時四十二分。昨日電話で報告を入れておいた損害保険会社だった。警察での処分が決まるまで、私に動けることはあまりない。最後が十二時二十三分。加賀町署の久保だった。

「――例の件ですが、だいたいつかめました。夜に自宅のほうへ電話をください」

夜に、と限定したからには、署へは電話をくれるな、という意味だった。だが、とても夜までは待てなかった。すぐさま加賀町署へ電話を入れた。私の名前が知れ渡っていると困るので、彼の立場も考慮し、久保という偽名を使った。親戚の者なら、誰も疑問に思わず電話をつないでくれる。

「夜に電話をくださいと言ったはずです」

電話口に出るなり、久保は相手も確かめずにいきなり言った。聞こえよがしの吐息までついた。

「こんなに早く結果をもらえるとは思わなかった。ありがとう」

「今どこです？」

「自宅だが」

「十分以内に電話をします」

小声で言うと、こちらの返事も待たずに電話を切った。

十二分後に、電話が鳴った。

「面倒をかけてすまない」

「いえ。外からのほうが安心して話せますから」

久保は少しも警戒心をゆるめたとは思えない口調のまま言った。

「佐久間企画がエス・アンド・エス興産の関連会社だという話は、少し事情が違ってました」

「つながりはなかったのか?」

「ご心配なく。大ありですよ。エス・アンド・エスのほうが、佐久間企画の関連会社だったんです」

「どこが違う?」

「まるで違いますよ。エス・アンド・エスは佐久間企画が管理している会社のひとつにすぎません。実質的な子会社のようなものでした」

「驚いたな」

ビルの看板からも、オフィスの専有面積からも、エス・アンド・エスのほうが明らかに規模が大きく、上位にある会社だとばかり信じていた。だが、思い返してみれば、佐久間企画のほうがビルの上階に入っていた。その上下関係が、そのまま会社の力関係をも表していたらしい。

「社長の佐久間昌夫は、地元の実業界では結構知られた人物のようです。バーやクラブはもちろん、横浜周辺にレストランを五軒、ビジネスホテルを二軒、ゲームセンターに会員制スポーツジム、郊外にはゴルフ場まで持っているそうです。とはいっても、それらを経営するのは、それぞれ別会社になっているそうですがね」

「そのすべてを統括するのが、佐久間企画というわけか」

「表向きには、経営コンサルタント会社になってますが、実質的には佐久間企画が各会社を管理運営しているようです。その証拠に、月に一度、関連会社の社長が佐久間企画のオフィスに集合するとの話があります」

「ちなみに、傘下の会社名を教えてくれないかな」

　メモをめくるような音が聞こえた。

「飲み屋など風俗営業に関する店を扱っているのが、ご存じのエス・アンド・エスです。ゴルフ場と会員制スポーツジムの運営が、ニューライフ・クリエイト。ビル管理や不動産の部門が、ニューシティ開発。ホテルとかレストランがエス・エル・エス。どうもニューとエスの好きな会社ですね」

「川崎のほうでは何も手がけていないのか」

「さあ……。そこまでは調べろと言われてなかったもので」

守備範囲の外だと言わんばかりに、久保は不満の声を上げた。

「ありがとう。参考になった」

「萱野さん。その佐久間という人物と、矢木沢さんがどう関係すると言うんです？」

「本当に助かったよ」

「とぼけないでくださいよ。調べさせておいて、あとは秘密だなんて――」

久保はまだ何か言っていたが、私はもう一度ありがとうと言い、受話器を置いた。再び留守番電話をセットすると呼び出し音が鳴り出したが、私はかまわずにアパートを出た。


レンタカーを駐車場から出し、竹井ノブコの住む幸区下平間《しもひらま》五丁目に向かった。202という住所末尾の数字から、集合住宅に住んでいるとの予想はついた。

まだ真新しい低層マンションの二階に「竹井伸子」の部屋はあった。建物の規模はそれほどでもないのに、エントランスの壁が郵便受けで占められていた。独身者向けのさして広くもない部屋を集めたマンションのようだ。裏へ回ってベランダ側の窓を眺めてみたが、室内に人の気配があるようには見えなかった。まだ午後四時前。真っ当な勤め人なら、家にいる時間ではなく、ドア前まで行き、試しにチャイムを押してみたが、やはり中から答えはなかった。

長期戦を覚悟して、レンタカーの中でマンションの窓を見張った。

被害者よりも目撃者を標的にしよう、と考えていた。体を張るからには、それ相応の覚悟があり、被害者のほうに、より切迫した協力すべき事情があるのだろう、と想像はできた。その点、目撃者のほうは、本人に降りかかるものが、まだ小さいように思えた。しかも、身内とはいえ、私の駐車場の近くを通りかかった理由作りのために、新たな共犯者とも言える仲間をまた一人引き入れる形になっていた。共犯の輪が広がれば、その分こちらのつけ入る隙もあるのではないか、と考えられた。

念を入れて通りの左右を見回した。辺りに警察官らしき姿は見えなかった。仮に本間たち中原署の者がまともな捜査をしてくれたとしても、目撃者が事件当夜に立ち寄ったという身内にまで、人を配することはないだろう。

長期戦を覚悟していたにもかかわらず、六時五分には竹井伸子の部屋の窓に明かりがついた。これほど帰宅が早いとは予想していなかった。勤務先が近いのか、時間通りに仕事を終えられる役所にでも勤めているのか。

車を降りた。これからの行動を胸に問い直しながら、階段を上がった。２０２号室の前まで歩き、インターホンを押した。

「どなたでしょうか」

かすれ声が小さく答えた。ドアは開かなかった。

私は言った。

「神奈川県警の萱野と言います」

面倒事をさけて話を聞こうとするなら、新聞記者と名乗ったほうがいい。何を馬鹿正直に素性を明かす必要がある。心の中で叫ぶ声があった。嘘をついたほうが、どれだけ楽に話が進められるか分からない。最初は私もそう考えていた。

しかし、なぜ自分を偽らねばならないのだろう。私は恥ずべきことを何ひとつしていなかった。

「神奈川県警の萱野と言います」

意外にもドアが開いた。顔を見せたのは、三十代の半ばをすぎたと見える、やや太めの女性だった。ふくよかな顔を少しでも細く見せかけようというのか、頬の化粧が濃く、それがかえって印象を暗くしていた。顔を洗おうとする途中だったらしく、髪を後ろでまとめ、皺の浮き出た太めの首が無防備なまでに露わになっていた。

「竹井伸子さんですね」

「まだ何かあるんでしょうか」

彼女は私の自己紹介から早合点をしたようだった。神奈川県警というだけで、事故の補足捜査だと思ったらしい。

「どうぞ」

辺りを気にするように、竹井伸子は玄関の奥に身を引いた。１ＤＫの造りらしく、小振りのキッチンが奥に見えた。食器棚の横には、すりガラスの入った引き戸がある。装飾品や小物がなく、殺風景にも見える空間が、どこか私の部屋と似ていた。

片足だけドアの内側に入れた。なぜか玄関に上がり込むのは、ためらわれた。

「神奈川県警の萱野と言います。少しお話をうかがわせていただいてもよろしいでしょうか」

もう一度、名乗りを上げた。竹井伸子が戸惑い気味に私を見た。彼女の気後れに気づかなかったような顔を繕い、質問に入った。

「お兄さんが例の事故を目撃した当日ですが、こちらに見えられることは、いつごろから決まっていたのでしょうか」

「待って。あなた今、何て名前を言った？」

ようやく私の素性に思い当たったようだ。

「まさか、あなた……」

「お兄さんがこちらに見えられたのは、どういうご用件だったのでしょうか」

私は慎重に声を落とし、淡々と訊いた。少しでも脅したり、挑発したりするような言葉を使えば、どう受け取られても仕方ない立場にいた。

竹井伸子は一歩あとずさり、胸を抱くようにして両手を合わせた。小刻みに首を振って言った。

「信じられない……。どういうつもりなの」

「突然お邪魔して申し訳ありません。中原署の者もすでに尋ねたとは思いますが、もう一度私に話してはいただけないでしょうか」

「私たちが嘘をついてるって言うつもりなの！」

急にまなじりをつり上げて、竹井伸子は言った。だが、声は心なしか震え加減になっていた。

「嘘とは申しておりません。ですが、思い違いは誰にでもあります。あの事故の経緯は、当事者である私自身が一番よく理解しているつもりです。お兄さんは何か誤解をなされているのかもしれない。ご迷惑は承知でお願いしています。お兄さんは何の目的があって、あの日ここに来たのでしょうか」

「兄が妹の家を訪ねて何が悪いの」

「お兄さんがこちらに見えたのは、今年に入って何度目でしょうか」

「それが何だって言うの。帰ってください。事故を起こしておいて、目撃した人を疑うようなことを言うなんて、信じられない」

「あの日お兄さんがこちらに来る予定は、いつ決まったのでしょうか」

「一週間以上も前よ。それがどうしたって言うのよ！」

口の端に唾をため、なじるような勢いで竹井伸子は言った。

「正確にはいつです。それを中原署の者も確認していったのでしょうね」

彼女はまた一歩、怯えるように私の前から後退した。

「帰ってください。でないと、警察を呼びます」

「中原署の立ち会いのもと、もう一度うかがわせてもらっても、こちらはかまいませんが」

竹井伸子は私に背を向けると、ダイニングの奥へ走った。食器棚の隣には、木目調の古びた電話台が置かれていた。

「帰らないと、警察を呼びます！」

何かを恐れるような態度に見えた。それとも私がそう思いたかっただけなのか。

もうひと押ししようと口を開きかけると同時に、竹井伸子の手が受話器に伸びた。ここまでなのかもしれない。

私を睨みながら、彼女のもう一方の手がダイヤルボタンへ伸びた。失礼しました、と言い残し、私は竹井伸子の部屋のドアを閉めた。

レンタカーへ戻った。自分は何をしているのだろうか。二時間以上にわたって、マンション前で待ちながら、何も聞き出せずにすごすごと引き返している。しかもこの事態は、最初から予想できたことでもあった。自分を偽りたくないからと勝手に一人悦に入り、素性を明かして敵地へ飛び込んで行ったのだから、玉砕は子供にも想像できた。

車を出した。国道の途中で公衆電話を見つけた。駐停車禁止の路上に違法駐車させて、中原署へ電話をかけた。交通捜査係の本間を呼び出した。ここでも私は正直に名前を告げた。つないでもらえないかと思ったが、意外にも、お待ちください、と言われた。本間は署にいてくれたようだ。

「今あんた、どこにいるんだ」

本間は挨拶抜きに、受話器へ嚙みつかんばかりの声を出した。

「あんた、何を考えてる。たった今、目撃者の妹からうちのほうへ電話があったぞ」

まさか本当に電話するとは考えてもいなかった。

「あきれたやつだな。どうなってもこっちは知らないからな」

「お言葉ですが、私は正直に素性を明かし、協力を願えないかと言ったまでです。そちらの捜査員だと誤解したのは先方の不注意にすぎません。帰ってくれと言われたので、すぐに玄関を出ました」

「馬鹿かよ、あんたは」

本間は電話口で感嘆の声を放った。

「こんなことをして、どうなると思ってるんだ。うちの連中は、自分らが信用できないのかと息巻いてるぞ」

「ご心配いただけるとは思ってもみませんでした。ありがとうございます」

「よくよくあきれた男だよ、あんたは。もし正式な被害届が出されたら、警察を放り出されるだけじゃすまなくなるぞ」

「罠にかけられた身内を見捨てようとする警察なら、こちらから飛び出したい気持ちはあります」

　本間は盛大に吐息をついた。せめてもと思い、私は殊勝な声を作った。

「いらぬ心配だとは思いますが、竹井弘泰が妹のマンションを訪ねた理由は調べていただけましたでしょうか」

「当然だろ。妹に見合い話を勧めに行ったそうだ。一週間以上も前から決まっていた訪問だと聞いた」

「竹井弘泰の家族の証言も、当然得られたのでしょうね」

「そんな手抜かりをするか。見合い話ってのも、ひと月ほど前に目撃者の上司から持ち出されたもので、そっちの裏も取ってある」

「一週間以上も前から決まっていたのなら、電話でも打ち合わせをすましていたはずでしょうね。ＮＴＴの記録を調べて、その裏づけは取れたのでしょうか」

「頼むから馬鹿も休み休み言ってくれ。これだけ状況証拠がそろってるんだぞ」

一週間以上も前から、その訪問が決まっていたはずは絶対になかった。そうそう都合のいい協力者がいてたまるものか。敵は私の動きを知り、慌てて罠を仕掛けたはずだ。どこかに、相反する材料がなくてはおかしい。

「お願いします。私は本間さんたちを信じたいと思っています」

「俺は知らんぞ」

それが返事だとばかりに、本間はたたきつけるように電話を切った。


味気ない食事を国道沿いで見つけた店ですませると、今度は被害者の自宅へ向かった。現在無職だという三波孝が、なぜ職を失うことになったのか、理由を知りたかった。直接本人に尋ねたのでは、まともな答えは期待できないし、今以上に立場を悪くするかもしれない。身元調査の基本は、近所への聞き込みだった。

三波孝の自宅は、四世帯が横続きになった二階建てのテラスハウスだった。窓には明かりがあるので、家人がいるのは間違いない。三波家の者に見つかるのを警戒して、一棟手前のテラスハウスから聞き込みを開始した。

ここでも私は正直に名前を告げた。一部の新聞に出たはずだったが、隣人をはねた警察官の名前を覚えている者はいなかった。それよりも、神奈川県警の名前と、警察手帳がものを言ったのだろうか。誰もがすんなりとドアを開けた。

退職なさってから三波さんの様子に変わりはなかったでしょうか。どういう事情があったか、聞いておりますでしょうか。お勤め先は、どこでしたかね？

お子さんが結構大きいでしょ。それはお困りのようですよ。さあ、私は聞いていません。あまり人に言えることじゃないですからね。確か、運送のほうだったんじゃないかしら。

隣人たちは警察の訪問に驚きつつも、協力的な態度を見せた。これも警察手帳の威力だろうか、それともこの程度の口の軽さが近所づき合いの限界なのか。

三軒目で目的を果たせた。ちょうど三波家の真向かいに当たる部屋の主人が、勤務先の名前を覚えていた。通勤時間帯が似通っていたため、よく最寄り駅までのバスの中で話す機会があったのだという。

勤め先の会社名を確認すると、くれぐれもこの訪問は秘密にしてくれ、と念を押してからテラスハウスを離れた。

わずかな成果を手に、アパートへ戻った。中原署の捜査員たちが、被害者の近所まで聞き込みをしていた形跡はなかった。少なくとも、これで彼らとは違う面からの捜査ができるかもしれない。

レンタカーを駐車場に停め、アパートへ歩いた。

部屋への階段を上がりかけたところで、後ろに続く足音に気づいた。

22

指先が冷たくなった。飛び退くように体ごと振り向いていた。たまたま隣人が帰宅したとも考えられたが、次に角から飛び出して来るのが、自転車ではなく、凶器を持った者でないという保証はなかった。

アパート前の通りから、黒い影が進み出て来た。素早く身構えようとして、階段から足がすべりそうになった。慌てて手すりをつかんで、目を疑った。

堀越幸恵だった。階段下から、身を縮めるようにして私を見ていた。咎め立てを受ける前の幼子みたいな心細そうな目が、玄関灯のわずかな明かりを受けて小さく光った。

「どうして、ここに……」

今日の幸恵は、くるぶしの辺りまである長い焦げ茶色のスカートをはいていた。警察学校から仕事帰りに足を運んだとは思いにくい姿だった。彼女は階段の手すりに手をかけると、おずおずと私を見上げた。ここに来たのを、まるで恥じるかのように。

「何度も……電話をしました」

ささやくような声で答えた。

「ごらんの通り、外に出ていた。それに昨日の約束はどうなったんだろうか」

「今日は丸山コーチに断ってから来ました」

心細そうだった目が、一瞬力強く光を放ったように見えた。

「あの人が許可を出すとは思えないな」

「許可はいただきました。別の理由を作りましたが」

私は上りかけていた階段を足早に下りた。男の身勝手な防衛本能が働いていた。こんな薄暗いところで向き合い、込み入った話をしていては、いつしか彼女を部屋に上げるようなことになってしまうかもしれない。

彼女は父親から何かを聞いた。だから、私の帰宅を待ち受けていたのだ。父からの言葉を確かめようとして。それとは別の何かを確認するため——。

幸恵はすがるような目を私に向けた。視線を受け流して、彼女の前を通りすぎようとした。

「行こうか」

部屋へ上げるつもりはない——暗にそれを伝えた。短い言葉の裏にある真意を、彼女も理解していた。視線が足元へ落ちていった。

前に立って歩き出そうとした時だった。何かが地面に落ちる音が聞こえた。振り返る間もなく、後ろから抱きとめられた。幸恵が私の背にすがりついてきた。

ふいをつかれた。胸へ回された手を、もう少しで振り払うところだった。それほど動揺し、足がふらつきかけた。予想もしていなかった。幸恵は私の動揺をもしかと受け止め、背中に頬を寄せた。彼女の鼓動が伝わってきた。あるいは、それは私自身の胸の疼きだったかもしれない。

幸恵は何を思って私の背にすがりついたのか。子供じみた仕草が、精一杯の意思表示なのだろうか。そうとは思えなかった。昔を思い出していた。十五年前の高校生でも、演技と計算を胸に私を待ち受けていた。たとえ純粋な気持ちから出た行動だったにしても、男の部屋の前で待ち受ける意味を考えない二十五歳の女性がいるはずはない。不器用なのか、それもまた演技と計算のうちなのか。そんな行為で私にどれだけ接近できると考えたのか。ろくに考えもせず、感情に任せるしかなかったのか。私も卑怯だったが、彼女もそう変わりはしない。私たちはもうとっくに互いの気持ちを知りながら、演技を続けていたにすぎなかった。

だから演技を続けた。胸に回された彼女の手に、そっと手を重ねた。火照ったように熱い指先を握りしめた。すぐには力を込めなかった。心の中でゆっくりと十まで数え、それから水に濡れてもろくなった紙をはがすようにして、彼女の手を胸から引き離した。

幸恵は逆らわなかった。これ以上の演技は何も生まない。背中に感じていた重みが消えた。手を放して、向き直った。足元に彼女のバッグが落ちていた。それを拾い、力をなくした手に握らせ三文芝居の台詞を告げた。

「君には目標がある」

うわべだけの、誠意のかけらすらない台詞だった。

私にそれ以上偽りの言葉を言わせまいとするかのように、幸恵は足元に目を落としたまま早口に言った。

「誰から何を言われようと、私は自分の信じる道を行くつもりです。——今日も友人からの報告がまたありました」

手にしたバッグを素早く開け、一枚のメモを取り出した。

「目撃者が、あの日に立ち寄ったという身内の住所と名前、それに勤め先が分かりました。被害者のほうは、以前勤めていた会社名がつかめています」

薄暗がりの中で、メモを差し出した。その手がわずかに震えて見えた。

彼女の顔を見ていられずに、メモを受け取り、視線を落とした。階段前の頼りない照明の下で、辛うじて細く小さな文字が読めた。メモには、私が今日一日を使って調べ出した結果がもれなく書かれていた。唯一、竹井伸子の勤務先と役職名として、川崎市役所市民生活部施設課主査、とあるのが新たな情報だった。

「確かに目撃者がこの伸子という妹の自宅を車で訪れたのなら、行き帰りにこの近くを通ることにはなります。しかし、その事実のみで目撃証言の裏が取れたとするのは間違っているような気が私はします」

「ありがとう」

私は言った。幸恵の言葉からは、早々に捜査が終了されたらしいことがうかがえた。担当の中原署だけでなく、県警本部も動いていたはずだったが、早くも捜査が終わるとは、やはり何らかの力が働いたのだろうか。

「被害者のほうは、事故で入院となれば、保険によって治療費も出るでしょうし、慰謝料を請求できる道もあるかもしれません。現在無職ですから、それを目当てに協力する可能性はあるでしょう。しかし、目撃者のほうには、これといってメリットがあるとも思えません。ですから、協力せざるを得ない理由が必ずどこかになければおかしいはずです。狙いを絞るなら、目撃者のほうでは――」

階段下に位置する近くの部屋の窓が、唐突に開いた。幸恵が慌てたように口を閉じた。振り返るまもなく、これ見よがしの音を立てて窓は閉まった。

こんな夜中にいつまで話し込んでいる。無言の非難を浴びてもなお、部屋に上がらないか、と私は言えなかった。ありがとう、ともう聞き飽きたであろう礼の言葉をつぶやき、彼女の肩を後ろから押した。例によって、いつものファミリーレストランへ場所を変えようとした。

彼女はアパート前の通りに出たところで足を止めた。視線はややうつむきがちだったが、背筋を伸ばし、毅然とした声で言った。

「ご迷惑でしたら、帰ります」

「言葉にできないほどありがたいと思っている。けれど、君には目標がある。かつては私の目標でもあった。その大切な夢を捨てるようなことはしないでほしい」

「上司に頼み込み、明日の午後は有休を取りました。丸山コーチは勝手にしろ、と言ってましたが、その時間をすべて練習に当てるつもりでいます。目標はあきらめてはいません。いえ——」

そこで髪を振って顔を上げ、彼女は力強く続けた。

「あきらめるつもりはありません。コーチと私の——二人の夢ですから」

あなたのためだ、と言われたように私には聞こえた。事実、その表明には違いなかった。

「ですから、明日は夕方からなら時間があきます。日曜日は練習を夜に回せば、昼間に動くこともできます。私にも手伝わせてください」

幸恵は私との約束を守り、練習時間を犠牲にしない道を選ぶつもりのようだった。だが、強化選手に指名された彼女が、そう簡単に時間のやりくりができるとは思えなかった。

「ありがとう。その時は協力を頼む」

私は頷き、表面上は理解ある態度を示した。だが、手助けをしようにも、私と連絡が取れなくなれば、彼女もろくに動けはしない。堀越も、娘を黙って見ているはずはなかった。

私は安請け合いに頷き返した。

「また連絡をさせてください」

「ああ、時間が許す限りは、協力を頼む」

何の保証もない私の言葉に、彼女は精一杯の笑顔で応えた。小さく一礼し、それから伸びをするように踵を返すと、一人で薄暗い夜道を歩き出した。

送っていこう、と気休めの言葉はかけられなかった。幸恵の放つ乾いた足音と、力を振り絞って伸ばそうとする背が、下手な慰めを寄せつけまいとしていた。


翌日も私は七時に起きるとアパートを出て、神奈川区七島《ななしま》町へ向かった。昨夜、三波孝の隣人から聞き出し、幸恵からの情報によっても確認された、被害者が以前勤めていた運送会社を訪ねるためである。

収穫は何もなかった。それどころか、運送会社自体がなくなっていた。職を失ったのは、三波孝一人だけではなかったのだ。

今は駐車場となった運送会社の隣にはメッキ工場があり、事情を尋ねた。

親会社の経営が苦しくなって仕事量が減り、一ヵ月前に倒産のやむなきにいたったという。親会社は横浜港に倉庫を持つ化学薬品の輸入卸元だった。事実だとすると、サービス業を中心にした佐久間昌夫や蔵原嘉郎の仕事との接点は見出しにくそうだった。

被害者に関しては、いずれ黒幕が彼に仕事を与えるなりすれば、両者の思惑と利益は一致する。その時になって、新たに疑わしい背景が現われたとしても、私が警察から追われてしまえば、もはや打つべき手は残されていない。黒幕を相手に民事訴訟を起こし、長期にわたる裁判の結果、たとえ損害賠償が認められたにせよ、わずかな金額はすべて裁判費用に消えてしまうのが落ちだ。

やはり狙い撃つ標的は、目撃者のほうになるか。妹というもう一人の協力者まで目撃者には付随し、両者にそろって嘘の証言をさせなくてはならないのだから、その分確実に危険度は増す。ふくらみを帯びて大きくなった標的を、敵は背負い込んでいるはずだった。

午前中を空振りに終え、川崎への帰途についた。

では、なぜ目撃者の側は、もう一人の協力者を必要としたのか。

竹井弘泰一人では、私の駐車場の近くを通りかかってもおかしくない理由がなかったから――そう思える。たまたま竹井弘泰に妹がいて、私のアパートの比較的近くに住んでおり、だから彼を利用した。

いや、たまたま目撃者として利用できそうな者に都合のいい妹がいた、という偶然があるとは考えにくい。彼らはあらかじめ入念な調べをしたうえで、都合のいい者を目撃者に利用したはずだ。警察官を陥れる犯罪行為に荷担させるとなれば、できる限り不確かな要素は排除してかかるだろう。

つまり、竹井弘泰と伸子の兄妹の側に、力を合わせてでも隠さなくてはならない何かがあり、その秘密を知った黒幕が二人に力添えを強要した――と見たほうがいい。

だが、私が罠だと主張すれば、いずれは目撃者の周囲に捜査の手は伸びる、と敵も予測はしていたはずだ。とすれば――。

弱みを持っていたのは、兄よりも、立ち寄った先の妹のほうではないだろうか。昨日会った竹井伸子の態度からも、ただならぬ怯え方が感じられたし、警察も目撃者本人に対しては、しっかりと裏づけを取ろうとするだろうが、たまたま立ち寄った先の妹にまで、どれほど捜査の輪を広げるかは保証の限りではない。

見込み捜査は禁物だったが、我慢できずに車を停めた。公衆電話を探して、中原署の番号を押した。昨日、本間にそれとなく伝えておいた依頼を、彼が調べてくれたかどうか、確認しておきたかった。

本間は署を出ていた。二時には戻る予定になっている、と電話に出た婦人警官が教えてくれた。受話器を取ったついでに、自宅の留守番電話をチェックした。すると、たった今呼び出したばかりの当の相手、本間からのメッセージが残されていた。

「――弁護士の知り合いがいるなら連絡しておいたほうがよさそうだ。二時には戻っていると思うので、電話をくれないか。その時は、ぜひとも私のために偽名を使ってほしい。では……」

国道沿いの喧噪が、どこかに吸い込まれていった。足元が急に頼りなくなり、歩道のアスファルトの堅さを足探りに確かめていた。

二時までが長かった。昼食のために入ったファミリーレストランで、私はろくに食事もとらず、腕と壁の時計を見つめて過ごした。

二時ちょうどに受話器を取った。本間はもう署に戻っていた。依頼通りに、高橋という偽名を使った。本間が電話に出るなり、早口に名乗りをあげた。

「萱野ですが」

「ああ、あんたか。伝言を聞いてもらえたようだな」

「生憎と弁護士の友人はいないんですが」

「だったら至急つてを探して目星をつけておいたほうがいい。例の妹が正式な被害届をお隣さんに出したらしい」

竹井伸子の住所は幸区にある。お隣さんとは、幸署のことだ。

「私は法に触れることをした覚えはありませんが」

「かどうかは、お隣さんが調べることだよ。とにかく、うちのほうへ確認の電話があったそうだ。そのうち正式な出頭要請があんたに出されるかもしれない」

「幸署のほうでは、まともに被害届を受理したのでしょうか」

「どうもそのようだな。普通なら、まずあんたの所属する川崎中央署へ相談するなりして様子を見るんだろうが、早くも外堀を埋めようとしている。動いているのは幸署だが、もっと上から指示が出されているという憶測もできなくはない」

一昨日の夜の堀越の言葉を思い出していた。どんな手を使っても、私に警察内を探らせはしない、と彼は私に告げた。脅迫容疑で拘束すれば、当然ながら、私の自由を奪える。堀越でなくとも、誰もがそう考えるだろうが。

「ご忠告ありがとうございました。早速知り合いに電話をかけ、弁護士を紹介してもらいます。ですが、もっとありがたいのは、中原署のみなさんに動いていただき、彼らの目撃証言を崩していただくことになるかと思いますが」

「こっちだって、動きたいさ」

本間は苦りきった口調で声を落とした。動きたい、と言うからには、もう動けない、ということなのだろうか。

「NTTの記録は調べていただけなかったのですか」

「昨日のうちに同僚が調べてるよ。今朝、正式に回答があったばかりだ」

「どうでした」

息せき切って尋ねると、本間はわざともったいぶるような間を空けて、言った。

「事故の当日と前夜に一度ずつ、兄さんのほうから妹のところへ電話が入っていたらしい。けど、一週間以上も前から訪問が決まっていたというわりには、この一ヵ月というもの、両者の間での交信記録は一切ない」

「で――本間さんたちは、それをどう判断したのですか」

「会社の電話を使って連絡を入れたのかもしれないし、外に出たついでに公衆電話からかけたとも考えられる。用件が見合い話というデリケートなものだけに、家族や会社など、周囲の目をさけようとしたとしてもおかしくはない」

「そうおっしゃるからには、会社の記録も調べていただけたんでしょうね」

「やろうと思えば、会社はできる。だけど、公衆電話の場合は不可能だ。どこの電話からかけたか、記憶にありません、と言われてしまえば終わりだからな。まさか東京中の公衆電話を調べるわけにもいかないだろ」

「確かにそうでしょう。しかし、証言の信憑性にいくらか疑問の点が出てきたのは間違いないとは思いませんか」

「俺たちもそう言ったさ。けどな、状況証拠にもならん、と上には言われたよ。目撃者の上司から見合い話があったのは事実だし、仲のいい兄妹だったのか、ちょくちょく訪ね合っていたのもマンションの住人から裏づけが取れている。信憑性を揺るがす、決定的な証拠は何ひとつない」

「まさか、もう捜査は終わりだというわけじゃないでしょうね」

本間は黙った。それが答えだった。やはり幸恵からの情報通りに、捜査にはもう終止符が打たれている。

「まだ三日ですよ。そんな短時間でどれだけ目撃者の周囲を調べられたというんです」

「被害者、目撃者、ともに預金口座の推移や信販会社との関係を調査した。金融業者の間を流れてるブラックリストとも照会してみた。二人とも住宅ローン以外はどこにも借金なんてありゃしない。大金を受け取った形跡もない。会社の同僚や行きつけのバーまで探し出して足を運んで話を聞いた。けどな、競輪、競馬、麻雀、どれにも手を出すような男じゃないという証言ばかりだ」

「表面上、何もなければそれで終わりですか？」

「――普通は終わりだ」

「現に電話の記録からは疑わしきところも出て来ているのに、ですか」

「たかが、電話の記録だ」

「目撃者の妹の周辺はまだ調べていないのですね」

「いいかい。処理しなければならない事故がどれだけあると思う？　俺たちだって、やるだけはやった。タイムリミットなんだ。どこから見たって、あんたに不利な条件がそろいすぎている」

「そうですか。上から打ち切りの指示が出されたわけですか」

「特別な指示が出されたわけではないさ。それが通常の捜査なんだ。だからせめて、あんたに情報を知らせておこうと思い、電話をした」

「警察も役所のひとつだということが、よく分かりましたよ」

「悪く思わないでくれ。これからも何か情報が入り次第、あんたには連絡をする」

「弁護士が決まったら、まず連絡先の電話番号を教えておいたほうがいいかもしれませんね」

皮肉を込めて口にしたつもりだったが、本間は笑い返してくれなかった。気をつけてな。それだけ言い残し、彼は静かに受話器を置いた。

23

こういう時、私が真っ先に頼りとしていたのが、これまでなら堀越達郎だった。だが、彼が私のために手を貸してくれるはずがないのは分かりきっていた。特練員時代の監督やコーチたちも、堀越に逆らってまで協力してくれるとは思えなかった。この広い警察組織の中で、頼りにできる者が一人としていないことに気づき、首筋が薄ら寒くなる思いだった。私はこの十四年というもの、まともな人間関係ひとつ築けずに何をして生きてきたのだろうか。

今さら不甲斐ない半生を呪ったところで、僥倖《ぎょうこう》が見いだせるわけもなく、私は義理堅い後輩にさらなる厚かましい望みを託し、加賀町署へ電話を入れた。

久保弘樹は今日の宿直に当たり、午後から署に入る予定になっていた。官舎へ電話をかけ直し、出かける前の久保をつかまえた。

「何です？　弁護士ですって？」

久保は話を聞くなり、電話口で悲鳴を上げた。

「ちょっと待ってくださいよ。昨日は私から話を聞くだけ聞いて電話を切っておきながら、今日は弁護士を紹介しろ、ですか」

「すまない。出頭要請が出された場合、下手にはねつければ、逮捕という事態にまでなるかもしれない。中原署の捜査が打ち切りとなった今では、自分で動くしか方法はないんだ。頼めるのは、君しかいない。どこかにつてはないだろうか」

久保は、おぼれかけた犬を棒でたたくようなことのできる男ではない。そう信じて頼み込んだ。

「これが最後ですからね、萱野さん」

やがて久保は、不承不承ながらも根負けしたように言った。

「大学時代の先輩が、以前親戚の起こした詐欺まがいの事件で、弁護士の世話になったと言っていた覚えがあります。刑事事件になったはずでしたから、そちらのほうに強い弁護士を知っているかもしれません。一応、問い合わせてはみます。今どこです？」

店の電話番号を聞き出して告げた。少し時間がかかるかもしれませんからね、と久保は念押しをしてから、電話を切った。

おとなしく席に戻り、折り返しの電話を待った。こうしている間にも、私のもとへ出頭要請が出されているかもしれない。捜査のための貴重な時間がつぶされていく。それが敵の狙いなのだ。だが、私は対抗する手段を持ち合わせていない。

四十分待って、ようやく名前が呼ばれた。天から下ろされた蜘蛛《くも》の糸にすがろうとする亡者のように、一目散に電話へ駆け寄った。

「おおよその事情は話しておきました。忙しい人ですが、今日の夜にも時間を作ってくれるそうです」

久保はそう言い、弁護士事務所の名前と電話番号を告げた。手早くメモに書き取り、礼を言った。

「いつも頼み事ばかりですまない」

「慎重に行動してください。ぼくにできることは、たかが知れてますから」

出頭要請の阻止までは、どう頼んでも、一警察官にできるものではない。だが、こんな私にも協力してくれる者がいた。それが今はありがたく思えた。

受話器を店員に返すと、入り口横の公衆電話から、弁護士事務所へ連絡を入れた。今すぐにも会って詳しい事情を説明したかったが、私の担当となる弁護士は外出中で、八時すぎにならないと戻って来ないという。その時間に桜木町の事務所へこちらからうかがう、と約束した。少なくとも今日は、出頭要請を受けないように、アパートへは戻らないほうがよさそうだった。

とりあえずは一息つき、二時間も居座り続けた席に戻った。このさきは、残された時間をどう有効に使うか――どれだけの時間が残されているか――が問題だった。

本間の話からは、被害者と目撃者に関して、ある程度の捜査は行ったように聞こえた。が、目撃者の妹の背後関係を調べたとは言っていなかった。

自宅を訪れたにすぎない私を、竹井伸子は警察へ通報した。誰かに相談したのか。それとも、何かを恐れ、そうせずにはいられなかったか……。

支払いをすませ、もう一度公衆電話の前に立った。番号案内で、竹井伸子の住む下平間を管轄する郵便局名を調べてから、店を出た。

捜査令状を持たない私に、竹井伸子の預金口座や信販会社の記録を調べることは不可能だった。ただ、督促状や内容証明つきの手紙が彼女のもとへ送られていた場合には、郵便局に記録が残っているかもしれなかった。

小杉町にある中原郵便局へは、三時前に到着した。警察手帳を示すと、局員はさして不思議そうな顔も見せず、担当の者を引き合わせてくれた。

記録は残されていなかった。その区域の配達係を調べ出してもらったが、三人がローテーションを組んで配達しており、郵便物の内容と届け先の記憶はない、と当然の答えが返ってきた。ただ、督促状となると、何度か同じものを送るケースもあり、記憶に残ることもあったが、それらしき郵便物が続いた覚えはない、とつけ足された。

手がかりもなく、郵便局をあとにした。そう簡単に、隠そうとしていた秘密がつかめれば、もとより警察に苦労はなかった。

次に何ができるか。レンタカーに戻って考えた。あまりまともではない街金融から竹井伸子が金を借りていた場合、直接取り立て人が自宅へ押しかけることもあるのではないか。

竹井伸子からの被害届を受け、幸署が動き始めたこの時期に、その被害者の住むマンションへ再び乗り込んで行くのはあまり得策ではないかもしれない。独身者ばかりのマンションでは、夜にならなければ住民がつかまらないことも考えられた。危険と無駄を承知で、マンションまで出かけた。

裏のベランダから様子を探ると、幸運にも右隣の２０３号室の窓に人影が見えた。ところが、当の２０２号室にも明かりがあり、それで今日が土曜日だったと思い当った。週休二日の役所勤めであれば、特別な職に就いていない限り今日と明日は休みになる。

さすがに幸署も被害届を受理はしても、竹井伸子の部屋を警備する要員までを配してはいなかった。廊下で竹井伸子と出会さないことを祈りながら、２０３号室のチャイムを押した。

大きな黒縁の眼鏡をかけた三十歳前後の小男がドアの隙間から顔を見せた。警察手帳を示し、少し話をうかがわせてもらえないだろうか、と訊いた。男は急におどおどした態度になって、私を玄関に入れてくれた。

ここでも収穫は得られなかった。隣に取り立て人のような男が訪ねて来たことは、自分が知る限りではない、と言われた。お兄さんらしい人は見かけたが、ほかにも男性が訪ねて来ていたかどうかについては分からなかった。なぜお兄さんと分かりましたか、と訊くと、男は急に目を細めて笑った。だって、体型から顔まで、よく似てましたからね。竹井さんが何か困ってたかどうかなんて分かりませんよ。挨拶だってしたことないんですから。

竹井弘泰の外見以外に、新たに得られた情報は何もなかった。


レンタカーへ戻り、川崎市役所へ足を向けた。次にできるのは、竹井伸子の同僚を訪ね、彼女についての話を聞くぐらいのものだった。

土曜日とあって、役所の正面玄関は閉じていた。出生届や婚姻届は休日でも受けつけるのが普通だが、それは区役所のほうの管轄になる。通用口を探した。本館の横手に西口の門があり、奥にあった扉が開いていた。

本館の廊下を歩きながら、警備員の詰め所を探した。彼らなら、職員の緊急連絡先を知っているはずだ。正面ホールへ出ると、玄関横のドア上に、守衛室とのプレートを見つけた。開け放たれたドアから中をのぞくと、グレーの制服に身を包んだ二人の男が事務椅子の背に身を預けながら談笑していた。

声をかけると、初老の守衛が椅子から立ち上がった。

「どちらにご用ですかね」

私は警察手帳を提示した。二人の顔がわずかに緊張するのが分かった。私は所属と名前を名乗り、すぐに手帳を閉じた。

「お仕事中に大変申し訳ないのですが、ある職員の連絡先を知りたいと思って足を運ばせてもらいました。重要な件での捜査というわけではなく、参考のために少し話をうかがわせてもらいたいと考えているのですが、こちらに職員録のようなものがあれば、拝見させていただけないでしょうか」

警察から協力を求められて、無下に断る公務員はまずいない。詳しい事情を説明したわけでもないのに、守衛は机にあった職員名簿を見せてくれた。警察手帳の力をまざまざと知る思いがした。

幸恵からの情報通り、竹井伸子の名前は市民生活部施設課に記載されていた。上司と同僚の何人かの住所と氏名を手早くメモに取った。市役所に勤める者であっても、その地の市民だとは限らないらしく、東京都下や横浜市の住所も多かった。

礼を言って守衛室を出た。話を聞くには上司よりも同僚のほうがいい。それも、同じ女性職員のほうが何かと会話の機会も多いのではないか。仕事場の噂話は女性のほうがよく知っている。

同僚の女性職員のうち、役所に最も近い場所に住む者を選び、電話を入れた。自宅にいるかどうかを確認するためだ。何度も空振りを続ける時間の余裕は、今の私にはない。

受話器が取り上げられると、私は適当な証券会社の名前を告げ、山之内薫さんはいらっしゃいますでしょうか、と訊いた。

「はい、私ですが……」

女性の細い声が頼りなげに答えた。新商品の説明をしたいと言うと、山之内薫はあっさりと断り、受話器を置いた。

自宅にいることは確認できた。川崎区田島町へレンタカーを走らせた。バス一本で川崎駅まで出られる、通勤にはこの上ない近距離だった。

山之内薫の住まいは、鋼管通りに近いマンションの五階にあった。例によってベランダから観察すると、一世帯に二つの窓が見えた。単身者用のマンションではないようだ。

警察手帳を出すべきかどうか、少し迷った。竹井伸子が嘘の証言をしているのはまず間違いなかったが、自分のために兄を巻き込んだのか、兄から頼まれて協力するほかなかったのか、その判断はまだできていない。警察手帳を使用すれば、山之内薫は協力を惜しまないだろうし、警察から人が来たと竹井伸子に口添えすることもないはずだった。だが、多少の後ろめたさが残る。役所で職員の住所を聞き出すのとは、明らかに事情が違う。

竹井伸子のプライバシーを、私は今、暴こうとしている。私が追いつめられてしまうからだが、それを防ぐために、ややもすれば、罪もない人物のプライバシーを暴く結果になるかもしれない。くり返して自分に言い聞かせながら、マンションのエレベーターを上がった。

山之内薫は二十代の後半だろうか。竹井伸子と同じ主査という立場にあったが、年齢には少し開きがある。となれば、自然と同年代の者より、会話の機会は減るだろう。

所属と名前を告げ、警察手帳を開いて見せた。市役所で会った守衛と同様に、彼女の顔がやや緊張するのが分かった。市民に威圧感を与える仕事に自分たちは就いているのだ、と私はあらためて胸に刻んだ。

「そう大げさに考えないでいただきたいのですが、ある事件の補足調査で少しうかがわせていただきたいことがあってまいりました」

「――はい」

「お勤めなさっている市役所の同じ課に、竹井さんという方がいらっしゃると思うのですが」

「竹井さんが、何か……？」

「いえ、竹井さんが直接犯罪にかかわっているとか、そういったことではありません。詳しくお話しできなくて恐縮なのですが、ことによると竹井さんに実害が及びそうな情報がありまして――ご本人はあまり話したがらない、お身内や金銭関係の部分にも立ち入る必要が、どうも出てきそうな雰囲気なのです。それで、まずは参考までにと、竹井さんとご家族の周辺にいる方からお話が聞ければと考えた次第です」

竹井伸子はあくまで関係者で、身内に問題がありそうだ、と匂わせたつもりだった。

「しかし、私は竹井さんとそう親しくないものでして……」

誰もがまず最初はそう言う。私はセールスに訪れた訪問販売員に負けない笑顔を作った。

「あなたから見た竹井さんのお姿で結構です。彼女の様子で、最近何かお気づきの点はなかったでしょうか。とみに明るくなったとか、どうもふさぎ込んでいるようだとか。決まった男性から電話があるようだとか。どんな些細なことでもかまいません」

首をひねり、目が困惑げに揺れた。

「申し訳ありません。私ではお役に立てないようです。竹井さんはこの四月に異動してきたばかりで、以前と比べてどうかと言われても、私には判断のしようがありませんから？」

「四月に異動してきた？」

「ええ。ですからまだ、あまり課にも馴染んでいないようで」

「その前には、どこに配属されていたのか、ご存じでしょうか？」

さあ、と山之内薫は小さく首をひねった。

「確か交通局のほうだったような気がしますけど。どこにいたのかまでは……」

また市役所の守衛室へ戻らなければならないようだった。

生憎と、守衛室には今年度の職員名簿しか置いていなかった。当然だろう。わざわざ古い名簿を残しておいたのでは、緊急時の連絡に紛らわしくなる。

「総務にでも行けば、昔のも保存してあると思うんですが。でも、今日は誰も出ていなかったんじゃないですかね」

本日二度目の訪問なので、初老の守衛はもう先ほどのような緊張感を見せはしなかった。それどころか旧知の間柄のような親しげな口調になっていた。

「鍵はこちらにありますから、担当者に連絡を取って、どこに置いてあるか聞いてみますよ」

今にも電話へ手を伸ばしそうな気軽さで言った。

「今日はどなたもこちらへは出ていないのでしょうか」

「いいえ、都市整備局や企画財政局のほうには何人か出ていたと思いますが」

「そちらに置いてないかどうか、聞いていただくことはできませんでしょうか」

あまり大袈裟な事態にはしたくなかった。署へ確認の電話が入れられては事だった。

「補足捜査とはいえ、職員に関する話を聞く関係上、あまり大っぴらにしたくありませんので」

私も嘘がうまくなった。さして考えもせずに、言い訳の言葉が口をついて出た。

若いほうの守衛が確かめに足を運んでくれた。椅子を勧められたが、私は立って待った。

嘘を言って彼らの仕事の邪魔をしながら、のうのうとふんぞり返っているわけにはいかない。

十五分以上も経って、ようやく職員名簿を手に守衛が戻って来た。

「ありましたよ、ありました。記者クラブからの要請があってとごまかして、見つけてもらいました」

礼を言って名簿を受け取り、山之内薫の言っていた交通局から見ていった。

交通局経理課に竹井伸子の名前があった。直属の上司と同僚の名前を手早く書きとめ、私は二人の守衛に訊いた。

「交通局経理課というのは、どういった部署なのでしょうか」

二人は自信なさそうに互いの顔を見合わせた。

「経理っていうぐらいですから、道路工事とか用地買収とかにかかる費用を管理しているところだとは思いますが」

「いや、用地買収は都市整備局のほうじゃなかったですかね」

二人の返事は心もとなかった。広報課でなければ、役所の複雑きわまりない縄張りを正確に把握している者はいないのかもしれない。

弁護士事務所を訪ねるまでに、もう一人くらいは話を聞けそうな時間はあった。メモを見て、市内に住む三人の同僚の自宅へ電話を入れた。

幸運は続かなかった。三人が三人とも不在だった。受話器が取り上げられなかったのが一件。今いませんが二件。もう一件、横浜市港北区に住む上司のもとへも電話を入れたが、こちらは証券会社の名前を告げただけで電話を切られた。あとの同僚たちは多摩区、町田市、瀬谷区、藤沢市、と距離があった。とても八時までに弁護士事務所のある桜木町には戻れなかった。

仕方なく、食事をすませ、留守番電話を確認した。用件はゼロ。美菜子からも警察からもメッセージは入っていなかった。少なくともまだ、幸署からの出頭要請は、出されていないようだった。

24

警察官と違って、弁護士は、依頼人の話を親身になって聞こうとする態度を見せてくれた。たとえ心から私を信じたわけではなかったにしても、それらしい顔を作るのが彼らの仕事だ。

私の起こした事故そのものについても、現時点ではまだ起訴されるかどうかの判断は下されておらず、本来なら謹慎処分を言い渡される謂れはなく、それを突っぱねることもできるだろう、と若い弁護士は冷静な中にも意気盛んな様子を見せた。だが、謹慎にまで異を唱《とな》えたのでは、せっかく敵が与えてくれた捜査のための時間を自ら放棄することになる。それはできない。

一方、竹井伸子が届け出たと言われる被害届の件に話が及ぶと、弁護士はとたんに二十歳も老けたような難しい顔つきになった。警察官である私が、第三者も連れずにたった一人で目撃者の親族のもとを訪ねたのは、あまりにも思慮に欠けすぎる行動ではないか、と意見された。

刑事が二人一組で聞き込みに出るのは常識で、被害者と加害者と見なされる者二人以外に、事情を知る者がいないのでは、相手が何を言ってこようと、こちらには身の証の立てようがない。その場に足を運んだという動かしがたい事実が、唯一の状況証拠として残ってしまい、このままでは、何らかの形で警察からの事情聴取を受けるのはさけられそうもないし、また、下手に突っぱねれば、抜き差しならない事態に追い込まれてしまう危険性もあった。

「身内をかばいたがる傾向の強い警察官ですから、いきなり逮捕ということは、常識的に見て、まずないでしょう。ですが、万一、出頭要請などが出された場合には、すぐ私のほうに連絡をください」

若い弁護士は、警察への批判をやんわりと含めて言った。私が仲間たちから庇われる立場にないことを、彼は知らない。

「あ——それから、今後のことですが。事故についての調査を、これからもされるおつもりですよね？」

質問ではなく、確認だった。暗に行動を慎んだほうがいい、と告げる言葉にも聞こえた。

私はすぐには頷き返せず、若い弁護士を見つめた。

「今のところ、ほかに身の証の立てようがないのですが」

「自分の弁護のために動こうという者を、まさか弁護士が無下にやめろとは言えないでしょう。しかし、弁護に当たるプロとしての忠告です。今後は、ぜひ——いや、必ず、どなたかお知り合いの方といっしょに動かれたほうがいいでしょうね。また何かの届けが出ないとも限りませんから」

追いつめられた私に進んで協力してくれる者が、どれだけいるだろうか。

こちらの顔色を読んだように、弁護士は続けて言った。

「あなた自身のためです。今後は信頼すべき第三者と必ず行動をともにしてください。そうしていただけないのでは、私どもとしても、ご期待に添いようがないと思いますので。よろしいでしょうか？」

結果として満足な仕事をできなかった場合に備えても、事前に彼らは弁護の言葉を用意しておくもののようだった。

今ごろはもう当直業務に入っているだろう久保弘樹に、これ以上の頼み事はできなかった。彼も私につき合って動く気も暇もなかったろう。気がついてみれば、現時点で私には、彼以外に頼れる人物がいなかった。唯一、手を貸してくれそうな者のあてはあったが、自分の都合ばかりで彼女をいいように使うわけにはいかない。

半ば途方に暮れながら、弁護士事務所をあとにした。たとえこのまま調査を続けるにしても、弁護士の忠告通り、目撃者とその妹の周囲を訪ねるのはもう難しいだろう。あとは、私一人が訪ねても問題とならない者を、慎重に選ぶ必要がある。

手帳を開き、市役所の守衛室でメモしたばかりの住所を眺めた。

竹井伸子の元同僚や上司を、警察官である私が訪ねて何か問題が起こるだろうか、と考えた。少なくとも、彼らが署に私の訪問理由をあらためて問いただしてみようと思わない限り、周囲に迷惑は及ばないはずだ。

そう勝手に信じて、レンタカーを川崎へ向けた。手始めとして、横浜市港北区に住む、彼女の元上司の家を訪ねた。

松原久夫は、竹井伸子が四月まで勤めていた交通局経理課の課長補佐だった。今年の職員名簿の同じ欄に、彼の名前はない。彼女同様、四月からどこかよその部署へ異動となっていたようである。

今回はあるクレジット会社の名前をかたり、松原久夫の在宅を確認した。本人が電話に出ると、適当な住所と商社名を告げ、そこに勤める松原久夫さんでしょうか、と白々しくも訊いた。人違いのようです、との答えをもらい、詫びの言葉を述べて受話器を置いた。

十分後に、菊名《きくな》駅に近いマンションの五階にある松原久夫宅のチャイムを押した。

少し飲んで帰って来たところなのか、松原久夫は赤くなった頬をわずかに強張らせて、緊張気味に玄関へ出て来た。まるで自分が取り調べを受けるような顔で、私の提示した警察手帳を凝視した。歳のころは四十代の後半。後退しかかった額を脇から寄せ集めた髪で必死に隠そうとしていたが、あまり成功はしていなかった。

竹井伸子本人ではなく、家族が何らかの事件に巻き込まれそうな可能性がある、と匂わせて話を切り出した。それでも松原久夫の頰から強張りは消えなかった。廊下の先に顔を出した妻に向かって驚くほど大きな声で、部屋に入っていろ、と告げた。

「どうかご心配なさらないでください。今日はあくまで参考のために少しお話をうかがわせていただけないかと思って参りました」

警察の常套句《じょうとうく》だと思ったのかもしれない。松原久夫を安心させることはできず、異動前の竹井伸子の様子に何か気づいた点はなかっただろうか、という私の質問にも、彼は震えがちの声で答えた。

「いえ、私は何も、気づきませんでしたが」

「特にふさぎ込んでいたようだったとか、急に明るくなったとか、または特定の男性からよく電話があったとか。そういった様子はなかったでしょうか」

「いや、私にもどうも……」

浮かんでもいない汗をぬぐうように、盛んに顔をなで回して言った。

「松原さんから見て、竹井さんは、どういった性格の方に見えましたでしょう?」

「遅刻や欠勤をするような者ではありませんでしたし、勤務態度も非常に真面目で、周りからも信頼されていたと思います」

まるで用意しておいたような無難きわまりない答え方だった。

「竹井さんは、課内のどなたと親しくなさっていたのでしょうか」

「さあ、私には少々分かりかねますが」

「お仲間の様子を毎日見ていても、松原さんには分からなかった、というわけですか」

「いえいえ、課内の者とはうまくいっていたようでした。ですが、特別に誰と親しかったかまでは、ちょっと……」

受け答えに何も矛盾があるわけではなかったが、責任回避をしたがる役人の答弁に聞こえないこともない。

質問の方向を変えた。

「市役所のお仕事といっても、私どもには少し分かりにくいところがあります。竹井さんは、主にどういった仕事をなさっていたのでしょうか？」

　松原久夫の喉仏が上下した。

「いや、別に……私どもの部署では、交通局に関わる経理を扱っておりましたが」

「金銭の出入りに関しては、出納係、というんですか、そういった部署が一括して行っているのかと思っていました」

「あ、いえ……うちのほうでは施設関係の経費がかなり大きくなりますものですから。で、通常の事務経理とは分けて行うようにしております」

「なるほど。で、竹井さんのご担当は？」

「……確か、上がってきた書類を整理し、まとめるような役目をしていたと思いますが」

「思う、ですか。失礼ですが松原さんは、部下の仕事内容をよく理解されていらっしゃらないのでしょうか」

　煮え切らない答えの連続に、少し強い調子で言うと、松原久夫は目を白黒させて首を振った。

「いえ、そういうわけでは……。竹井君は上がってきた書類のまとめ役をしておりました。それに間違いはありません」

　役人の不正を追及する検察官の気持ちが、少しは理解できたように思えた。突っ込んだ質問をしたわけでもないのに、松原久夫は無難な受け答えに終始しようとした。それ以上は何を訊いても暖簾に腕押しで、自分のいた課に何も問題はない、という答えをくり返して聞かされたようなものに終わった。

役人特有の習性で、発言内容には慎重になってしまうのだろうか。これでは上司よりも、同僚のほうに、話を聞く相手を絞ったほうがよさそうだった。

礼の言葉と、まだ事件になったわけではないのでくれぐれも他言しないようにと言い置いて、松原久夫のマンションを辞去した。

書き留めたメモを見ながら、三人の同僚の自宅へ電話を入れた。すると、三時間前には不在だったうちの二人が戻っていた。地図を見て、宮前区けやき平に住む黒田博史のほうから訪ねた。

建て売りと見える小さな家のチャイムを押すと、出て来たのはまだ二十五歳にも満たないような幼顔の残る若者だった。ぼさぼさの頭をかきながら、差し出した警察手帳には目もくれずに、彼はのんびりとした口調で、何ですかね、と尋ねた。

例によって段取りを踏み、竹井伸子さんのことについて訊きたいと言うと、黒田博史は口元に拍子抜けしたような微苦笑を浮かべた。

「竹井さんのこと？　さあ、どうかな。あまり話したことはありませんでしたからねえ」

「課の中では、みなさんの信頼を集めていたとお聞きしましたが」

「まあ、少し度がすぎるんじゃないかと思うほどに几帳面な人だったのは確かです。だから、上の人からは重宝がられていたみたいですけど。それを信頼って言うのかなあ」

「同僚の方とは、あまりうまくいってなかったのですか」

「うまくいくも何も、仕事以外のことで、竹井さんと話したこと、ほとんどなかったですからね、ぼくらでは」

「では、どなたか親しくしていた人の心当たりはありますでしょうか？」

「さあ……。誰かいましたかね」

「特定の男性から電話がかかってくるとかいったこともありませんでしたか」

「そりゃあ、電話ぐらいはあったと思いますよ。特定の人だったかどうかは分かりませんけれど」

　几帳面な性格で、だからこそ上司からは信頼をされ、仲間からは少し煙たがられる存在。竹井伸子の仕事場での役回りが見えてきた気がした。一応の収穫にはなっても、彼女の周囲から不審な点が出てこないのでは、なぜ私を罠に陥れる協力者となったのかが分からない。職場での仕事ぶりに何も変化がなかったとすれば、仕事とは関係のないところで、何者かに弱みを握られていたのだろうか。

「竹井さんが、仕事でミスをしたとか、関係業者の方と何かよくない噂があったとか、そういった話は聞きませんでしたか」

　試みに尋ねてみると、意外にも黒田博史は小さく笑った。腕組みをして、私の顔をじろじろと眺め回して言った。

「警察って、どうしてすぐ変に疑いたくなるんですかね。よそへ異動になったからって、そのたびに何かしでかしてたんじゃ大変ですよ。何しろ役所は、管理職になると二年に一度ぐらいで異動するんですから。こんなぼくだって、もう今のところで三つ目の部署です」

「そうなんですか」

「ええ、そんなものです。監査が入ったって噂を聞いて来たんでしょうが、結果は何もなかったとのお墨つきがすぐに出されています」

「監査が入った？」

初めて聞く話だった。目を見張ると、反対に質問で返された。

「え、知らなかったんですか？」

黒田博史は浮かべていた笑みを消し、初めて緊張気味に警察官である私を見返した。

「じゃあ、本当に竹井さんの知り合いが、何か事件に巻き込まれでもしたんですか？」

驚く彼から監査についての話を聞いた。

昨年の十一月、交通局経理課に抜き打ちの監査が入ったのだという。通常は、毎月や期末、またはある程度の規模の発注が終了した時期を見計らい、財務並びに行政監査が入ることになっているが、珍しく昨年はそのタイミングを外して監査委員がやって来た。何かあったのだろうか、と課員たちの間に一時緊張が走ったが、小さな経理上の記載ミスが二、三指摘されただけで、何事もなく監査は終了していた。

　そんな事情があったので、少し時間が経ちすぎてはいたが、てっきりその件を蒸し返しに警官が来たのだと思ったという。

　かすかな望みを託して、私は訊いた。

「最初に竹井さんについておうかがいしたいと言ったと思いますが、それですぐに監査の件だと思われたのは、なぜなのでしょう」

「別に他意はありません。警察なら、どんな理由をつけてでも調べようとすると思っていましたから。竹井さんに何かあって、それで監査のことかな、と思ったわけではありません」

　あとは質問をくり返しても、黒田博史は戸惑ったような笑みを返すばかりで、監査と竹井伸子の関連性はない、と言い続けた。

　もう一人、本村潤子という二十五、六歳の女性職員の自宅を訪ね、同じく監査についても訊いた。

　答えは変わらなかった。たとえ予定外の監査が入ったにせよ、何も問題となる点はなく、安心した。そう彼女は言った。少なくとも、課員たちが信じるほどに、監査は無事終了していたようだった。

　だが、唯一すがるべき糸を見つけたように、私には思えた。ようやく探り当てた、新たな疑わしき点の出てきそうな情報だった。

時刻はすでに十時をすぎ、市の監査委員を訪ねるには、あまりにも時間が遅すぎた。アパートへ戻ったのでは、幸署からの出頭要請が来ないとも限らないし、直接誰が訪ねて来るかも分からなかった。特に、明日の朝になれば時間ができる、とわざわざ私に告げてくれた者もいる——。

留守番電話をチェックしたが、幸署からも堀越幸恵からも、そして美菜子からもメッセージは届いていなかった。

私はレンタカーに戻ると、弁護士からの忠告を守るため、そして新たなパートナーを誘い出すために、夜の街道を横浜へと向かった。

明日の朝刊のために、新聞社は夜を徹して動き続ける。照明の消えたオフィスビルの中、神奈川日報本社の入った階の窓だけが、今も夜の街を照らしていた。

この時間、もう受付に女性社員の姿はなく、代わりに初老の警備員が、動き回る記者をよそに暇そうな顔で煙草をくゆらしながらエレベーター前の正面口に視線を向けていた。私はすぐに呼び止められた。

先日は、こうしてまた訪ねようとは思っていなかったので、生憎と記者の名前を聞き忘れていた。社会部の中間管理職らしき地位にいて、五十年配のやや額が後退しかかった、鷲鼻気味の記者を呼び出してほしい、と顔形の印象を告げた。

それで通じた。今回は警察手帳を出さなかったからか、受付前の廊下で十五分以上も待たされた。萱野、という私の名前に思い当たる節がなかったのか。たとえ自分が記事にした者でも、大きな事件でない限り、いつまでも関係者の名前は覚えていられないのかもしれない。

十八分が経過して、ようやく先日の記者が廊下の奥からサンダルを突っかけ、歩いて来た。私を見るなり、歯医者の前に出た患者のようにぽかんと大きく口を開けた。

「先日はお世話様でした」

私が声をかけると、男は意味もなくネクタイをだらしなくゆるめた喉元へ手をやり、警戒心たっぷりに細い目を盛んに瞬かせた。よくよく先日の私の印象が悪かったものと見える。

「何ですか？　また記事に関して嫌みでも言いに来たんですかね」

「いいえ、今日は耳寄りな情報をお持ちしました」

どうだか、と言いたげな顔で横を向き、男は首をすくめてみせた。

「早版《はやばん》の校了間際で、忙しいところなんですがね」

「待ちますよ。朝刊の印刷が終わるまででも」

男は物憂《ものう》げに、記者の行き交う廊下をゆっくりと見渡した。私の訪問理由を盛んに頭の中で思い描いているのだろう。

その手助けに、私は言った。

「できれば、その前に川崎市役所内の事情に詳しい同僚の方をご紹介願えれば、幸いなのですが」

「今度は、市役所の不正を暴き出そうってわけですか」

嫌み半分とはいえ、まさか彼の口からこんな言葉が出てくるとは思ってもいなかった。先日私がここを訪ねた時、彼は明らかに私の警察内での事情を知らなかったはずだ。

驚きを隠せずにいると、男が満足そうな笑みを見せた。私に言いくるめられた腹いせに、ある程度のあと追い調査をしたようだった。

「とんだドンキホーテのお出ましだ。警察だけじゃ飽き足らずに、役所まで敵に回そうっていうつもりですかね？」

「その必要があれば」

私は正直な気持ちを告げた。

「なるほど。政令指定都市ともなれば、地元警察との関係は嫌でも深くなる。そう考えているわけだ」

「調べてみなければ分かりませんが」

男は問い返すような目で見返し、小さな小鼻をなで回した。それから胸や腰をたたき出した。スーツの内ポケットから名刺を見つけ出し、真顔で私のほうへ差し出した。

「紹介しますよ、うちの川崎市政担当係を」

――社会部次長待遇デスク広永勝一《ひろながかついち》――名刺にはそう書かれていた。

「私も同席させていただきますが」

無論、最初からそのつもりでいた。

25

「ああ……そうそう。確か、そんなことがありましたっけ」

広永が政治部の部屋から連れ出して来た若い記者は、しばらく記憶をたぐるように天井を見上げたあと、ようやく心細そうな声を上げた。

「だけど、あの監査がどうかしましたかね。いくつかの小さなミスが見つかって終わったと、広報から発表があったような覚えがありますが」

「通常では、監査が入るような時期ではなかったと聞きましたが」

「いや、そうでもないようですよ。交通局なんて、市民の血税をいわばばらまくような部署ですから、監視の目も厳しくて、よく抜き打ちで監査の入るケースがあると聞きました」

「詳しい発表は、監査委員の方が直接、記者会見でもされたのでしょうか」

「いや、何かあったなら別ですけど、小さな記載ミスでしたからね。広報のほうから書き物が――要するに書面が回ってきたんじゃなかったかな」

「では、監査委員の方から、突っ込んだ話を聞いたわけではないのですね」

「ええ、まあ。でも、それがどうかしましたか?」

不思議そうな顔で若い記者は私を見た。彼らの仕事は、市役所に設けられた記者クラブに顔を出し、広報から回されるブリーフィングを紙面に書き写しているだけなのだろう。それで仕事がすめば、読み書きのできる者なら、誰でも新聞記者が務まる。

私の顔色に気づいたらしく、横で黙ってやりとりを聞いていた広永が小声で訊いてきた。

「その監査に何か特別な事情があったというんですね」

私は彼の問いに答えず、市政担当記者に最後の質問をした。

「監査委員の方の名前と住所は分かりますでしょうか」

「でも、小さなミスが見つかっただけでしたよ。直接聞いたところで、一度正式に出された発表ですから、それ以上は、まず何も出てこないと思いますが」

「名前と住所をお願いします」

重ねて言うと、若い記者はわずかに小首を傾げた。

「さあ。役所の広報か何かで聞いていただかないと……」

不服そうな顔を作った記者に向かい、広永がたまりかねたように声を大きくした。

「おい。おまえのデスクには担当する役所に関する資料も置いてないのか」

「そんなこと言われても、私は前任者から引き継いだばかりでして」

「だったら前任者も連れて来い」

「しかし……」

言葉を返そうとした若い記者の鼻先に顔を突き出し、広永は短く言い放った。

「連れて来い！」

部署違いとはいえ、上司に当たる役職者から強く言われたのでは、記者も従わざるを得なかったようだ。まもなく、事情が分からずに戸惑い気味の元川崎市政担当者を引き連れ、廊下に出て来た。

早速、前任者も交えて、政治部の部屋へ移動し、資料の詰め込まれた棚やロッカーの整理が開始された。

明日は日曜日で、今日同様、ほとんどの職員が役所には出て来ないはずで、ここで名簿が見つからないと、また守衛室へ立ち寄らねばならなくなる。いらぬ仕事を少しでも省こうと、私も捜索に手を貸した。

デスクの横に置かれた棚と前任者のロッカーに、これまで集めた資料が整理された形跡もなく詰め込まれていた。広報から出されたブリーフィングの用紙、予算や決算の報告書、各種指定業者の一覧表、広報誌の束。肝心の職員名簿が見つからなかった。

作業の途中で、政治部の上司らしい男がとても愉快そうには見えない顔で広永のもとへ近づいて来た。部署の違う記者に棚やロッカーの中を勝手にいじられては困る、と思ったのだろう。広永は男を部屋の奥へ誘い、二十分以上にわたって話し込んでいた。やがて仏頂面で戻って来ると、彼は私に向かって、短い首をすくめて見せた。

「うちもご多分に洩れず、縄張り争いがありましてね。まあ、何とか説き伏せましたが、事情はすべて政治部のほうにもあとで報告させていただくことになると思います」

勝手に押しかけてきた私に、拒否できる権限はなかった。お任せします、と伝えた。

それから十五分後に、ようやくロッカーの奥に埋もれていた職員名簿の束を、広永が掘り当てた。あきれたことに、過去五年に及ぶ名簿がひとまとめにくくられていた。つまり、この五年間、直接職員から取材する必要性がなかった、ということなのだろう。

時刻はすでに十一時が近かったが、広永は早速、主任監査委員の自宅へ電話をかけた。

「夜分遅くに突然お電話を差し上げ、大変失礼いたします。神奈川日報社会部の広永と言います。昨年の十一月ですか、交通局経理課に監査が入ったと聞きましたが……。いえ、広報からの発表は知っております。ですが、その件で、二、三参考までに――はい、あくまで裏づけのための取材なのですが、うかがわせていただきたいことがあって、お電話を差し上げた次第です。……はい、お手間は取らせませんので、明日にでも五分か十分、お時間を……。ええ、充分承知しております。……いえ、ですから、参考のためで……それは直接お会いして確かめたいと……」

すらすらと如才なく話を進めていた広永の言葉が、次第にあやしくなった。私はメモを引き寄せ、「これまでにない時期の監査、過去の例とは違う」と素早く書き、広永の前に押し出した。

「ええ。しかし、過去の例から見ても、異例ともいえる監査に思えるのですが。……そうまでおっしゃられると、かえってこちらも、反対に何かあるのでは、と考えたくなってしまいます。ですから、直接お会いして、ですね――」

そこで広永の言葉が途切れた。手にした受話器を耳から離すと、くるりと一回転させた。

「すべては報告書を見てください、ときましたよ。役職そのままに、なかなかお堅い人物のようだ」

吐息をつくように言って、受話器を静かに戻し、微笑んで見せた。

「――と言って、あきらめる手は、もちろんありませんがね。明日にでも直接ぶつかってみましょう。でも、それには――」

尻をのせていたデスクから離れ、広永は私に向き直った。

「萱野さん。どこまでこの監査が怪しいという情報をつかんでいるんです？」

「正直言って、確証は何もありません」

「ないって、そんな――」

細い目をむき、あきれたように私を見返した。だが、事実、何も確たるものはなかった。自分でも半信半疑なのだから、広永があきれるのも無理はなかった。

仮に、あの監査の裏に、表沙汰にできない事情があったとすれば、どうなるか。

竹井伸子は上司からの信頼が厚く、経理の書類をまとめる仕事を任されていたという。その立場を利用し、何がどこまでできるのかは分からなかった。ただ、監査が慌てて入るような事態を、彼女が引き起こしていた場合はどうか。

もしこの推測が当たっていれば、竹井伸子が何者かに弱みを握られていた、としてもおかしくはなくなる。だが、今度は、事態が予想外の広がりを見せてくることにもなる。

突然の監査が入った結果、交通局経理課に多額の使途不明金や二重払い、または職員による公費の使い込みなど、問題となる点は何もなかった、という報告書が出されている。つまり、何かあったとしても、監査が入った時点では、痕跡も残さずに隠蔽《いんぺい》されていた、ということになるだろうか。

不祥事の種類や額によっても、違いは出てくるだろうが、経理のプロである監査委員が帳簿類をチェックしても発見できないほどに、その証拠を跡形も残さずに消すことが、一職員にどこまでできるだろうか。最初から充分な粉飾ができていれば、突然の監査が入る必要もなかったように思えてしまう。

もし監査の裏に何かがあり、それに竹井伸子が関わっていたとなれば、組織ぐるみで隠そうとした可能性が強くなってくるのではないだろうか。当然、その事情を知る者は市役所内部の者に限られ、つまりは、その人物を介して私を陥れる罠が張られた、と考えざるを得なくなる――。

どうして川崎市役所の内部にいる者が、私を陥れようとしなければならないのか。

確かに私は川崎市内を管轄する警察署に勤めている。川崎は政令指定都市のため、県警内に市の警察本部が形の上では置かれている。予算の一部も川崎市から出ている。市とのつながりがないわけではない。しかし――。

私は市役所内の不正を正そうと動いたわけではない。警察の不正を正そうという意思もなかった。敵は何を思い、なぜ私の自由を奪おうとするのか。いや、そもそも私は誰と戦おうとしているのか。今は手がかりすらつかめず、じりじりと袋小路へ追いつめられつつある。

問い返すような視線を送る広永に言った。

「先ほどの資料をもう一度見せていただけますでしょうか」

「何を調べるんです？」

「市役所と警察のつながりを、です」

広永は私の言葉の意味を噛みしめるように視線を巡らすと、鼻先に手を当て、ゆっくりと首をひねった。

夜を徹して政治部のフロアの片隅で、市役所に関する資料を探った。株譲渡事件など昔からの関係記事をまとめたスクラップ、広報から出された書面の束、それらに隈無く目を通してみたが、私の知る人物の名前は出てこなかった。ただ、過去の新聞記事の中には、株譲渡事件を担当した県警上層部の者の名前が出るには出てきた。が、すでによそへ異動していった者ばかりのようで、記憶にある名前は一人もなかった。

広永に手伝ってもらおうにも、この目で確認しなければ用は足せず、また自分でも何を探そうという明確なあてがあるわけでもなかった。それでも広永は、二時すぎまで私につき合ってくれた。その後は窓際に置いてあったソファへ移動し、仮眠を取る同僚たちの仲間に加わった。

昨年まで交通局経理課にいた管理職のうち、今年になって三人が異動していた。過去の定期異動と数に大差はなく、名簿を見ただけでは、不祥事が発覚しかかり、内密に処分が下されたかどうかの判断はできなかった。もっとも、ひた隠しにしたい不祥事となれば、見た目にも分かるような形での処分が下されるはずもなかったろうが。

四時までかかってあらかた資料に目を通してみたが、目新しい発見は何ひとつ得られなかった。他社の朝刊を見るために起き出してきた記者たちと交代するように、私は机の上へ突っ伏し、仮眠を取った。

打ち合わせておいた通り、七時前に広永から声をかけられて目を覚ました。会社で朝を迎える生活に慣れているらしく、彼はもう髭をあたり、出かける身支度を整えていた。ビジネスホテルで仕入れてきたと見える、安っぽいプラスチック製の歯ブラシと髭剃りを配給され、タオルを借りた。

　借り受けたままのレンタカーは、奇跡的にも路上駐車の切符も貼られず、ビルの裏に停車していた。運転席のドアを開けようとすると、広永が私からキーを奪い、さっさとハンドルの前へ収まった。

「運転は任せてください。裏道のあてがあるんです」

　そうは言ったが、あるいは私に少しでも休む時間を与えようとしてくれたのかもしれない。厚意に甘え、シートにもたれた。

　再び目を覚ました時には、高津区溝口《みぞのくち》の住宅街に到着していた。

　早朝からの警察の訪問に、主任監査委員の岩崎房敏は驚き顔で玄関に駆け出て来た。私は警察手帳を提示した。広永は無言で私の後ろに立った。昨日の電話の主の声を覚えていられたのでは困る。

「休日に朝早くから大変申し訳ありません。実は、今日は捜査ではなく参考のため、個人的にうかがわせていただきたいことがあって参りました。ご迷惑かと思いますが、少しお時間をいただければ幸いです」

　あとで警察官が新聞記者と行動をともにしていた、と判明した場合には、周囲の反応が少し怖い。せめてもの言い訳のために、事件の捜査とは言わず、あえて個人を強調しておいた。この程度で、どうにか弁護士のアドバイスに従ったことになるだろうか。

岩崎房敏は私たちを客間に通そうとしたが、堅く固辞し、私は質問に入らせてもらった。

「昨年の十一月、交通局経理課に、定期外の監査を実施したとお聞きしたのですが、なぜその時期に、突然とも言える監査を行うことになったのでしょうか」

誤解なさらないでいただきたいのですが、と岩崎房敏は慎重に前置きをしてから言った。

「別に特殊な事情があったわけではありません。もちろん、何かあったと分かれば、すぐにでも動きますが、定期の監査以外にも時期を見て目配りを利かす必要はあります。ちょっとした確認といったところでしょうか」

我々は、岩崎から監査についての簡単なレクチャーを受けた。

人口二十五万人以上の自治体では、法令により、常勤監査委員の設置が義務づけられていた。監査には、大別して、財務監査、行政監査の二つがあり、財務監査とは、その名の通りに、自治体の動かす金銭を財務上からチェックするもので、行政監査は、その金銭が正しく使用されているか、施設や物品等の管理が充分か、計画的な人事管理が行われているかなど、行政上の効率性や正当性を客観的視点から判断を下すものである。両監査とも、必要があると判断されれば、抜き打ち的な監査が行われるケースもあるという。

今回、我々が尋ねようとしている交通局への監査は、財務監査のほうになる。

通常、財務監査は、例月出納検査、定期監査、決算審査、事業ごとに行われる事務事業監査、それに随時監査、また、住民監査請求による監査など、趣旨によっていくつもの種類があった。

「今回の抜き打ち的な監査は、岩崎さんら事務局のほうで判断なされて行われたのでしょうか」

「例月検査の補強とも言える調査にすぎませんから、特に私らから持ちかけるわけではなく、助役や局長らと相談して決めるものです」

「相談なさった時期はいつだったのでしょう」

岩崎はいったん部屋へ戻り、昨年の手帳を持って戻ると、スケジュールのページをめくりながら答えた。

「九月の十日、ですかね。助役と相談、と書いてありますから」

「そんな早いうちから打ち合わせをなさったのですか？」

実際の監査が入るまでに、二ヵ月もの期間があった。これでは抜き打ち的な監査とは言えない気がした。広永の顔を横目で盗み見ると、彼も軽く頷き返してきた。

岩崎房敏は手帳から目を上げ、苦笑まじりの顔になった。

「当初は九月の中旬に少し見させてもらおうかと話を進めていたのですが、ちょうどそのころには、景気回復策として、急遽補正予算が組まれ、新たな工事を発注するための準備に入ることになりましてね。十月いっぱいは、事業の選定や予算の割り振りに時間をとられるので、一、二ヵ月遅らせたほうが業務に支障が出にくいとの相談があったんです。それで、時期を見直そうかとなりました」

「その相談は、どなたから持ちかけられたのです」

「確か、助役の児島さんからだったと思いますが」

「しかし、部署の都合を聞いたのでは、抜き打ち監査にはならないと思いますが」

「ですから、別に抜き打ちの監査というわけではないのですよ。例月検査の補強となる調査になります。仕事が順調に行われているか、その確認ができればいいわけですから。正式な監査は、期末や個別の事業ごとに行っております」

「もう一度確認させてください。当初は九月の中旬に実施する予定だった。それが、助役からの申し出により、二ヵ月ほど先送りになった」

「まあ、そうですが、児島さんが何も直接遅らせろ、と言ってきたわけではありません」

「しかし、最初の予定が決められたあとで、実施の時期について相談があったのは間違いはありませんね」

「そうなりますね。こちらで準備を進めようとしていた時だったので、九月の半ばすぎになっていたかもしれません」

「予定の変更は、これまでにも何度かあったのでしょうか」

「定例の監査でも、細かい日時の変更はたびたびあります。責任者が出張や何かで、立ち会えないこともありますから」

「二ヵ月も先送りにすることがありましたでしょうか」

岩崎房敏は手帳に目を落として少し考えてから、言いにくそうな顔で認めた。

「なかったと思います。しかし、誤解のないように願いたいのですが、昨年交通局で行った調査は、例月検査の補足となる確認のためのものでした。何か特殊な事情があったわけではありませんから。それだけは理解しておいてください。よろしいでしょうか？」

岩崎房敏はあくまで抜き打ち的な監査ではないと強調したが、実施の時期が二ヵ月も先送りされていた事実は気になった。その間に、書類を改竄《かいざん》する時間が充分に作れそうだったからだ。

広永も岩崎邸の門を出るなり、確信ありげな口調で言った。

「相手が助役となると、少し厄介になってきますね」

助役は、市長に次ぐ地位にあり、事務方の総責任者の立場にある。四年に一度選挙を経て選ばれる立場の市長と違い、長年にわたって役所の業務に携わり、出世の階段を上がってきた者が多い。下手をすると、市役所職員の中では、市長より強い発言権を持っているケースさえ考えられた。

「さて、どうやってアプローチをしかけますか」

助役ともなれば、市警察本部や県警の上層部と面識があったとしても不思議はなく、私が警察手帳を掲げて訪ねていけば、たちまち連絡が入れられてしまいそうだった。

　小鼻の横をなで回していた広永だったが、レンタカーの運転席に収まるなり、すぐに車をスタートさせた。驚いて横顔を見ると、彼はシフトレバーにかけていた左手を軽く振った。

「ご安心を。まともにぶつかろうって、わけじゃありません。焦って動いて、自分らの首を絞めたんじゃ、あとの祭りになる。相手が大きくなれば、下調べが肝心。警察の捜査だって、同じじゃないですかね」

　広永の目論見が読めずに黙っていると、彼はアクセルを踏み込み、スピードを上げた。

「児島って助役がどんな部署を渡り歩いてきたのか。当時の交通局の幹部とのつながりはどうか。先に裏を取っておいたほうがいいように思うんです」

　確かにそうだろう。私のように真っ正面からぶつかるばかりが能ではない、と言われた気がした。

　いったん社に戻り、我々は三たび市役所関係の資料をひっくり返した。広永からの指令が下っていたのか、川崎市政担当の若い記者もまだ帰っておらず、我々の作業に加わった。

　川崎市には三人の助役がいた。児島義弘は六九年入庁、事務職を中心に要職を歴任し、六年前に総務局長に就任、三年前の新市長誕生とともに、今の地位に就いていた。交通局経理課の課長である山内守男とは、七年前に都市整備局で局長と課長補佐の関係にあった。

「ここまでは、想像通りだ。まず間違いなく、助役から監査の情報が流れたんでしょう。

で、上の者が事前に目を通してみて、初めて経理の不自然さに気がつき、慌てて理由を作って監査を先送りにした」

今はまだ何の証拠もなかった。そうであれば、と願うだけだ。

「突つくとすれば、当時の交通局の者でしょうね。その反応を見てから、助役に当たったほうがいい」

もう広永は、私の持ち込んだあやふや極まりない情報から、確かな手応えを感じ取っていた。私から主導権を奪い、嬉々として若い記者に指令を飛ばした。

「おい、交通局の名簿をよこせ」

棚の前でまだ資料をひっくり返していた記者が、名簿とともにもう一枚、広報紙のような色あせた紙片を手に近づいて来た。

「何だ、それは？」

「面白いのがあったんですよ。これ、前の市長の後援会が出していた新聞らしいんですけど、ここに、助役の児島と監査委員の岩崎が一緒に写ってるんです」

「岩崎じゃあしょうがないな。交通局のやつはいないのか」

ぶつくさ言いながらも、広永は記者から差し出された新聞を受け取った。

タブロイド判ほどの大きさの、薄っぺらい新聞だった。せいぜい四ページ、つまりは一枚の紙を二つ折りにしたものだ。「市政新報」とのタイトルと並び、にこやかに笑う老人の顔写真が掲げられていた。彼が前市長なのだろう。川崎市に住んでいながら、顔に覚えがなかった。私はその程度の市民だった。

新聞の一面に、十人ほどの集合写真が掲載され、見出しには「青少年育成センターの落成式」と大きく見出しが出ていた。ずいぶんと古いものなのか、あるいは紙の質が悪かったのか、写真の左半分が変色していた。

「どれが児島だ？」

広永がデスクに置いた紙面に顔を近づけた。彼の肩越しに、私も写真をのぞき込んだ。中央には、年老いた市長。後列のやや左には、助役の児島がいる。監査委員の岩崎、そして――。

肩に手をかけ、広永を押しのけていた。目が紙面に釘づけとなった。

「どうしたんです？」

自分でも、どういうことか理解できなかった。

児島の左隣――後列の一番左に、私のよく知った顔があった。変色の著しい箇所だったが、どう見てもその人物に見えた。しかし、役所の人間でもない彼が、どうしてここに顔を見せているのだろうか。青少年育成センターの落成式に出席し、なぜ市長や助役と肩を並べて笑っているのか。

そこに写っていたのは、佐久間企画社長、佐久間昌夫に間違いなかった。

26

これは、どういう意味なのだろうか？　前市長の後援会が発行した広報紙の中で、佐久間昌夫が市長や助役ら市の関係者とともに笑顔で同じ写真に収まっていた。

すぐには憶測や邪推すら浮かばなかった。だが、私の周囲で起こった事件と市の関係者がつながりつつある。確かな予感と期待とほんのわずかな希望が、手にした広報紙からかすかな光を放ち始めたような気がした。

「どうしました？」

脇へ押しやられる格好になった広永が、驚き顔で振り返った。私は広報紙を見つけ出した若い記者に向かった。

「この人物なんですが、どうしてここにいるのかご存じでしょうか」

「誰です？」

一面に掲載された集合写真を指し示した。

「さあ……。何しろ、担当を引き継いでからまだ間もないものでして。見覚えのある人なんですか？」

見覚えどころではない。すべては、この人物が矢木沢稔と会食していた現場を、私が目撃したことから始まっていた。

広永がなおも物問いたそうな目を私に向けた。

「誰かと訊かないところを見ると、萱野さんがよく知っている人のようですね。――誰です？」

「佐久間昌夫という、横浜周辺でホテルや飲食店、それに会員制ジムやゴルフ場などを手広く経営している人物です」

「実業家ですか。となれば、市長の太鼓持ちの一人でしょうかね。こんなでかい顔して一緒に写ってるんだから、かなり筋のいい支援者になるでしょう」

若い記者は確信ありげに言うと、広永に目を向け、同意を求めた。部下に応えず、広永は私に視線を据えたまま考え込むような表情で言った。

「ホテルや飲食店の経営となると、その管轄は、あなたのいる生活安全課に――」

「残念ながら、この佐久間という人物の名前は、私のいる川崎中央署の管理する書類の中には出てこないのですよ」

「え？ では、川崎市内には店を持っていない」

「ところが、そうも言えないのです。横浜で手がけている店も、実質的には別会社が経営権を持ち、この佐久間が社長を務める経営コンサルタント会社が管理しているようなんです」

「すると、川崎のほうでも」

「まだ確認を取ってはいませんが」

「なるほどね。陰の実力者を気取っている人物というわけですか」

若い記者が感慨深げに頷き返した。広永はまだ探るような視線を変えていない。

「しかし、川崎のほうで名前を出していないとなると、この佐久間は、いったいどこからあなたの前に現れたんです？」

ニュースソース次第で、情報の信憑性は大きく左右される。新たな情報を知らされて、広永は出所が気になっているらしい。

私は少し躊躇した。しかし、今は広永の新聞記者としての経験と知識が必要だったし、弁護士からの一人で行動するな、というアドバイスもあった。

腹をくくり、最小限のことを打ち明けた。矢木沢の名前は出さず、この佐久間に警察内のある人物と親しくしているらしいとの噂がある、とだけ告げた。

特ダネとなり得る情報こそが、新聞記者の活力源となる。見る間に二人の顔が、目の前に標的をぶら下げられた射撃選手のように鋭さを増していった。

「前田さんなら、この佐久間って男が市長とどういう関係にあるのか、知ってますかね」

前任者の名前を出した若い記者に首を振り、広永は広報紙を手にした。

「面倒だ。後援会の関係者にぶつかったほうが早い」

広永が指先でつついた紙面には、「市政新報」とのタイトルの下に、寺山利明後援会事務所の住所と電話番号が記載されていた。

広永は私に同意を求めようともせず、さっさと私の借りたレンタカーのキーをつかみ上げた。

再び若い記者を連絡係として残し、新聞社を出た。目的地が川崎となれば、こちらに多少の地の利があり、今度は私が運転を受け持った。

「分からない人だ……」

交差点で停車すると、広永はポケットから煙草を取り出し、独り言のように言って口にくわえた。

「そうですね。しかし、彼が警察と市役所をつなぐ人物だったとすると、初めて見えてくるものが出てきそうです」

「そうじゃありませんよ。佐久間という人物のことを言ったんじゃない」

広永が小さく笑うと、一度くわえた煙草を私のほうに振り向けた。

「――あなたのことです」

信号が青になった。私は車を出し、横目で広永の表情を探った。彼は助手席の窓を細く開けると、煙草に火をつけ、深々と吐息をつくように車外へ煙を吐いた。

「どう考えたって、あなたの言ってることに信憑性はありそうになかった。いや、今もどれだけあるか疑わしいと思ってますよ。失礼だが、あなたのような立場の一警察官を、罠にかけてどれだけの価値と意味があるのか、まったく疑問だ。まともな新聞記者だったら、まず取り合いはしないはずだ」

「ありがとうございます」

「いや。だから、分からないって言ってるんですよ。ほんと、不思議だ。どうしてこんなふうにして、俺は動いてるんだろうか」

広永は不思議そうに言って首をひねりながら、また深々と車外に煙を吐いた。

後援会事務所の住所は、川崎駅のすぐ西、幸区大宮町になっていた。番地から見ると、西口の駅前通りを二百メートルほど進んだ辺りになる。市長が政治家を引退してからもう三年になるので、後援会事務所もすでに看板を下ろしているはずだった。

広報紙にあった住所には、三階建ての細いビルが建っていた。一、二階が「マサキ不動産」、三階の窓前には、「正木学習塾」との看板が見えた。

不動産屋で尋ねると、三年前までこの三階に、後援会事務所が入っていたのだという。それもそのはずで、マサキ不動産の先代社長が後援会長を務め、事務所を提供していたのだった。

銀行員然とした二代目社長に案内されて、店の裏口から外へ出ると、駐車場を挟んで小さな民家が建っていた。そこが、正木家の実家だった。

玄関横の木戸をくぐり、私たちは芝の植えられた庭へ通された。ビルの裏に位置してあまり陽の射さない狭い庭では、色白の痩せた老人がシャツの袖をまくり上げて土いじりをしていた。

集合写真の後列右端に写っていた初老の人物が、マサキ不動産前社長、正木啓介氏だった。

広報紙の日付は、今から五年ほど前になっていたが、現役を退き、後援会も解散したせいもあるのか、正木老人はさらに歳を重ねてしまったように見えた。まくり上げた袖口の下に見える腕が、痛々しいほどに白く細かった。唯一、口の両端に刻まれた皺が、未だ人生の現役を退いたわけではないと頑固なまでに主張していた。

正木老人は、息子から話を聞くなり、我々を値踏みするような目で睨みつけた。前市長の関係者となると、どこから市または県の警察本部へ話が伝わるかは分からなかった。いたずらに警察手帳は利用できない。広永が名刺を取り出し、老人に向かった。

「突然うかがわせていただき恐縮です。よくある企画ではありますが、引退された市長さんの仕事ぶりをお聞きし、現市長と比較してみようか、という案が出ておりまして。後援会の方なら、前市長の人となりについて、よくご存じだと思いますので、お話をうかがえればと思って参りました」

「新聞社に話すようなことは何もない」

素っ気なく言うと、正木老人は植え込みの前にかがみ、芝の上に置いたスコップを手にした。こんな態度がいつものなのか、横から二代目社長が私たちに苦笑を向けた。

広永が一緒になって、老人の隣にかがみ込んだ。

「いや、正直に言いましょう。実はですね、前市長の後援会のお噂は我々もよくお聞きしていたのですが、どうも今になってあれこれと首を傾げたくなる噂が出て来ておりましてね。本当はそれについての取材なんです」

急に声色を落とし、広永は老人に笑みを見せた。相手の態度を見て、からめ手からの質問では埒が明きそうもないと判断したようだ。正木啓介が口許の皺を一層深くして、彼を振り向いた。その顔前に、広永は素早く広報紙を差し出した。

「後援会長さんともなれば、もちろん、この方がどなたかはご存じですよね」

正木老人は紙面に目を落とすと、すぐに横を向いた。答えは返ってこなかった。

「名前と素性はこちらでも分かっております。佐久間昌夫さん。この方も後援会に所属なさっていたのですね」

「調べたんなら、そうなんだろう」

「ご記憶にないのですか？」

「後援会長なんてのは、ただのお飾りだ。会の運営は、理事会のほうが握ってた」

「こうして市長と一緒に写っているわけですから、佐久間さんも理事の一人だった？」

「そうだったんじゃないかな。何かとよくしゃしゃり出て来たがる男が多くて、よく覚えてないがね」

投げ捨てるように言い、正木老人は手にしたスコップで庭木の下の土を払った。

「――ただ、古顔をいつのまにか手懐けて、でかい顔をしてたやつがいたのは確かだな」

「手懐ける？」

そんなことも分からないのかとばかりに、老人はじろりと広永に睨みを利かせた。

「途中から入って来て、そう簡単に理事になれるはずがないだろうが」

「では、佐久間さんは最初からのメンバーではなく、途中から後援会に入られたと？」

「前の市長だった佐藤というのが、分からず屋でな。みんなして、通産省にいた寺山を引っ張って来た。ところが、だ。いざ寺山が市長になってみると、やたら色んな連中が会に近づいて来た。いつのまにか、俺たち古手はただのお飾りだ」

地元企業、各種団体、市長とのパイプを得ようとする者が、後援会に群がろうとするのは自然の成り行きだろう。正木老人は、あとから来た者たちに押されて、自分の居場所を奪われたのかもしれない。

「当時の理事のお仲間うちで、どなたが佐久間さんと親しくなさっていたのでしょうか」

「さあな」

「手懐けられた、とおっしゃいましたよね。そうやって佐久間さんから接触を受けた理事の方を思い出していただけないでしょうか」

「昔の噂だ。佐久間から直接聞いたほうが早い」

それができれば、どれほど簡単なことか。広永が思案顔になって老人に訊いた。

「では、当時の理事の方の名簿とかは、ございませんでしょうか」

「寺山の引退とともに、会も解散した。その時にみんな、処分した」

「では、ご記憶にある方のお名前だけでも結構ですから」

じろりと広永を睨み返しつつも、正木啓介は三人の名前を思い出してくれた。当時の川崎南商店会の会長、地元大手企業の工場長、それに川崎医師会の会長だった。地元の商店、企業、団体など、地元振興という名の市から落とされる利益を期待して集まる者がやはり多かったのだろう。

正木啓介は三人の名前を告げると、さっさと庭いじりに戻った。私は後ろから老人の背中に、そっと尋ねた。

「正木さんたちは、今の市長さんを支えようとは思われなかったのですか」

「どいつもこいつも、寺山の体が悪いようだと聞くと、さっさと政治家たちと一緒になって次の市長探しにかかりやがった。市長なんてのは、ただの御輿《みこし》だと考えてるようなやつらばかりだ」

陽の射さない庭を見ながら正木啓介は独り言のように言った。

「もう疲れたよ。一緒になって、こっちまでまたお飾りにされたくはないしな。冗談じゃない」

口の中で呟くように言うと、老人はまた芝生の前へゆっくりとかがみ込んだ。

「ああ。佐久間さんですね。で、この方がどうかなさいましたか?」

当時の川崎医師会の会長は、駅に近い近代的なビルを持つ総合病院の院長職に収まっていた。地元新聞社の名前が利いたのか、五分ならばという条件つきで、私たちを外来ロビーより広いのではと思えるような院長室へ招待してくれた。

宇野栄一は医者の不養生とも問われかねない顎の下の贅肉を揺らして、革張りのソファに座ると言った。

「何しろ、昔のことですからね。いきさつはあまり覚えてませんが、そうでしたね、佐久間さんは途中から理事になられた方だと思います」

「しかし、この佐久間さんは、横浜のほうで事業をしている方だと聞きましたが」

宇野栄一はふくよかな腹を揺すってにこやかに微笑みかけた。

「企業人がよその市長に近づいて、どうするんですか、あなた」

「では――」

「こっちのほうでも、会社を持ってたんでしょうね、きっと。まあ、当時は彼の家も中幸《なかさいわい》町《ちょう》のほうにあったような気がしましたがね」

　署の資料に佐久間昌夫の名前は出てこなかった。久保に頼んで調べてもらったルートからも、川崎市内での店の存在は現れていない。が、佐久間企画のようなコンサルタント会社をまた別にもう一社持っていた場合、資料には子会社の役員の名前が記載されるだけである。経営コンサルタントの親会社の社長名までは、確認のしようがなかった。

「当時佐久間さんは、川崎でどんな事業をなさっていたのでしょうか？」

「さあ……。あまりよそ様の仕事に関して深く聞けませんからね。ですが……」

　宇野栄一の笑顔が少し崩れたような雰囲気に変わった。

「何ですか。噂では、三業地のほうでも何軒か切り回していたとか……。まあ、好き勝手なことを言う人もいましたね」

　三業地――。その昔、芸者や待合などの置かれた場所のことだった。となれば、堀之内界隈を指すのだろうか。

　ふと、その近辺にいくつかの店を持つ、東翔産業の名前が思い出された。関連会社についても、至急調査してみたほうがいいのかもしれない。

「では、佐久間さんは、川崎での事業を広げようとして、市長やあなた方に近づいて来た、というわけですか」

「そういった動きを見せていたのは、佐久間さんに限ったことではありませんでしたがね。

まあ、私らも北口の再開発のために、寺山を担ぎ出したようなものでしたから、人様のことはあまり言えませんが」

地元の有力者や企業が候補者を支え、当選の暁には、何らかの恩恵を還元する。日本各地、場所を問わず、どの選挙地でも見られる構図だった。

これまでの調査では、佐久間昌夫の事業は横浜の周辺で着実に業績を上げつつあるように見えた。彼の住まいも横浜市内へ移り、佐久間企画のオフィスも市内中区に構えていた。当時は川崎市長に近づこうとした理由もあったのだろう。しかし、その佐久間が今になって矢木沢と会食していた理由は、どこにあるのか。今ひとつ隠された背景が見えてこない気がした。

広永も同じような感想を持ったのかもしれない。

「つかぬことをうかがいますが、佐久間さんはどなたか警察の方と親しくなさっていたのでしょうか」

宇野栄一の顔から笑みが消えた。

「実は、佐久間さんが今でもある警察署の幹部の方と親しくしているようだ、との噂があるのですが」

「さあ……私は知りませんが」

「当時の噂もご存じありませんか」

宇野栄一は腕を組み合わせて、無言で太い首を傾げてみせた。

「では、後援会のお仲間で、佐久間さんと親しくなさっていた方をご存じでしょうか」

「いや、理事と言いましても、それぞれ仕事を持ち、たまに会合で顔を合わせる程度ですから……」

「しかし、佐久間さんがお仲間を手懐けるようなことをして、後援会の理事に加わった、という話を聞いたのですが」

ようやく宇野栄一の顔に笑みが戻った。

「手懐けるとは、人聞きが悪い」

「会長さんのお言葉ですが」

「なるほどね。あの人はどうも、自分が何でも目を通さないと納得のできない人で……。我々理事の運営をどうも気に入っていないふうに見えましたからね」

「佐久間さんは、どなたかの推薦があって、理事になられたのですか」

「強い推薦があったとは記憶がありませんから、自然の流れでそうなったのではないでしょうか」

宇野栄一は余裕を取り戻したかのように言って、壁の飾り棚の置き時計に目をやった。もう約束の五分をすぎようとしていた。

帰り際に私たちは再びマサキ不動産に顔を出した。正木啓介といい、宇野栄一といい、とても協力的な態度とは言えず、なぜか彼らは佐久間昌夫についてあまり話したがらないように見えた。また別の理事を訪ねて話を聞くのはたやすかったが、同じ結果になるのでは、という不安があった。竹井伸子の職場での様子を聞く際にも、上司は当たり障りのない返答ばかりをくり返した。

そこで、後援会の中枢にいた人物ではなく、事務方にいて、会の内情についてよく知る人がいなかったかどうか、を確認した。

マサキ不動産の二代目社長は、しばらく考え込んだあと、事務所の手伝いに来ていた、古手の婦人部員の名を思い出してくれた。寺山利明後援会には、一般会員とは別枠を設けて、企業応援部、青年部、婦人部などの下部組織が作られていた。その婦人部副部長を務めていた女性なら、事務所の仕事にも精通していたはずだという。

電話で訪問の約束を取りつけ、新丸子駅に近い住宅地へ向かった。

今井君江は五十代の後半だろうか。新築してまだ間もないと見える自宅の居間で、上品な笑みとともに私たちを待ち受けていた。

彼女の夫が通産省時代に、寺山利明の後輩だった関係で、後援会の手伝いを始めたのだという。あるいは、今や夫も通産省や霞が関の周辺でかなりの地位に就いているのかもしれない。天井の高い居間を埋めた家具や調度品も、彼女の笑みに負けず劣らず、装飾的で値の張りそうな品々に見えた。

　広永から広報紙を見せられると、夫人は口元をハンカチで覆い、軽く頷いた。

「ああ。佐久間さんね……」

「この方が、理事になられた経緯について、何かご記憶にありますでしょうか？」

「ええ、何て言うんですか、急に理事の方々からお名前が出るようになりましてね。気がついたら、いつのまにかもうお仲間に入られていたような覚えがあります」

「後援会の理事になるには、何か決まりがあるのでしょうか？」

　夫人は口元をハンカチで覆ったまま、にこやかに微笑み返した。

「いいえ。寺山市長を応援する市民の集まりでしたから、別に大それた決まりがあったわけではありません。会長さんを始めとして最初から寺山さんを支えてきた方々、会報の印刷を一手に引き受けてくれていた印刷所の岡本さん、地元企業や商店会の方たちからもずいぶんと資金面で援助していただきましたから、そういった方々に理事になっていただき、積極的に寺山市長を支えていこうと考えていました」

「その中に、突然、佐久間さんが入られたわけですね」

「ほんと突然でしたわね。下にいた私たちには、少し不思議に思えてしまうところがありました。佐久間さんという方から多額の寄付を受けた記憶もございませんでしたし、広報車や集会所の提供を受けたわけでもなかったと思います」

「正確には、いつごろからでしょうか」

　夫人は片頰に上品な笑みを作った。

「三選の前だったと思います」

「ずいぶんはっきりと覚えていられるのですね」

「ええ。あの時は、市政のほうでいろいろありましたもので、最初のうちは新聞報道などでも苦戦が予想されるとか書かれまして、私どもも必死になって準備を進めておりました。ちようどそのころだったと思います、佐久間さんのお名前をお聞きするようになったのは」

「しかし、佐久間さんがその選挙の際に、市長陣営に多大な協力をしたという記憶はない、と？」

「もちろん、寄付をいただいたとは思います。佐久間さんの手がけていた事業を中心にして、票の取りまとめもなさっていただけたと思います」

「佐久間さんは、地元の川崎でどれほどの事業をなさっていたのでしょうか？」

「私のお聞きした範囲では、横浜のほうでずいぶん手広く事業をなさっているという話でしたが」

　どう尋ねても、夫人は、久保の集めた情報を越える事実は知らないようだった。宇野栄一の話では、地元の川崎でも何かしらの店を持っていたというが、どれほどの規模のものだったのかは、疑わしいところがあるのだろうか。

しかし、それでも佐久間昌夫は、川崎市長を二期にわたって務めた寺山利明の後援会に理事として接近した。会報の写真に市長や助役と並んで収まるような存在になっていた。

仕事の上で、今後は政治家との接点を持っていたほうが得策と考えたのか。選挙の近い川崎市長に接近したのは、政界接触への単なる手始めだったのかもしれない。だが、その時期になって突然、強引とも思える手段で理事になろうとした理由が不可解に映る。

彼の目的は何だったのか。

「選挙後はどうだったのでしょうか。寺山さんが三期目の当選を果たしたあとも、佐久間さんは理事のお仕事をこなしていたのでしょうか」

「いえ、確か会合にもあまりお見えにならなかったような……」

「しかし、この会報には、市長とご一緒の写真がありますね」

「事業をなさっている方には、こういった集まりは、ご自分の顔を売るいい機会になりますでしょうからね」

笑みを絶やさず、夫人は言った。明らかな批判をにおわせての笑みだった。

「佐久間さんは、こういった集まりはともかく、当選後はあまり積極的に会合にお出にならなかったのですね」

「お仕事がお忙しかったのかもしれません」

「では、佐久間さんがあなた方の前によく姿を見せたのは、選挙期間のことになりますか？」

苦戦が予想されたという三選の時期に、佐久間は後援会に接近してきた。選挙参謀のような役割をしていたのだろうか。そうなると、佐久間の側にだけ目的があったわけではなく、寺山と後援会サイドにも、佐久間の存在価値があったことになってくる。

私は黙っていられず、横から口をはさみ、その疑問を夫人にぶつけてみた。だが、彼女の笑顔は変わらなかった。

「地元の商店会や企業をまとめる方々が、後援会の理事になっておりました。いくら佐久間さんが手広く事業をなさっている方とはいえ、選挙に大きな影響は……」

「しかし、苦戦が予想されていた選挙だったはずですよね。藁《わら》をもつかむ気持ちで、佐久間さんの人脈に頼ろうとした。そうは考えられませんか」

夫人は初めて声に出して笑った。そんなに的外れな質問だったのだろうか。

「あら、記者の方なのに、選挙のことをお調べになってこられなかったようですね」

痛いところを突かれ、私は黙った。広永も隣で眉の上を掻いていた。

「苦戦が予想されたのは、最初だけでしたの。結果は次点の方を三万票以上も引き離しての当選でした」

「しかし、なぜ苦戦との予想が？」

広永の問いかけに、夫人はハンカチで再び口を覆った。

「それが寺山さんの持っていた運というものかもしれませんわね。——最大のライバルと見られていた方が、公示の少し前になって脱税が見つかり、警察に捕まりましたの」

27

おぼろげながらも形を見せてくるものがあった。まだ曖昧模糊《あいまいもこ》とした輪郭にすぎなかったが、憶測と願望の絵筆で色を補ってやれば、辛うじて今回の事件の関係図が浮かび上がってくるようだった。

神奈川日報本社に電話を入れると、七年前の記事はすぐに発見できた。私たちはコンビニエンスストアに設置されたファクシミリの番号を店員から聞き出し、記事を入手した。

『**脱税容疑で元県議を逮捕**

代表取締役を務める不動産会社の経理と本人名義の所得を五年にわたって操作し、計五百六十万円に及ぶ地方税を不正に逃れていたとして、神奈川県警捜査二課と宮前署は二十三日、不動産会社経営諏訪部《すわべ》宗平《そうへい》（58）容疑者を脱税の疑いで逮捕した。同課によると、昨年から国税庁が諏訪部容疑者の経営する株式会社東総開発の内定調査を進めており、まず地方税の脱税容疑がほぼ固まったとして県税事務所からの告発を受け、慎重な捜査を続けていたが、諏訪部容疑者個人の所得申告からも不審な点が発見され、悪質であると判断、今回の逮捕に踏み切ったという。今後は神奈川地方検察庁と協議し、国税法違反についても追及していくものと見られる。

　諏訪部容疑者は、八二年から四期にわたって神奈川県会議員を務め、今年十月の県議選を見送ってからは、地元川崎市で市民団体「川崎の明日を考える会」を結成し、来年二月に迫った川崎市長選に、自民党の推薦を受けて立候補する予定になっていた。なお、諏訪部容疑者は調べに対し、経理や税務上についてはすべて会社と税理士に任せている、と供述し、容疑を全面的に否認している。』


過去の県会議員名簿から探り出した住所に諏訪部宗平はすでに住んでいなかった。四期にわたって県議を務めながら、脱税容疑で逮捕されたのでは、市長選の立候補はおろか、市内にとどまることもできなかったのだろう。

広永が電話を駆使して、当時の取材を担当した記者を探した。その記者から、諏訪部宗平の顧問弁護士の名前を聞き出して電話を入れ、転居先の住所を知った。静岡県清水市に夫人の実家があり、そこで家業を継いでいるという。

「萱野さん。確か佐久間昌夫という人物も、傘下に不動産会社を持っているんでしたよね」

広永は聞き出した住所を素早く手帳に書き留めると、勢い込むように言った。

「諏訪部宗平も地元で不動産会社を経営していた。そして、彼が市長選への立候補を表明するのとほぼ同じ時期に、佐久間は寺山の後援会に顔を見せるようになった。とても偶然とは思えない」

新聞社からの情報を手に入れると、広永はレンタカーを東名高速の川崎インターへ向けた。薄闇の中から事件の全容が姿を見せ始め、すでに主導権は一被害者から新聞社のものへと移り始めていた。

静岡へ向かう間にも、広永の携帯電話に社からの新たな情報が入ってきた。

諏訪部宗平は逮捕から二週間後に起訴され、その直後に保釈されて、翌年の一月から正式な裁判の審議が始まっていた。支持者や選挙民の目もあったのだろう。諏訪部側は全面無罪を主張して争ったという。

二年にわたる裁判の結果、罰金刑が言い渡され、直ちに諏訪部側は控訴の手続きを取り、一年八ヵ月後に、ようやく一審を破棄しての無罪判決を勝ち取っていた。検察側は上告を断念し、諏訪部の無罪は確定した。しかし、一度失った選挙民の信頼を取り戻すことはできず、裁判中に県議選への出馬を表明したものの、思うように支持者を得られずに断念、さらには判決確定後にも出馬しようと動いたと聞くが、結局はあきらめざるを得なかったようだという。そして三年前には、夫人の実家のある清水市へ転居していた。

「無罪になっていたとは驚きだ」

広永が皮肉そうに口元をゆがめて言った。

「同じ脱税でも、どこかの国会議員とは、ずいぶんと違う皮肉な結果ですね」

控訴審を含め、四年にわたる裁判の結果、諏訪部宗平は無罪を勝ち取っていた。にもかかわらず、実質的には、何も得られなかったも同じだった。判決の記事は申し訳程度のものが出たにすぎず、どれほどの選挙民が、その結果を知っていただろうか。

脱税容疑で逮捕された一県議の裁判結果など、誰が四年も注目して待ち続けるだろうか。誰もいない。だから、地元の新聞にもろくに掲載されず、ましてや全国紙ともなれば——。諏訪部にとっては、逮捕の事実のみが、すべてだった。警察の早すぎる判断が、彼の将来をつみ取ったのだ。

清水インターを下りた時は、すでに午後二時半をすぎていた。どちらからも食事をとろうという話は出ず、地図を頼りに教えられた住所を探した。空腹よりも、真相への飢えのほうが勝っていた。

静岡鉄道の御門台《みかどだい》駅に近い商店街の外れに、諏訪部夫人の実家はあった。正面に掲げた大きな看板で、奥の古びた瓦屋根を隠した、間口二間程度の小さな酒屋だった。

引き違いの硝子戸を開けて中へ入ると、奥でちんまりとした置物のような老人が眠そうな目を無理やり開けるようにして店番をしていた。その老人が、諏訪部宗平だった。

彼は広永の差し出した名刺を手にして、ようやく眠りから目覚めたように背筋を伸ばした。だが、名刺はすぐにレジ前のテーブルに投げ出された。

「今さら新聞記者が来るとは珍しい。無罪が確定したって、誰も来てくれなかったのにな」

間延びした声で言い、これ見よがしに私たちから視線をそらした。目をやった先の棚には、日本酒の一升瓶が各種取りそろえられており、品揃えは悪くなかったが、どの瓶にもうっすらと埃がかぶっていた。

「そうか。今度はこの店に脱税容疑がかけられたのかな」

自分で言っておきながら、さも面白くない冗談を聞いたように、老人は鼻先で軽く笑い飛ばした。自嘲と諦念が、笑った先から見る間に頰を強張らせていった。

広永が真顔で諏訪部の前に廻り込んだ。

「今になって不愉快な過去を思い出させるようなことになって申し訳なく思います。ですが、七年前の事件についてあらためてお聞かせいただけないでしょうか」

諏訪部の目がにわかに見開かれた。喉にこもったような声で言った。

「何が事件だ？」

言葉を返そうとした広永をさえぎるように、諏訪部はレジの前で立ち上がった。そうやって広永と並ぶと、痩せた肩の線がより一層細く強調されたように見えた。

「どこに事件があった？　いいか、あんた。俺は無実だったんだ。最初から事件なんか、ありはしなかった。警察と税務署がぐるになってでっち上げて、あんたら新聞がはやし立てたんだよ。それを分かって言ってるんだろうな」

「ですから、あらためてお話を――」

「ここで俺が昔のことを話したら、あんたらが無実を大々的に記事にしてくれるってわけか。そうしたら、選挙民が戻ってきてくれるってのか、ええっ？」

諏訪部は口の端に泡をためて、まくし立てた。勢いに押されて、広永が黙り込んだ。

「あんたらは、いつだってそうだよ。逮捕の時だけあんなでっかく書き立てておきながら、無罪判決が出たっていうのに、これっぽっちも記事にしてくれない。あんたらだって、警察と一緒なんだ。何を今さら――」

「お父さん――」

レジの奥に見えた硝子戸が開き、四十代後半と見える女性が姿を見せた。娘にしては歳を取りすぎていた。少しは年齢も離れていたのかもしれないが、黒々とした髪と手慣れた薄化粧が何割増しかの若さを与えていたのだろう。あるいは、朽ち折れたような諏訪部のほうが、老いを余計ににじみ出し、年齢差をより多く感じさせる結果になっていたのか。

女性は私たちに向かうと、腰を折って深々と頭を下げた。

「諏訪部の家内でございます。新聞記者の方とお聞きしましたが」

夫の隣でかつてはこうしていたのであろう、丁寧かつ毅然とした礼の仕方だった。

「神奈川日報の広永と言います」

私も彼にならって一礼した。

ふてくされたようにそっぽを向く老人に、夫人は優しく呼びかけた。

「私も気持ちはお父さんと同じよ。でも、この人たちにからんだところで何にもならないでしょ。いい機会じゃない。これまでのことを、すべて話したら？」

「話したからって、昔に戻れるわけじゃあるまい」

「そうかもしれない。でも、お父さんのことを理解してくれる人が少しでも増える。昔もそうやって、二人して支持者を一人一人集めたじゃない」

「また興味本位にもてあそばれるだけだ」

私は諏訪部の前に進み出た。

「お怒りは充分お察しします。突然こんな話を出しても、すぐには信じていただけないかもしれませんが、私も警察から謂れのない罪で追われようとしています。私にはなぜこんな事態になったのか、よく分からないところがあるのですが、どうも諏訪部さんの事件とどこかでつながりがありそうな状況になってきたのです」

私たちから顔を背けていた諏訪部の背中が、棘にでも触れたかのように素早く伸びた。夫人が驚き顔で私を見つめた。

「思い出したくないことかもしれません。ですが、詳しい事情をお話ししていただけないでしょうか」

「ことの次第によっては、諏訪部さんの名誉回復につながることかもしれないのです。ここでは確約はできませんが、社としてできる限りのことをさせていただきます」

広永が続けて頭を下げた。

「ね。話そうよ。話して気持ちの整理をつけよう。そうしようよ。お父さん」

妻の呼びかけにも、諏訪部は黙って埃のかぶった一升瓶の並ぶ棚を見ていた。

二分近くもそうしていたかもしれない。やがてゆっくりと諏訪部は妻に目を移した。

言葉を発したわけではなかったが、夫人に気持ちは伝わったようだ。それとも、夫へ踏ん切りをつけさせるためだったのだろうか。レジの前に立つ私たちに向かい、さあ、どうぞ、と奥へ誘った。

硝子戸の先に三畳ほどの荷物置き場をかねた倉庫への通路があり、すぐ奥にもう一枚の硝子戸があった。そこを開けると、ソファの置かれた居間になっていた。店の中だけではなく、通された居間もどこか埃っぽく感じられた。薄暗い店内の雰囲気と、主の放つ匂いのせいだろうか。

やがて、影を引きずるように、諏訪部がのそりと居間に入って来た。夫人は私たちにお茶を入れると、諏訪部と交代に店番に出た。レジの前に座りながらも、ちらちらと夫を気遣うような視線をこちらに向けた。

諏訪部は私たちから離れるように、キッチンテーブルの椅子に腰を落とした。

「あんた、何をやった？　警察ににらまれるようなことをした覚えがないのか」

　思い切って私は告げた。

「——実は、私も警察官なのです」

　諏訪部の顔が驚きに染まった。広永が、いいのかと問うように私を見た。過去の痛みを話そうとする人の前で、自分一人が高みの見物を決め込むわけにはいかなかった。

「先ほど諏訪部さんは、警察と税務署に事件をでっち上げられた、とおっしゃいましたね」

「いや、それは正確じゃない。事件をでっち上げたのは警察と税務署だが、連中を裏から動かしたやつが別にいる」

　広永と顔を見合わせると、諏訪部は皮肉そうに薄い唇の端を持ち上げた。

「分からないかな？　俺が逮捕されて、誰が一番得をしたと思う」

　市長選立候補のために、彼は四期にわたって務めていた県議の席を明け渡していた。そして、最大のライバルと目されていた彼の逮捕により、苦戦の予想されていた寺山が——。

「では、諏訪部さんは——寺山市長が？」

　譫言《うわごと》のように放った広永の問いに、諏訪部は当然だとばかりに頷き返した。

「あんたら新聞記者は、警察からの発表を鵜呑みにするだけで、誰一人としてあの事件に本腰を入れて取り組もうとしなかった。そりゃあ、あんたらも忙しいんだろうとは思う。毎日次から次へと殺人だ盗みだ収賄だと、なにがしかの事件が起こる。記事にするのも大変だけどな、時にはすべてが決着した時に、事件をもう一度見直してみるといい。事が起こった当時には見られなかった眺めが見えてくる場合だってある。いや――」

力強く首を振って、諏訪部は続けた。

「あの件に関しては、ちょっとまともな考え方のできるやつだったら、すぐにおかしいと思えたはずだ」

広永は、ファクシミリで送られた新聞記事のコピーを懐から取り出し、視線を落とした。

「いいか、あんた。たかだか何百万の脱税容疑で、どうしてこれほど大々的に逮捕されなきゃならない。俺がごまかしていたという五年で割って見れば、百万ちょっとの金額だぞ」

「しかし、これは地方税についてで、国税のほうでも追及をする予定だと……」

広永の問いに、諏訪部は鼻を鳴らした。

「あんたら、何を調べてきたんだ。会社のほうの告発は、結局やつらだって断念するしかなかった。社長といっても、名義だけのようなもので、実質的には副社長をしていた甥っ子が切り回していたからな。俺は会社の経理に一切関わっていなかった。それが立証されたから、個人名義の所得のみで、やつらも起訴する以外にはなかったんだ」

「では、地方税と国税を合わせての額は……」

「千八百十万だった」

毎年税務調査が行われ、悪質な業者が国税庁と検察によって摘発されているが、報道されるのは、決まって数億円にも及ぶ巨額な不正経理ばかりだった。確かに諏訪部のケースは、逮捕されるには、あまりにも額が小さく映る。

広永が遠慮がちに記事から諏訪部へ目を向けた。

「しかし、こう言っては何ですが、あなたは普通の市民とは少し立場が違う。当時、県議から離れられていたとはいえ、市長選を控え、公人とも言える立場にあった。そんな人物が五年にわたって脱税をしていたのでは、逮捕されても仕方がなかったのではないでしょうか」

「あんた。やっぱり裁判の結果を調べてないな」

ばっさりと切り捨てられて、広永は口をつぐんだ。諏訪部の名前すら、つい三時間ほど前に聞き出したばかりなのだ。当時の担当記者から弁護士を探り出してはいたが、詳しい裁判の内容についての取材は一切していなかった。

「控訴審で、無罪になったとは聞いています」

私が当たり障りのない答えを口にすると、諏訪部はうんざりとしたような表情になり、眉をしかめてみせた。

「いいか、あんた。そもそも検察は、略式手続でごまかそうとしたんだ」

比較的罪の軽い罪状や、交通事故などの時に、法廷で争うのではなく、簡易裁判所で行われる書類上の判決のみですまそうとする、最も簡易な裁判の方法である。

「検察としても困ったんじゃないかな。法廷に持ち込まれたら、勝ち目がないのは想像がつく。だから、事実関係の有無を確認だけして、略式でごまかそうとした」

「しかし、一審では罰金刑になっていましたよね」

諏訪部は唇を引き締め、私に頷き返した。

「意地だよ、検察官のな。こちらがやつらの方針を突っぱね、法廷へ持ち込んだものだから、意地になって罪状を作り上げようとした。こっちのあんたがさっき言ったように、元県議の俺は公人も同然で、そういった立場の者が脱税に関わっていたのでは問題がありすぎる。もっぱら、その点ばかりをうるさく立証しようとした」

「脱税の事実はあったのですか?」

「何を言っている。元々は、経理上の単なるミスだよ。いや、税務署と経費についての解釈の違い、としか言いようがないな。本来なら、修正申告に応じて、追徴課税を支払えば、それで終わりだ。けど、たまたま会社のほうにも同じ問題が生じた。そりゃあそうだ。税理士が同じなんだから、経費についても同じ処理をしていた。会社と個人、両方から同時にミスが見つかったんで、それを根拠に最初は脱税だと騒ぎ立てたわけだ。でもな、税務調査となれば、税務のプロが束になってかかって来るんだ。多少の記載ミスや解釈の違いはどうしたって出てくる。つまり、会社と本人、同時に税務調査を行い、似たようなミスを見つけて脱税行為だと騒ぎ立てたわけだ」

広永が私を振り向いた。

「しかし、そんな簡単に、脱税容疑で市民を逮捕できるものなんですか」

「認めたくはありませんが、可能でしょうね。たとえ申告書の記載ミスであろうとも、故意に行われたと税務署側が判断すれば、検察や警察への告発はできます。それに、過少申告を続けていた事実が実際にあるのですから、裁判所としても逮捕状が請求されれば、たとえ問題となる金額が少なくとも許可を出す場合はあるでしょう。何しろこの手の大袈裟な逮捕状の請求は、別件逮捕としてよく使われる手でもありますから」

路上で立ち小便をしただけで、軽犯罪法違反に問えるし、馬鹿野郎と人を罵《ののし》っただけで脅迫罪に問うことも可能だった。たとえどんな微罪だろうと、疑うに足る証拠さえあれば、法律上は罪に問える、と言えた。厳格すぎる法解釈という名目を盾《たて》に、我々警察は、別件逮捕で容疑者を拘束している。

「待ってください。じゃあ、警察は別件容疑で諏訪部さんの逮捕を……」

「そうじゃないさ。刑が確定しなくたって、別にやつらとしてはかまわなかった。要するに、俺が警察に逮捕された事実だけがほしかったんだ」

「諏訪部さんは、それを寺山市長が仕掛けたと……？」

広永が半信半疑に問いかけた。

「ほかに誰ができる？　いいか。市長ともなれば、地元の警察に顔ぐらいは利く。ましてや川崎は政令指定都市だ。市とのつながりは、よそよりもはるかに強い」

「しかし、いくら何でも、市長に持ちかけられたからといって、警察が罪もない人を逮捕するはずが……」

「それが事実だ」

諏訪部はきっぱりと言い切った。

「確かに、税務署を動かすことは可能かもしれません。市民から、脱税をしているらしいという情報があれば、税務署は調べに動くと聞きました。しかし、いくら顔が利くといっても、警察がどうして市長の言いなりに」

「だから――」

キッチンテーブルをたたかんばかりになって、諏訪部は声を上げた。

「だから俺は、事件が落ち着いてから、もう一度見直してみろと言ったんだよ。そうすれば、あんたらにだって見当はつく」

「今になると、どんな景色が見えるのですか」

私は訊いた。

「当時は見えなかったものが、今は見えるとおっしゃいましたね」

「ああ。面白い眺めが見えるよ。警察だって役人なんだって、よおく分かる眺めがな」

28

諏訪部宗平の言葉通り、警察官も地方公務員と同じ立場にあった。その採用は、一部の専門幹部候補生をのぞき、各都道府県単位で行われている。

ただし、警視正以上へ昇進した場合は、国家警察官、地方警務官となって、人事権は国の機関である警察庁が持つ。つまり、地方公務員から国家公務員へと立場が変わるのだ。これは、警察の職務から見て、ある程度の全国的な指令系統が必要とされ、都道府県を越えた人事交流をしておくべき、との考え方があるためである。

現在、給与に関してだけ言えば、国家公務員より地方公務員のほうが優遇されており、警視から警視正へと階級が上がったにもかかわらず、国家公務員扱いとなるために、給与の額面が目減りしてしまうケースもあった。

人事権や給与待遇面からのみ見て、単純に、警察官も役人だ、と言い切るわけにはいかなかったが、確かに国や都道府県下の組織で働く者である以上、我々警察官も役人の一種であるという側面を持っていた。

しかし、それを顕著に映すような眺めが、どこにあるのだろうか——。

諏訪部が反応を面白がるような顔つきで、私の目をのぞき込んできた。

「あんた、どこの署にいる？」

「川崎中央署ですが」

「じゃあ、分からないかな」

「川崎中央署では、その眺めが見えませんか？」

「少なくとも、俺が川崎にいた三年前までは、だ。でも、今がどうなっているかは分からない」

「諏訪部さん。それは、警察官でなければ見えにくい眺めなんですね」

広永が質問で割って入った。

諏訪部の首が素早く横に振られた。

「いや。あんたにだって見える。記者の端くれだったら、見えてこなきゃならないものだ。なのに、曇った目しか持たないあんたらは見過ごしてきた」

諏訪部は唇を舌先で湿らせると、私たちの顔を見比べた。

「あんたら、神奈川警備保安協会という団体を知っているか」

戸惑う広永と顔を見合わせた。〝警備〟や〝保安〟という単語から、警察と何らかの接点があってもおかしくはない団体に思えた。

「正式には、社団法人の形を取っていたと思うが……。何でも横浜や川崎の駅の周辺で、飲み屋やパチンコ屋やゲームセンターだとかを経営している業者の集まりで、神奈川遊興業者会という親睦会があって、そこの連中が地元企業にも声をかけて設立した団体だという。当時は、京急の日ノ出町駅の近くにあった雑居ビルの二階に事務所を構えていたはずだ。あとになってその団体のことを知って、ある大新聞の横浜支局に教えてやったんだが、誰も動こうとしなかった」

諏訪部はわずかに震えを見せた唇を、ぐっと引き締め、当時の悔しさを腹の奥へと呑み下した。

「警備保安、というからには、警察と縁の深そうな名前ですね。防犯協会と似たようなところですか」

すらりと防犯協会という名称が出てくるとは、広永もかつてはサツ回りをした経験があったに違いない。

防犯協会は、戦時中の「隣組」から発展した、地域に根ざした防犯のための活動組織で、主に町内会やそれに類する団体が運営に当たり、地元の警察署と連絡を取り合って、地域の防犯運動に当たっている団体である。都道府県をまとめる連合会や、全国組織の財団法人も作られ、表面上は巨大な組織となっているが、実質的には、各地域のボランティア活動に頼り、近ごろではあまり目立った活動を見せていない組織も多いと聞いた。

諏訪部は広永に視線を据え、吐息をつくように口を開いた。

「まだ見えてこないのか、あんたには。いいか。防犯協会と似たような組織じゃ、飯の種になると思うのか？」

「飯の種……」

広永が言って、こちらを見る気配があった。私は二人の顔をまともに見られず、膝の上に目を落としていた。なるほど、我々警察官も役人には違いない。新聞報道を見るまでもなく、国の各省庁の下にはいくつもの財団や社団法人が作られている。

苦い思いを呑み込み、私は言った。

「その団体の役人や理事に、当時諏訪部さんを逮捕した者が――」

「まさか萱野さん、そんなことが……」

否定ではない。もう広永にも、その眺めは見え始めていた。だが、信じたくない気持ちからの言葉に聞こえた。

諏訪部は一度店にいる妻のほうを見やり、それから細く息を吐いた。私たちに目を戻して言った。

「やっと見えてきたか。――そうだよ。俺の逮捕には、地元の宮前署が動いたんだが、当時の署長が定年後に、その神奈川警備保安協会の顧問に収まった。しばらく間を置いてからだが。今では、理事長にまでなったという噂もある」

「しかし、天下り先の確保のために……そんな不当な逮捕を」

広永はまだ半信半疑のようだった。

諏訪部がまた皮肉そうに笑った。

「いいかい。横浜や川崎で店をやってる連中が金を出し合って設立した団体なんだ。ああいう店は、何かとトラブルも多いだろうし、組織暴力団から圧力や誘惑もかかりやすい。そのための警備や保安上の相談や処理を名目にすれば、立派な公益法人の設立目的になる」

警備や保安を目的にした公益法人となれば、退職した警察官が顧問に就任したところで何の不思議もなかった。

「どこまで当初の設立目的に沿った活動をしているのかは知らない。いや、確かにまともな役割も果たしているんだろうな、きっと。まっとうな市民の営業している店ならば、トラブルはさけて通りたいはずだ。毎月わずかな経費で、元警察署長のアドバイザーがつくのなら、これ以上頼りになるものはないだろう」

退職したばかりの警察官なら、当然、地元署にも顔が利く。ましてや、署長ともなれば、かなりの発言権を持ってくる。たとえ事件として立件できないような小さなトラブルでも、退職警察官なら、現役の名前をちらつかせて、事態の収拾に乗り出すことも可能だった。

「それだけじゃない。暴力団の息のかかった店だって、その協会に加われば、警察からの情報だって手に入れられるかもしれない」

「まさか……」

広永が呟き、私に視線を振った。

諏訪部がテーブルの端をつかんで乗り出した。

「どうして、まさか、と言える？　いいか、退職後の面倒を、いずれ業界が見てくれるという保証があるのも同じなんだ。多少のお目こぼしぐらいはしてやろうかと思うのが、人情ってもんじゃないだろうか」

「では、最初から、それが目的で――」

広永の問いに、諏訪部は慎重な態度で首を振った。

「断言はできない。だけど、警官にとって、これほど都合のいい再就職先があるか？　協会を通して、業者の情報が手に入りやすくなる。見た目には、繁華街でのトラブルは少なくなり、治安のいい街作りができる。業界も安心して、仕事ができる。――しかし、実際には、取り締まる側と業界の、持ちつ持たれつの関係が深まって、あくどい業者が地下深くに潜ってしまう結果になる」

「でも、どうしてこんな団体の運営が、今まで表面化しなかったんです？」

「だから、あんたら記者の目は曇っていると言ったんだ」

「しかし、それにしても……」

広永が問いかけるように私を見た。諏訪部も同じような視線を向けてきた。

仕方なく、私は言った。

「おそらくは、警察官の天下りが、その団体に限られているわけではないからでしょうね」

「まだ、ほかにも?」

「あったとしても、おかしくはありません。それに、その団体への天下りが、署長一人でなかった場合には、どうやって諏訪部さんとの接点を見出すか、難しい問題もあります」

我々の場合は、前川崎市長の後援会に接近した、佐久間昌夫という人物についての情報を得ていた。地元遊興業界と市長の関係についても同じである。当時の記者たちとは、団体周辺を眺める別の角度を事前に持っていたからこそ、諏訪部の話から手応えを感じ取れているのだった。事前の情報がなかった場合、どれだけの景色が見えていたかは分からなかった。

「その団体の役員を至急調べてみる必要がありますね」

広永が手帳を閉じ、自分の膝に打ちつけた。

「信じたくはないが、これはもう間違いない。今回の事件の裏には、地元警察と前市長、それに地元業界の癒着が大きく関係している」

——警察も役人にすぎない。

諏訪部の言った言葉が、体の奥深くへ重く沈みつつあった。矢木沢は生活安全課の課長で、地元遊興業界との交流は、否応もなくあった。その中で、彼は神奈川警備保安協会の存在を知った——いや、あるいは、上司から話を聞かされたのかもしれない。

彼の意思だったのかどうか、判断しにくいところはあったが、いずれにせよ彼は、天下り団体への接触を試み、佐久間昌夫に接近した。ところが、彼の動きを快く思わない者がいて

――密告した。それが真相なのではないだろうか。

矢木沢が協会への接触に成功すれば、いずれはそこでのポストがこの先ひとつ減る。自分の再就職先が失われるかもしれない、と考えた者の密告だったのではないか。

その状況証拠となりそうな事実もあった。

密告者は矢木沢のみを標的にした。だからこそ、矢木沢と蔵原嘉郎の親密な関係を密告したのだ。私が目撃した佐久間昌夫との会食について密告したのでは、協会の存在までがクローズアップされてしまうかもしれない。

ところが、協会へ近づこうとしていた矢木沢からすれば、すぐに佐久間への接触を密告されたものと思った。しかも、同じ職場にはかって矢木沢を密告した私がおり、協会の噂を知る機会があったとしてもおかしくはなかった。

そう考えれば、密告後の署内の動きにも、納得はできた。あれは、協会を巡る綱の引き合いだったのではないか。地元企業の運動会に、交通課長が貴賓として招かれ、直属の部下が駐車場の整理係をしていた。あの地元企業も、協会設立に関わっていたとすれば、眺めはもう見えてくる。しかも、彼らの動きをどこからか知った警備課長が、わざわざ私に情報を流した。

すべては、協会を巡る足の引っ張り合いなのだ。密告者と見られていた私を動かし、相手を追いやろうとした。署の幹部連中の間では、協会の存在が公然の秘密となり、役員の椅子の奪い合いが演じられていた。そうとしか考えられなかった。

矢木沢の署内での評判を落とし、椅子取りゲームから追いやるのが、密告者の真の目的だった。

警察官としての行動を問う密告なら、まだ組織のためになると言えたが、今回の件の裏には、自分らの保身と将来への足がかりを得ようとする、さもしさしかなかった。

だが、私自身も内なる志や正義感を抱き、警察に職を求めたわけではなく、特練員を解かれて以来は、上司に言いつけられて仕事を漫然とこなす、ただの役人だった。私も警察官という名の地方公務員にすぎなかった。

忸怩《じくじ》たる思いが私を無口にさせた。代わりに記者としての手応えをつかんだ広永が饒舌《じょうぜつ》になった。必ずや諏訪部さんにとって悪い記事にはいたしません。もう一度上の者とあらためて話をうかがわせてもらいに来ます。ぜひご協力をお願いします。

広永一人が興奮して、今後の話を進めた。私は黙って成り行きを見るだけだった。

深々と腰を折る夫人に見送られて、諏訪部酒店をあとにした。

「すみません、萱野さん。運転を頼めますかね」

近くのコンビニエンスストアでサンドイッチと缶コーヒーを仕入れると、広永はさっさとレンタカーの助手席に収まり、腹ごしらえをしながら携帯電話で新聞社との連絡に入った。

私は渡されたサンドイッチを手に、その様子を隣でぼんやりと聞いていた。

自分一人の調査では限界があると、無理やり引き入れたつもりが、いつのまにか立場が逆転していた。私の身に降りかかった交通事故は、すでに一新聞社を動かす価値のあるスクープへと成長していた。

缶コーヒーに口をつけると、車を出した。空腹感はどこかへ消えうせていた。広永が携帯電話の送話口を覆って、呼びかけてきた。

「萱野さん。当時の署長については、あなたのほうで調べられますよね」

「おそらくは」

「至急お願いします。それから、社のほうであなたに弁護士をつける手はずを整えさせてもらっています。謹慎という立場も微妙ですし、ここは弁護士を通して、あなたの身をはっきりとさせておいたほうがいいだろうという意見が社内では強いようなんです」

「何も私は――」

「万全を期しておいたほうがいいでしょう。まさかとは思いますが、諏訪部さんと同じような災難が、あなたの身にも降りかかってくるかもしれない」

「広永さん。私は何もあなた方に自分の身を守ってくれと言うつもりで……」

「ここまでくれば、もうあなただけの問題ではありませんよ。警察、地元の業界、それに前市長を巻き込んだ事件に発展するのは確実だ」

「事件ですか……」

　私は胸に問いかけてみた。あくまで冷静さを失わず、広永に訊いた。

「どういう種類の事件なんでしょうかね」

「どういうって――」

　広永がもどかしそうに声を強めた。

「決まってるじゃありませんか。現役の市長が、自分の選挙戦を有利に運ぶために、罪もないライバル候補を不当に逮捕させたんだ」

「裁判の結果は確かに無罪となりましたが、諏訪部さんの側に疑わしい事実があったのは否定できません」

「萱野さん。あなた、何を今さら――」

「協会の設立と、諏訪部さんの逮捕が裏でつながっているという直接的な証拠が出てくるでしょうか」

「だから、調べ出すんですよ」

　広永は断固として言ったが、どれだけの証拠が出てくるかは疑問だった。警察官の天下り先は、神奈川警備保安協会だけではない。それに少なくとも、自分の掌握する会社の設立にも名前を出さなかった佐久間昌夫が、協会の運営に直接関係しているはずがなかった。どう調べようと、佐久間の名はまず出てこないだろう。

「あなた方新聞記者が、独自に調べようとするのはいいでしょう。しかし、警察内の事情を私がみだりに外部へ伝えることはできないと思います」

車内の空気が急速に冷えていく気がした。私を見やる広永の視線の持つ冷ややかさのせいだった。彼は通話終了ボタンを押すと、携帯電話の送話口をたたんだ。体ごと私に向き直った。

「今になって、怖くなりましたか」

そう受け取られてしまうのは、仕方ないのかもしれない。

「いいですか、萱野さん。このところの霞が関の不祥事を見るまでもなく、自分らの利益しか考えない役人のやり方には、多くの市民が憤りを感じている。そのうえに、警察官までが、同じような真似をしていると聞けば、どう思うでしょうか。司法権を持つ警察官が、それを武器に天下り先を作ろうというのでは、あまりにもたちが悪すぎる。そうじゃありませんかね。あなたは確かに警察官の一員でしょう。しかし、それ以前に、一市民でもあるはずだ。警察の不正を、身内だからといって、見過ごすつもりですか」

「身内をかばうつもりはありません」

「だったら、なぜ？」

「あなたは今、私が警察官である前に、一市民でもある、と言いましたよね」

「違いますか」

「ええ。少なくとも、私は違うと思います」

「何が違うんです！」

広永の言葉には、充分な怒りが込められていた。それを受け止めて、私は言った。

「警察官は、一市民である前に、一人の警察官であるべきなんです」

ウインカーを点灯させ、レンタカーを歩道脇に寄せて停車させた。この先、高速のインターに入ってしまえば、しばらくは車を降りられなくなる。

「記者であるあなたは、どうかあなた方のやり方で事件を追ってください」

私はサイドブレーキを引くと、ドアを開けた。驚く広永を振り返って言った。

「警察官である以上、警察の内部から、今回の事件を見つめていかなければならないような気が、私はしてならないんです」

「待ってください」

広永もドアを開けて車を降りた。追いかけて来ようとする彼に、私は肩越しに声をかけた。

「レンタカー屋の住所はグローブボックスの中の書類にあります。三日分の代金は前払いしておきましたが、足りなかった場合には、あとで私に請求してください」

それだけ言い残すと、振り返りもせずに歩き出した。

29

タクシーを捕まえて、最寄りのＪＲの駅まで行き、静岡から新幹線に乗り換えて新横浜へ向かった。

頭を冷やす時間はたっぷりあった。これから何をしたらいいのか、を考える時間も——。ただの一地方公務員にすぎなかった私も、警察官である事実からは逃れられなかった。警察官だったからこそ、私は射撃と出会い、一時期はオリンピックを目指すという夢を見られた。その夢が、文字通りの夢に終わっていたにせよ、私の力量がそうさせたのであって、警察の組織力が何かしらの悪影響を及ぼしたわけではなかった。

今も私は、間違いなく警察官だった。あらためてその事実を反芻してみると、驚いたことに、この先もそうありたいと思う気持ちが、まだほんのわずかに残っていた。

矢木沢との確執、同僚からの謂れなき妨害と忠告、密告者との視線。私を取り巻く状況は、とても居心地のいいものとは言えなかったが、こんな私にも、懐かしく感じられる思い出が人並みにあるのも、また事実だった。期待を寄せてくれた先輩、上司。今も昔の些細な助言を恩義に感じてくれている後輩。警察を離れれば、私には一人として理解者はいなかった。

一人になりたくない、というある種の感傷にすぎないのかもしれない。だが、警察には、私がこの十四年を生きてきた痕跡が残り、私が私であった日々を知る人たちが今もいた。そのすべてを捨て去る勇気が、私にはなかった。警察官であった日々をなくせば、今日までの私もどこかへ消えてなくなりそうな気がした。

あまり積極的な動機ではなかったかもしれない。だが、私はまだ警察官でありたかった。その思いを捨てきれずにいた。そして、一市民としてではなく、まず一人の警察官として、しなくてはならないことが確かにあった。

新横浜で新幹線を降りると、タクシーを利用して、菊名駅に近い港北図書館に立ち寄った。何も警察という組織に入り込まなくとも、七年前に署長を務めていた人物の名前ならば、調べる方法はあった。

七年前の新聞縮刷版を借り出し、諏訪部宗平の逮捕に関する記事を再確認した。

全国紙の扱いは大きなものとは言えず、地方版のほうにやや詳しい記述があった。だが、新たな情報は何もなく、どの記事を見ても、残念ながら当時の署長や県警捜査二課長の名前は出ていなかった。

次に、八年前の縮刷版を借り出し、地方版の人事欄を一月分から目を通していった。地方版には、その地方の公務員の人事を報告する欄があり、地元紙となれば、経歴までが詳しく載っていた。

五月二十五日の朝刊に、目指す記事を見つけた。宮前署の新署長のプロフィールが簡単ながらまとめられていた。

多島洋太郎。経歴を見ると、主に警備畑を歩んで来た人物らしい。

警察では、退職間際になると、慰労の意味を込めて最後に一階級の昇進をさせるケースもあったが、単なる便宜上のことであり、たとえそれに伴う異動があったにしても、さしたる任務が待ち受けているわけではない。年齢から見ても、多島洋太郎氏にとっては、宮前署の署長が最後の働き場所になったように思えた。

経歴をメモに取り、縮刷版をカウンターへ返却した。ロビーの公衆電話の前に立った。迷いながら手帳を取り出し、電話番号を押した。自宅のほうへ電話を入れるのは、初めてだった。

四度のコールで相手が出た。

「はい、矢木沢です」

「萱野ですが」

美菜子の息を呑む声が耳に届いた。私はことさら、よそよそしい声を作って言った。

「矢木沢課長はご在宅でしょうか」

「いえ、出かけてますが」

彼女も堅苦しい言葉になった。夫婦二人の住まいとなれば、ほかに誰が見ているわけでもなかったろうが。

「日曜日にも仕事でしょうか」

「あの、どういったご用件です？」

最初の驚きから立ち直って、美菜子は言った。言葉遣いにまだ多少の堅さは残っていた。

「折り入ってご相談したいことがあって電話をしました。今日は何時ごろに戻られますでしょうか」

「ごめんなさい。聞いてないの」

「どこへ出かけられたのかもご存じありませんか」

「ええ。このところ、あまり話をしていないもので」

私が口調を変えないのを、不思議に思ったのだろうか。彼女の声も、幾分かの慎重さを増した。

「今日戻られるのは間違いありませんね」

「と思いますが」

「では、お邪魔かも分かりませんが、そちらで待たせてもらってもよろしいでしょうか」

回線が切れたのか、と思うような長い間があいた。

やっと、息を吸う気配があった。

「待ってよ……どういうことなの？」

「とにかくお邪魔させてください」

私は言って、一方的に受話器を置いた。美菜子にも聞いてもらいたい――そして話しておきたい――ことがあった。


図書館を出る前に、留守番電話をチェックした。家を空けていた一日半の間に、十件もの伝言が入っていた。まともな伝言が残されていたのは四件だった。

「――堀越です。明日の予定について打ち合わせをしたいと思います。遅くなってもかまいません。電話をください」

「――堀越です。今日は十二時三十分まで射場のほうにいます。電話をください」

「――堀越です。お忙しいようなので、とりあえず一人でもできることをしてみようと思います。また伝言を入れます」

「――堀越です。目撃者の妹の同僚を調べています。もうご存じかもしれませんが、彼女はつい最近まで交通局経理課にいました。今はその仕事について調べる方法はないかと考えています。経理課というと、ある程度お金を動かす部署のようにも思えます。まさかとは思いますが、何か表沙汰にできないことがあった場合には、それが原因で弱みを握られたことも考えられます。ぜひ連絡先を教えてください。宿舎では人目があるとお思いでしたら、戸塚の自宅のほうでもかまいません。伝言をお願いします。こちらからもまた電話を入れます」

すまないと思う人並みの感情は私にもあったが、彼女に連絡を取るつもりはなかった。私はプッシュボタンを操作し、伝言を消し去った。

気になったのは、残り六件の無言のメッセージだった。そのすべてが、幸恵からのものとは思いにくい。なぜなら、同時に録音された着信時刻から、幸恵からのメッセージが吹き込まれた直後に、発信音のみが録音されていたケースもあった。幸恵ではない誰かが、私に連絡を取りたがっているようだった。

久保の官舎に電話を入れた。宿直明けの非番でどこかへ出かけたのか、つかまらなかった。

久保以外に、誰が私へ電話をかけてくれるというのだろうか。たった今電話をした美菜子は何も言わなかったし、堀越からは、先日交流を絶つとの宣言を受けたばかりだった。久しぶりに私の名前を思い出し、電話をかけてくれた奇特な人がいたのなら、それに越したことはなかったが。

タクシーを降りた時には、午後六時十分になっていた。

矢木沢はもう帰っているだろうか。それとも、私が来ると知り、美菜子のほうが家を空けてしまったろうか。

住所表示を頼りに、少し歩いた。やがて矢木沢家の表札に行き当たった。駅からは少しあるが、落ち着いた住宅街の一角だった。お世辞にも広い家とは言えなかったが、子供のいない夫婦が二人で住むには手頃な大きさだろう。少なくとも、彼女が私を選んでいたのでは、こんな家を持てるはずもなかった。

呼吸を整え、インターホンの呼び鈴を押した。

返事はなかった。代わりに、玄関のドアが静かに開いた。美菜子が怖い顔をして立っていた。

「まだうちの人は帰ってないわ」

「中で待たせてもらってもいいだろうか」

薄い化粧は、普段からの身だしなみなのか、私が来ると知って急いで支度をしたのだろうか。美菜子はドアに手をかけたまま、私を睨みつけるようにして言った。

「何時に帰って来るか、保証はないわ」

「別居したとは聞いてないが」

「家庭内別居もいいところよ。――どうぞ」

私から目をそらして告げると、彼女は玄関の奥へと身を引いた。

「ありがとう」

礼を言って、矢木沢家に足を踏み入れた。

どちらのものなのだろうか、下駄箱の横に折り畳み式の自転車が立てかけてあった。左手に見えるドアは洗面所かトイレだろう。ドアの脇に、赤と黒のゴルフバッグがひとつずつ置かれていた。目に鮮やかなグリーンのマットの上には、客用と見られる真新しそうなブルーのスリッパが一足そろえてあった。

どこにでもありそうな、ごく普通の家の玄関にすぎなかったが、目に入ってくるもののひとつひとつが、私には想像するしかない、夫婦二人の家庭というものの匂いを嫌でも感じさせた。

幾何学模様の絵の飾られた廊下を進み、右手にあったドアの奥へ案内された。そこがリビングだった。

絨毯、カーテン、ソファと、どれもグリーンを基調色としてまとめられていた。テーブルにはレースのクロスがかけられ、読みかけの雑誌と新聞が置かれていた。ミニコンポとCDラックを載せたサイドボードの中にはよく磨かれたグラスとウイスキーのボトルが見えた。カレンダーの赤い丸印は何だろうか。電話台の横に、パイナップルの形をした可愛らしい鍋つかみが下げられていた。この家で、美菜子は矢木沢と二人、今日まで暮らしてきたのだ。

「座って」

左手奥のキッチンへ向かいながら、美菜子が言った。獲物を追いかけて場違いな花園に迷い込んだ猟師のように、私は緑のソファの横で立ちつくしていた。

「今、お茶を入れる。紅茶でいい？」

「どうか、おかまいなく」

堅苦しい声で、それだけが言えた。ここで、何時まで矢木沢を待てるだろうか。ある程度の覚悟はして来たはずなのに、不安になった。腹が据わっていない。美菜子は客用のスリッパを用意し、私を待ち受けていたというのに。

「お願い、座って」

急に強い口調に変わった。

「あまり部屋を見回さないで」

振り返ると、彼女は私に背を向け、ケトルをかけたコンロに向かっていた。その背中が、板のように強張って見えた。

おとなしく、ソファに身を沈めた。背中のキッチンから、美菜子が紅茶を用意する音が聞こえる。もっと落ち着いた気持ちで、こんな音を聞けたら、どれだけよかったろうか。

場を持たせるように美菜子が言った。

「午前中に、どこかから電話があったみたい。それで、慌ただしく出かけて行ったわ」

「どんな格好で出て行ったのかな」

「スーツよ。いつもと変わらない格好」

美菜子が紅茶を運んで来た。私の前にティーカップを置いた。プレートを手に、彼女は慌ただしくキッチンへ戻って行った。

「君も座らないか」

「矢木沢に用じゃなかったのかしら」

流しの水音とともに堅い声が返ってきた。

「できたら、君にも聞いてもらいたいと思っている」

「いいの？　私だけ先に聞いて」

「こうやって背中を向けて黙り合っているより、どれだけ気が休まるか分からないだろ」

「そうね」

コクン、と流しのレバーの閉まる音がした。

美菜子が歩いて来た。私から距離を置き、向かいのソファの端に座った。背中を伸ばし、気後れを見せまいとする態度を保っていたが、視線は私に向かなかった。

自然、私の視線も足下に落ちた。

「実を言うと、密告者が誰なのかはまだつかめていない。しかし、背後に何があるのかはかなり見えてきている。このまま矢木沢さんの周辺を調べ回れば、いずれは必ず密告者に行き当たると思う。でも、その場合には、警察の――いや、我々警察官の、膿《うみ》のようなものも出てくる。それには、渦中にいる矢木沢さん自らの手で行動を起こしてほしい、という気がしている。だから、今日は直接、彼に話をしたいと思って来た」

「あの人、やっぱり密告通りに、業者とかなり親しくしていたわけね」

「いや、それは少し事情が違うかもしれない」

「でも、過剰な接待を受けていたのは事実でしょ？」

「彼だけではないんだ」

「だからといって、あの人が警察官としてあってはならない行為に手を染めていた事実に変わりはないわ」

「新聞記者のようなことを言うんだな」

美菜子がにわかに視線を上げた。不思議そうな目を、私に向けた。

「思ってもみなかった。あなたが、あの人の肩を持とうとするなんて」

「彼の弁護をする気はない」

「でも、多少は同情的な言い方に聞こえた。同じ警察官だからこそ分かることがある、って言いたそうだった」

「警察という組織は、良きにつけ悪しきにつけ階級というものが幅を利かす。彼が自ら進んで今回の渦中へ入ろうとしたのか、それとも、入らざるを得なかったのか。そこのところも知りたいと思った。だからこうして、直接会いに来た」

「会って、警察官の何たるかを二人して話すわけね」

「それもある」

「でも、密告者が誰かは、まだ分かっていないのよね。そんな段階で、あの人が認めるかしら」

「矢木沢さんに納得してもらおうとは思っていない。もちろん、理解してもらいたい気持ちはある。だけど、その件は二の次なんだ」

私の持って回った言い方に、美菜子は素早く先の言葉を察したようだ。視線が忙しなく揺れ始めた。

私はソファの上を素早く右へ移動した。彼女の正面へと。

「あの人と警察組織の話をするだけなら、何もここへ来たりはしない」

体の下にはさまっていたメモの存在を急に思い出したかのように、彼女は体を左右に動かした。いつも美菜子は、話が核心に近づこうとすると、私の前から離れようとする。

美菜子の膝に力が入り、腰が浮きかけた。私は腕を伸ばし、彼女の手をつかもうとした。

「また逃げるのか」

美菜子は私の手を振り払った。だが、席を立とうとはしなかった。揺れる眼差しで、そっと盗み見るように私をとらえた。

「ここへ来たのは、ほかでもない。誰よりも君に納得してもらいたかった。自分が――今回は、密告者ではない、という事実を」

言葉がすんなりと喉を通らなかった。街を歩いている時も、仕事をしながらも、この八年間、絶えず思い続けていたことがある。それなのに、どう言ったらいいのか、まるで自信がなかった。つたない言葉の積み重ねで、どれだけ真意を伝えられるだろうか。

「確かに自分は——八年前、君の期待に応えられるような男ではなかった。いや、それどころか、男として……人として、恥ずべきことをした」

美菜子は言葉をはさまなかった。耐えるように目を閉じていた。

「しかし、言い訳になるかもしれないが、あの人がルールを破ったのも、また疑いようのない事実だった。そうじゃないかな」

私の呼びかけに、美菜子は身を引くようにして、目を開けた。

「なぜ、何も言ってくれない。当事者である君自身が一番よく知っているはずだ」

「そうね。あの人は確かにルールを破った」

「あれは、君が頼んだからだね?」

彼女は細い顎を小さく引いた。

「そう。私のせいで、あの人はオリンピックを棒に振った。ううん——もちろん、だからあの人と一緒にならなければ、なんて考えるほどあの時の私は子供じゃなかった。あの人なら警察という組織の中でもうまくやっていける。昇進のできる人だ。そういう計算があったのも事実」

「君は人を見る目があったよ。自分ではあの人のようにはいかなかった」

「それに——あの人は私にない、自分をいつでも冷静に振り返って見られる、大人の目を持ち合わせていた。それがとても、心強く見えたわ。頼りがいがあるように思えた。——思えただけだったけれど」

「なぜなんだ？」

掌に浮かんだ汗を膝でぬぐった。長い間切り出せなかった質問を、初めて彼女に向けた。

「なぜあんな時に、練習を見学したいとあの人に言った」

「分からないの？　それとも私をいじめるために言ってるわけ？」

彼女の答えが想像できた。だが、私は頷き、あえて先の言葉を続けた。

「もしや、という予想はしていた。でも、それを確かめたいという意地の悪い気持ちもあった。君の口からどうしても聞きたい、という気持ちが、ね」

「じゃあ、言うわ。ご期待に応えて」

美菜子は毅然として、胸を張った。残酷な問いに、彼女は答えた。

「あなたが、そこに——あの合宿に参加していると知っていたからよ」

「女の意地かい？」

「多少はそういうところがあったかもしれない」

彼女は頼りなげに小さく首を傾けながらも、否定はしなかった。その言葉を機に、それまで見えていた気後れが、消えたように私には見えた。

「断っておくが、君を袖にしたつもりはなかった」

「ありがとう」

「本当なんだ。ただ、オリンピックしか見えなかった。いや、見ないようにと無理をしていた。あの時、どれほど君を自分のものにできたら、と思ったか分からない。素直に気持ちを表していたらどうだったろうか。あとになってどれだけ悔やんだと思う？　でも、できなかった。悔いを残したくなかった。何も女性とつき合ったからといって、成績が急に落ち込むとは限らないが、自分に自信がなかった。逆に言えば、君がそれほど魅力的に見えていた」

「ありがとう。でも、あなたは、私に何ひとつ気持ちを伝えようとしてくれなかった」

「確かに、そう、伝えなかった。態度にも表さなかったかもしれない。でも、君も同じだったはずだ。もちろん、女性から気持ちを打ち明けないと先に進めないのでは、男として情けないと言われても仕方ない。でも、戸惑っていた。すぐには信じられなかった。どうやら君が好意を寄せてくれているらしいと想像はできた。でも、なぜなのか。自分は何の取り柄もない男だ。確かにオリンピックを目の前にしていたが、いつも夢をつかめずにいた。周囲の期待を裏切ってばかりいる選手にすぎなかった。どうしてそんな男に、君のような女性が好意を寄せる。そう思ってしまった」

「女への侮辱ね。オリンピックに出場できそうな選手だからって、女の誰もが目の色を変えるわけではないわ。そんなの、女への侮辱。私への最大の侮辱。そうじゃない？　私もそういった浅はかな女の一人に思われたんだから」

「すまない。でも、君が矢木沢さんにも近づこうとしていたと聞いた」

「その理由は、最初に話したはずよ」

「自分に思いを残していたなら、どうして最終予選が終わるまで——たった二ヵ月を待ってくれなかったんだ、と今さら君に言うのでは、身勝手がすぎるだろうね」

「どうして私の本当の気持ちに気づいてくれなかったの、という言葉をお返しするわ」

「撃ったのは、君だったんだな」

あの強化合宿の際、射場からの流れ弾によって、敷地内に停めてあった車の窓ガラスにひびが入るという事故が発生した。矢木沢は責任を認めたものの、チームは彼を責めなかった。なぜ、いつも矢木沢だけが特別扱いになる。私たち選手は疑問に思った。その悔しさが私の密告にもつながった。

「あの人も薄々感づいてるところがあったみたい。私の気持ちに。だから、無理を聞いてくれようとしたんだと思う。案外、あれでかわいいところがあるのよ、あの人」

「だからあの人を選んだわけだ」

「そうね。悪いけど、あの時の私はあなたの行為が本当に許せなかった。たぶん、私への裏切りだと、感じたんだと思う。だからあの直後には、そうするのが一番いいと思ってた」

「今は違う？」

「あなたに夫の尾行を頼むほどには、ね」

「でも君は、今も自分から別れを切り出すつもりはない。あの人が、自分に関心を持っていないという確かな証拠がない限りは。だから、都合よく現れた男に探らせようとした」

美菜子は再び小さく首を傾げた。

「別れる勇気はまだない。だから、こちらとの仲も進める気はない。そういうことなのかな」

頷きも否定もしなかった。

「今の君の気持ちはどこにあるんだろうか」

「もう三十一になるの。歳を重ねると、女はどんどんずるくなるのよ」

「ずるくはないさ。昔より正直になっているのかもしれない」

「ありがとう。あなたの優しさは昔と変わらないわね」

「優しい？」

「そうよ。気づいてなかった？　私、少しは人を見る目があったつもりだったけど。覚えてない？　兄に連れられてあなたたちが家に来た時、私、ちょっと精神状態が不安定だったでしょ。仕事場で思い出すのさえ嫌なことがあって……。今思えば、別に大したことじゃなかった。どこにでもある、女たちの当てこすりや誤解で——。でも、仕事を始めてまだ間もなくて、職場へ戻るのが嫌でならなかった。あの時は兄が私の気持ちを察して、あなたたちを誘い、わいわいとやってくれたんだと思う。私のその時の状態を、あなたも気づいていたでしょ?」

そうだった。控えめな態度の奥に、どこか寂しさに似たようなものを感じたのは確かだった。失恋でもしたあとなのだろうか、と思っていた。だからこそ、辛い過去を忘れようと、私に近づいて来たのではないか。そんな誤解につながった。

「あの時、私の気持ちに気づいてくれたのは、兄とあなただけだった。射撃なんて、ミリ単位の正確さを競うスポーツをしていて、一見冷たそうに見える人でも、ほんの少し話をしただけで、私のささくれていた感情を察してくれた。あの時は本当に驚いたわ。だから、あなたに興味を持ったの。それなのに、ね」

「二度めにあった時の君は、ずいぶんと変わって見えたが……」

「興味を持つと、女は変わるわ。そうじゃない?」

そこまでは、経験の浅い男には読み取れなかった。我々は、自分たちの気持ちを一度も正直に見せなかった。その機会すら、私が彼女に、そして自分にも与えようとしなかった。目の前に迫っていたオリンピック予選に気をとられていて。

壁のインターホンが鳴った。

美菜子がバネ仕掛けのように席を立った。

来た。彼が帰宅した。

美菜子は乱れてもいない髪を直すように肩先へ手をやった。それから、私にちらりと目をやり、足早に廊下へ出て行った。

ソファから立ち上がっていた。覚悟をして来たつもりでいながら、腰が落ち着かなかった。じっとしていられずに、リビングの窓からレースのカーテンを通して外の様子を眺めた。夕暮れが辺りを染め、庭木の先に街灯の明かりがぽつんと見えた。その下を、黒い影が素早くよぎった。

私は窓に近づいた。今消えた人影が、こちらを見ていたような気がしたからだった。塀の前に立ってこちらへ首を向け、私が窓を振り向くと同時に、街灯の下を離れたのではなかったか。まさかと思い、庭へ視線を振った。植え込みの左に門扉が見えた。

なぜか、門の横にスーツ姿の男たちの影がいくつも重なり合って控えていた。

30

男たちのシルエットに気づき、私は廊下へ駆け出していた。

「待ってくれ。出るな、頼む」

玄関へ歩いていた美菜子の背中へ小さく言った。

「どうしたのよ。何?」

美菜子が足を止めて私を振り返った。ドア横の磨りガラスには、男の半身の影がうっすらと暗いモザイク画のように浮かんでいた。

声をひそめて、早口に訊いた。

「勝手口はあるか？」

「それは、あるけど……」

いや、勝手口はすでに先回りされている可能性がある。容疑者の連行に出た捜査員は、必ず訪問先の表と裏を同時に固める。

もう一度チャイムが鳴った。

「頼む。時間を稼いでくれ」

「どうして……」

「窓の外に何人もの男がいる」

まさか、という口の動きが見て取れた。美菜子は事態を察した。私は玄関前へ近づき、磨りガラスから離れた場所に立って体を伸ばし、自分の革靴をつかんだ。

さらにチャイムが鳴った。背中をたたかれたように美菜子が顔を上げ、磨りガラスのほうを見つめた。

「――はい。ごめんなさいね、今開けます」

玄関に向かい、かすれかけた声をかけた。その横を、私は足音を忍ばせて通り抜けた。

「すまない。また電話を入れる」

言い残し、二階への階段を上がった。自分でも驚くほどに、足と手が震え出していた。矢木沢は、何人の刑事を引き連れ、ここへ戻って来たのだろうか。たぶん、それほど多くはない。彼としても、半信半疑だったはずだ。

彼が今日出かけたのは、私に関する事前協議だった可能性が高い。何者かの強権により、逮捕状が取られたのだろう。――いや、まずは参考人として話を聞こうと決まったのかもしれない。私の留守番電話に何度も入っていた無言のメッセージは、出頭を求めるものだったのではないか。

震える足を動かし、階段を駆け上がった。玄関とキッチンの位置関係を頭に入れ、左手に見えたドアを開けた。寝室だった。二つのベッドが一メートルほどの間をあけて置かれていた。息苦しさを覚えながら、窓に走り寄った。ここからでは、裏手の庭は見えない。隣の家との万年塀が軒下五十センチほどに迫っていた。

矢木沢は自宅へ戻り、窓に映る影から来客の存在を知った。相手は男。しかも、なぜか妻が客に向かい合わず、ソファの端に腰かけていた。その不自然なシルエットから、客の素性に予想をつけた。そうして、私の行方を探している幸署へ連絡を入れた。

部屋の中で靴を履くと、意を決して窓を開けた。躊躇せずに身を乗り出した。窓枠に足をかけ、思い切って飛んだ。

左右を見るゆとりはなかった。眼下に見えた万年塀へ足をかけ、隣の庭先へと飛び降りた。

着地と同時に、植木を倒した。かなり大きな物音が上がった。

「おい、今のは……」

矢木沢家の庭のほうから、男の声が聞こえた。やはり勝手口にも刑事が廻り込んでいた。窓から逃げたのは正解だった。これだけの態勢を敷いてくるとは、参考人聴取ではなく、逮捕状が取られていたのか。

腰をかがめたまま走り出した。左の足首に鈍い痛みがある。かばってはいられない。痛みをこらえ、住人に見つからないよう、窓枠の下を走った。

隣の家の門から逃げ出したのでは、敵の渦中に飛び込むようなものだった。庭先を抜け、さらに隣への塀にしがみついた。痛む足で庭土を蹴り、濡れタオルが壁からはがれるようにして、ずるずると塀を越えた。

着地した先が、やや広めの駐車場になっていた。刑事たちの姿は見えない。一軒おいた矢木沢家の辺りから、男たちのざわめきが聞こえた。通りを迂回し、追っ手が来る。

私は駐車場の砂利を蹴散らし、目の前に見えた裏通りへ向けて走り出した。

細い路地をどう走り抜けたのか、自分でも分からなかった。ただ矢木沢家から離れようと考え、痛む足を引きずった。

いつしかバス通りに出ていた。辺りを見回したが、行き交う男性の誰もが幸署の刑事たちに見えた。飛びかかって来る者がないか、辺りを気にしながら身構えて歩いた。ようやく空車が通りかかった。通りへ飛び出し、タクシーを停めた。

「どこへ行きます?」

運転手に問われて、自分はどこへ行くつもりなのだろうか、とあらためて考えていた。

「横浜駅へ」

さして意味もなく答えた。時間稼ぎに言ったにすぎない。これから、どこへ行ったらいいのだろうか。シートにもたれてネクタイをゆるめた。アパートへ戻るなどは、もってのほかだ。待ち受けていた刑事たちに連行され、私は今以上の汚名を浴びて警察から放り出される。

唯一、心強いと言えるのは、新聞社の存在だった。

私が逮捕されれば、必ず広永たちが真相究明に動き出す。警察側から何かしらの圧力はかかるかもしれないが、すでに我々は七年前の諏訪部の事件から私の交通事故へつながる糸口を手に入れていた。久保の紹介もあって、弁護士へも話は通じている。裁判で争うという抵抗の手だてはまだ残されていた。諏訪部の時とは明らかに事情は違った。

そもそも私には、彼のように失うものは何もなかった。たとえ署へ出頭したところで、多少の拘束と執拗な取り調べを受けはするが、守るべき地位も名誉も持たない私に、被害と呼べるものはそう多くない。事件の全容が公になり、罪を暴かれるであろう者たちと比べるならば――。

現時点ではまだ推測の域を出ていなかったが、裁判になれば、いずれ弁護士や検察の手により、前市長を中心にした彼らのネットワークは必ずやあぶり出される。不自然な監査の先送りから、竹井伸子の身辺調査までが新たな観点から行われるのだ。たとえ帳簿上の辻褄はどう合っていようが役所を挙げて隠そうとしたほどの金の出入りが竹井伸子の周辺にあったとすれば、証拠が出てこないはずはなかった。私と同様に、竹井伸子も裁判の場に引きずり出される。きっとそうなる。

私の前で、怯えてあとずさりする竹井伸子の姿が思い出された。

公金に手をつけたのが事実であれば、その罪は彼女が背負い、償わねばならないものだ。しかも彼女は、私を事故の加害者に仕立てるという新たな犯罪にまで、兄とともに手を染めていた。彼女の身を私が案じる必要はないと言えた。

それなのに、私が今感じているこの後ろめたさは何だろうか？

竹井伸子が公金に手を出した理由は知らない。縁談が進んでいるという話が、どこまで真実なのかも分からなかった。しかし、すべてが公になった時、最も被害を被るのは、竹井伸子になる。彼女のこれからの人生を引き替えにして、私はおそらく自由の身を勝ち取れるだろう。だが――。

彼女を利用した者たちはどうだろうか。

市役所では、彼女の罪を許した構造的な問題への改革が形ばかりは行われるだろう。何人かは、責任を取らされるかもしれない。しかし、訓告や厳重注意といった名ばかりの処分で、職や信頼を失う種類のものではないはずだった。警察でも似たような結果が待っているに違いない。腐敗根絶のスローガンが掲げられはしても、ほとぼりが醒めるまでの謳《うた》い文句にすぎない。神奈川警備保安協会の存続は難しいだろうが、やがては同じような趣旨の団体が必ずどこかで設立される。そんな気がしてならなかった。

竹井伸子がクロだという感触に間違いはないだろう。彼女は確かに罪を犯していると思う。しかし、その弱みを握り、自分らの保身のために利用した者たちがいる。現役、退職者を問わず、間違いなく警察官が含まれている。

今私の感じている後ろめたさの裏には、私も彼らと同じ警察官の一人だという逃れがたい事実が長々と横たわっていた。


時間稼ぎに言った横浜駅でタクシーを降りた。私は公衆電話を探し、真っ先に弁護士事務所へ連絡を入れた。

日曜日とあってか、事務所には誰もいなかった。留守番電話が緊急時の連絡先を教えてくれた。告げられた番号をメモに取り、ダイヤルボタンを押すと、夜間専用の電話応対サービスに通じた。そこで事情を説明し、確かに急を要すると判断された場合のみ、弁護士のもとへ連絡をとる段取りになっているらしい。さして重要でもない相談のために休日を潰されたくない、と時間に追われる者なら誰もが考える。

事情を説明した。応対に出た女性は取り澄ました声で、マニュアル通りの答えを返した。

「そちらの電話番号をお教えください」

「横浜駅前の公衆電話です」

「では、十分後にもう一度電話をいただけますでしょうか」

「ええ、同業者に見つからない限りは」

「は?」

聞き返した女性に、よろしく、と告げて受話器を置いた。腕時計を見て、ここまで車で何分かかったかを確認してから、再びテレホンカードを差し入れた。

待ちかねていたように、一度のコールで受話器が取られた。

「無断で寝室に入って、すまなかった」

「どこ?　たった今、刑事たちが帰って行ったわ」

美菜子は刑事たちの前でためていたであろう息を吐くように言った。

「あの人はそこにいるのかな」

「ううん。また出かけて行った。あなたとここで何を話していたのかを、自分からは聞こうともしないで……」

夫の態度が悔しいとばかりに、彼女はわずかに声をとがらせた。

「無理もないさ。同業者の前で、取り乱すわけにはいかない」

「そうね。怖い目で私を見てたもの。――ねえ、今どこ？」

「横浜駅前の公衆電話だ。で、刑事たちからは何を聞かれた？」

「通り一遍のこと。直属の上司に相談したくて来たようだ、と言っておいたけど」

「ありがとう」

「刑事の一人が電話で、裁判所がどうとか言ってたけど……」

「心配はいらない。今、弁護士からの返事待ちだ」

「そう。でも、気をつけて……」

「電話をしたのは、話の続きなんだ」

息を呑むようにして美菜子は黙った。受話器を持ち替えるような気配が伝わってきた。

「あの時の――八年前の気持ちは、お互い少しは理解できたと思う。だからと言うわけではないんだ。このところ……いや、君と会って以来、ずっと考えていた。何度も自分に確かめてもみた。一度はあの人を選んだ君を、恨めしく思ったのは否定できない。正直に言うと、いまだに複雑な思いを残している。それに、夫婦であったという事実も胸に重くのしかかっている。考え直したほうがいいと、忠告するもう一人の自分の声も聞こえるぐらいだ。でも――いくら理屈をつけようと、どう言い聞かせようとしても、自分の気持ちを変えられそうにない。八年前の気持ちが、こんなに強いものだったとは思わなかった。――今からでも、やり直せないだろうか」

美菜子は答えなかった。だが、電話を切ろうとはしなかった。それが今は嬉しく思えた。

「すぐに返事を聞かせてくれ、とは言わない。時間をかけて考えてくれていい。でも、こちらの意思表示だけは、今までのようなあやふやなものでなく、はっきりとさせておいたほうがいいと思った。……考えてくれないだろうか」

「……考えてるのよ」

問い返したくなるような小声で美菜子は言った。

「考えてるつもりだけど……自分でも分からないから――」

「いいんだ。もっとじっくりと考えてくれればいい。ただ、これだけは言っておきたい」

「何？」

「これから、おそらくあの人を追いつめることになる。でもそれは、警察内の事情であって、個人的な感情は一切関係していない。あの人がどう受け取ろうと自由だが、君にだけは理解しておいてもらいたい」

「何言ってるの？　追いつめられているのは、あなたじゃない」

「あの人たちも追いつめられているんだ。だから、俺を追いつめようとした」

「何をするつもり?」

「危険はないよ。そう思う」

せめてもの願望を告げると、私は初めて静かな気持ちで美菜子との会話を終えて、受話器を置いた。


きっかり十分後に電話応対サービスの番号を押すと、弁護士は私の依頼を急の要する事態と認めてくれたようだった。お待ちください、という声のあとで、転送電話になっているのだろう、聞き覚えのある若い弁護士の声に変わった。

「事情はお聞きしました。早急に手を打ったほうがいいだろうと思いまして、失礼ですが、ひと足先に幸署へ電話を入れてみました」

「ありがとうございます」

「……実はあまり誉められたことではありませんで、電話での問い合わせには一切応じられない、と突っぱねられまして」

仕方なかったかもしれない。いくら弁護士だと名乗りを上げたところで、電話では裏づけの取りようがなかった。

「生憎と、幸署に知り合いの刑事はいませんもので、こうなると、私が幸署へ出向き、あなたの置かれた状況をまず正確に把握する以外にはないと思います」

「もし逮捕状が出ていた場合はどうなるでしょうか」

「これまでお話をうかがったところから考えると、あなたがその目撃者の妹さんの自宅を訪れた件に関しては、事実認定を争おうとしても無駄だと思われます。あとは、相手方がどうやってあなたの訪問を、脅迫の意思あり、と立証してくるかになるでしょうね」

まるで裁判に持ち込まれた時のようなことを彼はまず言った。

「たとえばですが、その目撃者の妹さんのほうに、あなたの想像通りに表沙汰にできない背後関係があったとか、新たな事実が出てきたりすれば、また話は別なのですが」

「新たな事実が出てこない限り、逮捕は免れないというわけでしょうか」

「そうは言いません。こちらとしても精一杯の努力はさせていただきます。しかし、万が一ということはあります。あらかじめ対策を考えておいたほうがいいかと思いますので」

弁護士の言う新たな事実を、私はすでに入手していた。だが、すべてを告げれば、竹井伸子も私と同じ俎上《そじょう》に載せられる。たとえ新聞社がすでに動き出している事実を告げたところで、幸署の捜査員たちは、まず間違いなく警察内の裏事情を何も知らない。上からの指令で動いているにすぎない。

「何とか時間稼ぎをしていただけないでしょうか」

「もちろん、できる限りのことはします。しかし、時間を作って、何をするつもりなんです？」

こちらの行動を深読みして、弁護士は問いつめるような口調になった。

「よろしいですか。依頼人の行動については、弁護士としても充分につかんでおかなければなりません。今、どこにいます？　幸署へ向かう前に、一度ゆっくりとお話をしておいたほうがいいと思うのですが」

「生憎、これから人と会う予定があります」

「どなたとです？」

「私の上司です。今後のことを相談したいもので」

「念のために、その方の名前をお聞かせください」

「またこの電話サービスを通じて連絡させていただきます」

「待ってください、萱野さん……」

「どうかよろしくお願いいたします」

早口に言って受話器を置いた。

駅の構内へ向かって歩き、再び公衆電話を探した。雨ざらしに近いターミナルの前では、目当ての物は置かれていなかったからだ。

北口の改札横に、十台近くも緑の電話が並んでいた。こちらの台の下には、透明プレートのカバーをつけられた分厚い電話帳が二冊並んで置かれていた。

職業別のタウンページを選び取り、「組合・団体」の欄を端から順に見ていった。横浜市内にこれほどの各種団体が作られているとは知らなかった。公益法人として税制上の特典を受けているからには、社会へ何らかの利益を還元する団体がほとんどなのだろう。たとえ限られた身内での利益擁護になっていたとしても、どれほどの団体が当初の目的通りの役目を果たし、健全な運営状態を保っているのか、疑問に思えたが。

目指す名前はすぐに見つけられた。社団法人、神奈川警備保安協会。住所は中区住吉町。諏訪部宗平の言っていた日ノ出町駅近くのビルからは越したようだ。

電話番号をメモに取り、ダイヤルボタンを押した。

留守番電話の声が答えた。

「——本日は事務手続きを終了させていただきました。お手数ではございますが、また明日おかけ直しくださいますよう、お願いいたします」

わざわざ事務手続きと断っているからには、会員専用の夜間直通番号が引いてあるようにも思われた。遊興業界のトラブルは、辺りが暗くなってからと決まっていた。トラブルの発生と同時に相談ができなければ、この手の協会に、一体どれほどの意味があるだろうか。

無駄を覚悟で、もう二ヵ所へ電話を入れた。

若葉町の事務所は誰も出ない。自宅へかけると夫人らしき女性が応対に出たが、留守中でまだ帰っていない、と言われた。夕方にどこからか電話が入り、慌ただしく出かけたのだという。まるで誰かと同じように。

いったん帰宅したはずの矢木沢が家を出て、佐久間昌夫も出かけている。協会の電話は通じない。

この時間、居場所のつかめそうな人物の心当たりは限られていた。

31

タクシーを拾って、川崎へ戻った。人目が気になり、JRと京急の利用はさけた。まさか幸署の刑事たちが繁華街で目を光らせているとは思えないが、地元ではどこで誰と出くわさないとも限らなかった。

第一京浜沿いでタクシーを下りると、一週間ほど前、路地に停めた車の中から見張ったビルの前に立った。あの時と変わらず、今日もビル二階の事務所には明かりが見える。

周囲をうかがったが、さすがにあの時のように、私を呼び止めようとする者はいなかった。誰にも邪魔されずに、初めて雑居ビルの階段を上がった。

株式会社東翔産業。プレートの下げられたドアをノックした。中からかすかに男の声で返事があった。

ドアを押した。

ダークスーツに身を包んだ体格のいい男が、背後を守るようにドアの前で立っていた。いつだったか、蔵原の自宅前で顔を合わせた長谷川という男だった。

さして特徴のあると言えない私の顔を、彼は覚えてくれていなかったようだ。あからさまに私の足下から顔を見回し、低い声で問いかけてきた。

「どちら様でしょう」

「川崎中央署生活安全課の萱野と言います」

身分を偽る理由も、そうすべき必要性もなかった。

長谷川が眼前でいきなり手をたたかれたように目を丸くし、一歩後退した。名前には記憶があったらしい。彼の背後でも、一緒に電話番をしていたらしい二人の男が蹴飛ばされたようにして立ち上がるのが見えた。

「社長さんはおいでですか」

「警察が何の用です」

声と態度を硬くし、長谷川は言った。敵意をむき出しに、私を正面から睨みつけた。

「問われたので一応は所属を名乗りましたが、ここには警察官としてではなく、一個人として足を運ばせてもらいました。社長さんにぜひ直接会って相談したい用があります。今ならまだ間に合うかもしれません。ですが、時期を逸すれば、いずれは県警本部から大挙して捜査員がこちらへ押しかけて来ることになるかと思います。それだけはあらかじめお断りしておいたほうがいいでしょう」

「あんた、脅しをかけようってわけか」

「社長に取り次いでいただけないとなれば、どんな方法でも採るつもりでいます」

長谷川は今になって胸を反らして体面を保ち、笑い返した。

「生憎だったな。社長は留守だよ」

「出かけられたのでしょうか」

「どうだったかな」

白々しく、広くもない事務所内を見回してみせた。

「呼び出しがかかりましたか」

「何？」

「神奈川警備保安協会のメンバーから召集がかけられたのか、と聞いたんですよ」

酸欠状態に陥った池の鯉のように、長谷川は突き出した顎を盛んに上下させた。後ろで二人の男たちも目を見合わせていた。

「こちらはその協会についても多くの情報を把握している。だから、県警から捜査員が来るかもしれないというのは、決して脅しではない。早く社長に取り次いだほうが君らのためでもあると思う」

口調を変え、長谷川だけではなく、後ろに控える男たちへも向けて言った。

「本当に社長は出かけております」

後ろにいた若い社員が、もう一人の中年のほうへ目を向けながら答えた。

「行き先は？」

「さあ、我々ではそこまでは……」

言いながら、男は長谷川のほうへもちらりと視線を振った。

歯ぎしりでもするように顎を左右に動かしている長谷川の顔を、見つめ直した。

「呼び出しは、佐久間からか？」

驚いたように目が見開かれた。正直な男だ。

「集合場所はどこだ？」

「知らない。本当だ」

「携帯ぐらいは持って出てないのか」

迷うように、視線が揺れた。

「……一応は、部下が持ってる」

「だったら、呼び出して、場所を聞き出したらどうかな？」

男たちを見回して、私は言った。

一度は帰宅した矢木沢が再び家を空け、佐久間と蔵原も自宅や会社を出ていた。こんな日曜日の夜に、それぞれ別の用事が突然入る偶然があるだろうか。

若い男が電話をかけると、運転手の居場所はすぐにつかめた。横浜市中区日ノ出町駅近くの路地に車を停めているとのことだった。

電話帳に記載された神奈川警備保安協会の住所は中区住吉町になっていたが、諏訪部の話によると、設立当初は日ノ出町駅近くのビルに事務所があったという。今もまだ協会は、何らかの用途で、同じ場所に一室を借りたままにしているようだった。長谷川にも訊き、確かめてみた。だが、東翔産業の住所録に、協会の古い電話番号や住所は記載されていなかった。

礼を告げて、事務所を出た。いつのまにか、生暖かい風が吹き始めていた。

公衆電話を探し、一〇四の番号案内を呼び出した。神奈川警備保安協会の日ノ出町支所の電話番号が分かるだろうか、と聞いたが、電話帳には載っていない、と告げられた。

夜風に打たれながら、第一京浜まで歩いた。自分に問い返してみる時間はあった。関係者が雁首そろえて何を議題にしているのか、想像はできる。その場に議題の一角を担っている私が訪ねて行ったら、彼らは何を思うだろうか。

ほかに方法はありそうになかった。

私は気後れしそうになる心を奮わせると、下り車線でタクシーをつかまえた。

駅近くの路地を歩き、記憶にあった黒塗りのセダンを探した。今時ハイヤー以外にあんな国産車を乗り回している者はそう多くない。

駅前から二ブロックほど入った通りの角で、車を見つけられた。黒塗りのデボネア。横断歩道上に堂々と停車し、暗い車内に運転手の姿が見えた。近づくと、ラジオのナイター中継がかすかに洩れてきた。

一瞬、運転手と目が合ったが、薄暗い街灯のおかげで、こちらの顔はよく見えなかったようだ。男は気にとめたふうもなく、倒したシートに背中を戻して目を閉じた。

裏通りのせいか、辺りには違法駐車が多かった。デボネアの二台前には、濃紺のメルセデスが片輪を歩道に乗り上げて駐車していた。手帳を取り出し、メモしておいたナンバーと照合した。

予想は的中した。等々力の料亭で見かけた、佐久間昌夫の愛車に間違いなかった。

見慣れた車のすぐ横には、比較的まだ新しそうなガラス張りのビルが建ち、辺りの屋上を見守るかのように一際長い首を伸ばしていた。

一階のシャッターには、水道工事店の名前があった。三階と四階が設計事務所で、五階は学習塾の看板が見えた。六階には二つの会社名が掲げられていた。

二階にだけ看板が出ていなかった。だが、見上げると、ブラインドの隙間から蛍光灯の明かりが洩れ、窓に白の縞模様を描いていた。部屋の中に人がいる証拠だった。

息を深く吸い、エントランスのガラス扉を押した。壁に並んだ郵便受けに目を走らせると、二階のプレートには、やはり「神奈川警備保安協会」とあった。設立からある程度の時を経て、横浜の市街地に二つの事務所を構えられるほどには、確実に会員数と影響力を増やしつつあるのだろう。

エレベーターの電気はすでに停められていた。横手の階段を上がった。二階の踊り場に出ると、協会名の書かれた鉄の扉が行く手をはばんだ。ネームの下には、関係者以外の立ち入りを禁ず、という但し書きが添えられていた。間違いなく私は、今や、否応もなく関係者になっていた。

ノブに手をかけ、少しだけ躊躇した。

ピストルの引き金に手をかけているわけでもないのに、なぜか標的に向かっていた昔のように、人差し指が震えた。あるいはこの扉は、私の警察官としての十四年に何らかの一線を引こうとする、引き金のようなものになるのかもしれない。

不思議と美菜子の顔も頭をよぎった。この扉の先には、おそらく矢木沢がいる。彼との決着をつける時期にも来ていた。私は今、引き金に指をかけた。

指先の震えを隠し、鉄の扉を押した。

かすかな軋みが上がった。室内の蛍光灯が暗い階段を照らし出した。

中は殺風景なワンフロアになっていた。軽くキャッチボールができる程度の奥行きがあった。手前にデスクが八つか七つ。ブラインドの下がった窓前には会議用なのか丸テーブルがある。突き当たりにソファセットが置かれ、そこに男たちの頭が見えた。額を突き合わせるようにして、五人の男たちが集まっていた。

真っ先に、矢木沢が立ち上がった。

「おまえ、どうして……」

言葉が途切れるより先に、ほかの四人が背中を伸ばすようにして私を見た。知った顔は、佐久間と蔵原。奥で顔を上げた二人に見覚えはない。二人とも六十代だろうか。年齢に似合わぬ素早い身のこなしと、珍客の訪問にも動じない態度から、元は同業者のように見えた。そもそもこの協会は、退職した警察官の天下り先としての役を担っていた。善後策の協議となれば、退職した者も顔を見せるのは当然だった。

「誰だね」

口髭の痩せた男が、立ちつくしたままの矢木沢を見上げた。

答えようとした彼より先に、私は言った。

「初めまして。川崎中央署の萱野です」

二人の男は驚きを顔に見せず、一瞬、素早く目を見交わした。どういうことだと問うように、向かいに座る協会員たちに目をやった。だが、私を振り返った蔵原と佐久間の顔には、彼らに答えられる余裕はなかった。忌まわしいものを見るような目で、私を凝視していた。

「相談があって来た、と言えば、用件の心当たりはつくと思いますが」

押し開けたドアの横に立ったまま、彼らに告げた。ここには現職警察官である矢木沢がいる。そんな場で何が起こるとも思えなかったが、警戒しておくに越したことはない。

「私は一人でここへ来ましたが、実は今日の昼すぎに、ある新聞社の方と一緒に静岡のほうへ行って来ました。あなた方の出方次第では、新聞紙上をにぎわす事件に発展する可能性はあります」

「君は何を……」

とぼけようとしたのは蔵原だった。押し出しの強そうな外見とは裏腹に、先日とは声が違って細く聞こえた。

矢木沢が天を仰いで息をつくのが分かった。落ちるように、すぐ横のソファに腰を下ろした。彼には私がここへ来た理由と、協会の存在をたぐり寄せたルートの見当が、瞬時についたようだった。

「いいか、君」

代わりに蔵原が立ち上がった。男たちの顔色を見るように一度後ろを振り返ると、意を決して、私のほうに進み出た。

「私と矢木沢君は古いつき合いなんだ。友人同士が金を出し合い、酒を飲んで何が悪い。君はまだうるさくつきまとおうというのかね」

場を取り繕おうとする蔵原の態度を見て、私は確信していた。やはり彼が社長を務める東翔産業は、佐久間の傘下にある会社だったのだ。

「もう無駄なことはやめにしましょう、蔵原さん」

「それはこっちの台詞だ。君こそもういい加減にしたらどうだ。私らは県警からの事情聴取にもすべて正直に答えている。疚しいところは何ひとつない」

「社長とはいえ、佐久間さんの部下も同然のあなたにとっては、確かに疚しいところはないのかもしれません。今回の裏にある事情を、おそらくあなたはすべて知らされているわけでもないのでしょうから」

「わけの分からないことを、おまえは……」

「冷静になりましょうよ、蔵原さん」

口髭の元警察官と思われる男が、彼の背中に呼びかけた。

蔵原が慌てたように振り返り、佐久間や男たちの顔を忙しなく見回した。口髭が間を取るような空咳をし、それから言った。

「ご安心なさい、蔵原さん。誰もこの男の話を頭から信じようとしませんよ。何しろ、自分のしでかした交通事故の責任逃れをするために、目撃者の親族を脅すような男ですからね。確かその件で、彼に対する逮捕状が取られていたと思うんだが……。そうではなかったかね、矢木沢君」

呼びかけられ、矢木沢の肩がびくりと震えた。彼は呼びかけに答えず、この勝負の行方を見据えるように、元同業者たちをじっと見返した。

　事情を察し、私は彼らに告げた。

「あなた方が現役に圧力をかけて、私を逮捕させようとしたのですか」

「言いがかりも甚だしい」

　怒ったような口振りをしてみせたが、まだ彼の表情には余裕があふれていた。

「どうやらこの場に、理事長の多島洋太郎氏はいらっしゃらないようですね」

「だから、どうだと言うんだ」

　口髭の男が鉄面皮に言った。

「しかもあなた方は、そこにいる佐久間さんからも協会設立当初の裏話を聞いていなかったと見える。それでは、私の先ほどの言葉の意味が伝わらなかったとしても致し方はないでしょう」

　二人の元警察官の視線が、佐久間をとらえた。その間で、蔵原の首がふらふらと左右に振れた。

「そこにいらっしゃる佐久間さんは、七年前、自分らの仕事と業界のためをと思い、この協会の設立を考えられた。いや、もしかすると最初に話を持ちかけたのは、我々警察官の誰かだったのかもしれない。いずれにせよ、先頭に立って設立のために奔走したのが、佐久間さん、あなただった」

挑むように私を睨みつけていた佐久間の視線が、敵意をはらみながらも床へと落ちた。元警察官二人の表情がにわかに引き締まった。

「あなたは当時、三選を控えていた川崎市長、寺山利明氏に近づき、少しでも協会設立のために便宜を払ってもらおうと画策した。寺山氏の後援会に加わり、設立への助力を引き替えにして、三選の最大のライバルとされていた諏訪部宗平という候補者の蹴落とし工作に取りかかった。市長や顔馴染みの警察関係者の力を借りて、あなた方は諏訪部氏の周辺を徹底的に調べ上げた。現時点ではまだ証拠は出ていませんが、おそらく市長か警察関係者の中に、地元の税務署に影響力を持つ者がいたのだと思います。その人物を経由し、諏訪部氏の税務申告からほんの些細なミスを発見し、あえて脱税容疑で彼を逮捕させた。その捜査に当たっていた当時の地元署の署長である多島洋太郎氏が、今ではこの協会の理事長に就任しているのでしたよね」

二人の元警察官の顔に、初めて動揺の色が走った。口髭の男は見事に自分を律したが、眼鏡をかけた四角い顔のほうは、意味もなく腕と足を組み替え始めた。

「矢木沢さん。確かうちの署長はそろそろ退官の時期が迫っているのではなかったですかね」

返事はなかった。うなだれるように彼の肩と視線がさらに落ちた。

「うちの署長は退官を目前にして、天下り先を探していた。だが、警備畑を中心に歩んで来たとは言えない署長には、地元の遊興業界とも、さらにはこの協会とも接点がなかった。そこで、矢木沢さん、あなたに仲を取り持ってもらえないか、という相談がきた。おそらく、あなたと蔵原さんが友人だったというのは間違いないのでしょう。しかも蔵原さんは、この協会の設立に奔走した佐久間さんの子会社を任される立場にいた。矢木沢さんにとっても、ここで署長に恩を売れば、将来の自分の保障につながるかもしれない。ところが、署長のために動き出したとたん、何者かに密告された」

矢木沢が、何か言いたげに顔を上げた。彼はまだ私が密告者だと思い込んでいるらしい。だが、言わなかった。言い返したのは、蔵原だった。

「あんたじゃないか。自分で密告しておきながら、今さら何を言う」

「そう。私こそが密告者だと思い込んだあなた方は、私に圧力をかけようとした。ところが、懲りずに追及をやめようとしなかった私に困り果て、ついに実力行使に出た。それがあの事故だった。——佐久間さん」

呼びかけにも、彼は顔を上げようとしなかった。

「あなたは寺山前市長に近づいた時、市役所の関係者とも太いパイプを作っていた。何しろ、業界団体で重要な位置にいるあなたを味方につければ、資金と人脈の面から選挙の際に大きな助力を得られる。後援会関係者としても、あなたを無視できなかった。その力を利用し、市役所職員の中に、誰か弱みを持った者がいないかどうかを調べた。リストアップされてきたのが、竹井伸子という元交通局経理課の女性職員だった」

　矢木沢が、あり得ないと言いたげな顔で首を振った。私の探り出した事実を認めまいとしてのことではなく、萱野貴之という男がどうして探り出せたのか、信じられずに出てしまった反応に見えた。

「萱野という警察官が、職権をかさに、市役所の周辺を探っている。彼は警察内でも、上司を密告したばかりだ。しかも、過去には自分の利益だけを考えた、卑劣な密告の前科を持っている。何かと悪い噂もある。あんな警官をこのままにしておいたのでは、いずれはあなたの件まで表沙汰にされるか、脅されるかのどちらかになる。そう竹井伸子と彼女の兄に偽装事故の話を持ちかけた。悪徳警官を懲らしめるためだ、と告げれば、彼女らの感じる罪悪感も少しは減る。私の銀行口座に振り込まれようとした金は、その理由づけでもあった。警察官でありながら平気で金を受け取っている男だ、という証拠を作っておきたかった」

「君は現職の警察官だったよな」

　口髭の男が、やっと口を挟んだ。

「はい。そのつもりでいます」

「だったら、何ひとつ証拠もないことを、どうして自慢そうに話せるのかね」

「残念ですが、今のところ、すべては状況証拠ばかりと言えます。物的証拠はまだ出てきていません。しかし、だからこそ、今ならまだ間に合います。確かな証拠が出てきた場合、あなた方すべての身に降りかかってくるのです。あなた方は、自分らが県警内に影響力を持っていると過信し、竹井伸子という第三者まで共犯者に加えてしまった。しかし、新聞が騒ぎ立てれば、いずれ検察が動き出します。彼女がどれだけの公金に手をつけたのかは分かりませんが、必ず証拠は出てくるでしょう。そうなった場合、この協会への天下りを餌にして、現役の警察官の口まで封じられるか、疑問だと言えます。しかし、今ならまだ間に合うのです」

口髭の男は頰をゆるめた。

「何に間に合うのかね？」

「こんな警察官と業者の癒着団体を、今すぐ解散してください」

「君はこの協会の意味を理解していない」

眼鏡の男が腰を浮かせた。

「誰が理解できます？　業界が丸抱えで、退職警官の面倒を見ているのも同じではないですか。もたれ合いの関係を続けながら、どうやってその業界を管轄、指導できるのです？」

「霞が関なら、どこも同じようなことをしている」

「我々は警察官です。犯罪を取り締まる立場にいる。やるべきことは、業界の指導だけではない」

「犯罪者の情報を得るためにも、業界の相談窓口は必要なんだよ。君も警官なら、深い事情を知らなくてどうする」

「それこそ警察本来の仕事ではありませんか。あなた方引退された者が現場に出て、何になります。現職の邪魔にしかならない。しかも、多島洋太郎氏のように、業者の言いなりになって、不当逮捕を強行する者までいる。市民の目から見れば、間違いなく癒着にしか映らないでしょう。違いますかね」

「演説はそこまでだ」

すっかり背中がおろそかになっていた。

振り返ろうとする間もなく、膝の裏を蹴り飛ばされた。足を払われ、私はフロアに倒れ込んだ。顔を上げようとしたその鼻先に、革靴の先が飛んで来た。

目の前に七色の火花が散った。衝撃と苦痛に、横たえた体を折った。うめき声すら出てこなかった。

「皆さん。遅れて申し訳ない」

落ち着き払った声で、彼は言った。

涙と鼻血のベール越しに、彼を見上げた。

私を見下ろし、堀越達郎が立っていた。

32

予想外の人物を目の前にしたという驚きはなかった。堀越も定年を間近に控えた警察官の一人だった。彼はかつて特練員の一員として機動隊に在籍した過去を持ち、以来、警備部内の各職に就き、神奈川警備保安協会との接点を作る機会があったとしてもおかしくはない立場にいた。

しかも、今度の密告が表沙汰になってからは、何かと私の前に顔を見せるようになっていた。密告者との疑いをかけられた私を思いやってくれてのことだろう、と頭から信じ込んでいた自分が、我ながらおかしくもあり可愛らしくもあった。堀越は、私の動きを探ろうとしていたにすぎなかったのだ。

「まさか、悩みの種となっている男が、この場に同席しているとは思いませんでしたよ」

私を見下ろす堀越の目には、一片の慈悲も一切の哀れみも読み取れなかった。足をもがれてもがく虫を観察するような、冷ややかな興味だけがあった。その裏には、一人娘の想いを無下に踏みにじろうとした男への敵意が、間違いなく介在していた。

肘で上体を支え、波間に浮かぶ小舟のように揺れる頭を振った。逆効果だった。鼻の奥からこめかみへかけて、骨を揺するような痛みが走った。力なくフロアに顎をつけ、喘ぎながら横たわるしかなかった。

息絶えた虫けらを見限るように、堀越は、はいつくばって体を折る私から顔を上げた。慎重を期すかのように、背後の鉄の扉をゆっくりと閉めた。

「堀越君。君は諏訪部宗平という人物のことを知っていたかね」

口髭の男の声が遠く聞こえた。どうやら彼らは嘘偽りなく、この協会の設立秘話を知らなかったらしい。

堀越が足を揺すり、再び見下すような視線を、ちらりと私に向けた。

「この男がかぎつけましたか」

「では、君は最初から――」

「よろしいですか、ナカジマさん。この男が何を言ったのか、おおよそ想像はつきます。ですが、当時この協会が設立されるとの話はどこからも出ていなかった。私たちはただ、諏訪部が県会議員としてあるまじき行為を重ねていたと知り、正規の手続きに則って逮捕する以外にはない、と判断したまでなのです」

「そうだったのか。君もその企てに……」

私にもようやく事件の全容が呑み込めていた。警備部門をおもに歩いてきた堀越だが、記憶に間違いなければ、何度か刑事部のポストに就いた経験もあったはずだ。確か県警本部では管理官を務め、二課の担当だったような覚えがある。ちょうど諏訪部の逮捕された時期と重なっていたのであれば……。

　捜査二課は、詐欺、横領、背任などの知能犯罪を扱う課である。彼らの仕事には選挙違反の摘発も含まれていた。国税における議員の脱税容疑となれば通常は検察の担当になるが、地方税の場合は、県警二課の扱いとなる。

「なるほどな。多島さんが、次の新任理事として、君を強く推す理由が初めて理解できたよ」

　口髭の男が抑揚なく言った。

　堀越の口元に、意外でならないというような苦笑が浮かんだ。

「あなた方まで、この男と同じような誤解をなさらないでほしいですね。私たちは県民のためを思い、あえて諏訪部の逮捕に踏み切ったのです。本来なら、国税庁の告発を受けた時点で検察が動かねばならないことだった。ところが、経理の操作から税を逃れていた事実は確認できても、額が少ないのと、相手が議員とあって、彼らは二の足を踏んだ。しかし、相手が県会議員だからという理由で、犯罪行為が見逃されていいわけがない。議員だからこそ、たとえわずかな罪だったとしても、それ相応の責任を取るべきではないでしょうかね。我々はあえて火中の栗を拾う覚悟で逮捕に踏み切ったのです」

　彼らは堀越の熱弁を聞き、もっともな話だと納得できたのだろうか。それとも、今さら協会設立の真意を疑ってかかったところで意味もない、と考えたのか。反論の言葉は返ってこなかった。

私は点々と血の飛び散るフロアに爪を立て、上体を起こしかけた。堀越の足元からもっと離れるべきだった。膝を立てようとしたところで、再び堀越の足が動いた。

今度は腹に革靴の先がめり込んだ。突き刺すような圧迫感に、息が詰まった。再び横転した。天井と堀越の顔が、頭上で重なり合うようにぐるぐると廻って見えた。

取り澄ました堀越の声が降ってくる。

「あなたたちはいつまでそうやって、我々を見ているつもりなんだ」

堀越が首をひねり、ブラインドのほうを睨みつけるようにして言った。

「私に何度この男を蹴らせたら手を貸してくれるのかね」

皮肉をふくんだ声を受け、忙しなく近づいて来る足音があった。佐久間と蔵原だろう。鳩尾《みぞおち》の痛みに耐え、体の向きを変えた。少しでも堀越の足元から逃れようとした。だが、ふくらはぎの裏を踏みつけられた。たったそれだけで、私は標本箱にピンで留められたコガネムシのように、その場から動けなくなった。

もがこうとするところを、後ろから組みつかれた。肩先にも誰かがしがみついた。抵抗するまもなく、両腕を後ろに取られた。足首に何かが絡みつく気配がある。

「何をする。やめろ！」

無駄な叫びを放ちながら首を振った。足元を見ると、蔵原がネクタイを手に、両足を縛り上げていた。後ろに回された手首にも、柔らかな布が巻きついている。

私の背に組みついていた男たちが立ち上がった。

手足の自由を奪われていた。横たわったまま、彼らを見上げた。佐久間と蔵原の顔には多少なりとも安堵の表情が見え、代わりに二人の首からはネタクイが消えていた。それらは今、私の手と足首を何重にも取り巻いていた。

堀越は私の様子を眺めやると、満足そうに顔を上げた。

「――で、皆さん。もう結論は出たのでしょうか。この男をどうするか？」

誰かが堀越のほうへ進み出る足音が聞こえた。

「この男は新聞社を味方に引き入れたと言っている」

眼鏡の男のほうだった。口髭の男も苛立たしげに応じた。

「どうしたらいい、堀越君。たとえ逮捕状が出されたにしても、新聞社が動き出したあとでは、余計な腹を探られかねない」

「どこの新聞社です？」

「こちらに入った情報からすると、どうも神奈川日報のようです」

私の肩先に立っていた佐久間が、初めて言葉を発した。慌ただしく発言をくり返していた蔵原とは違い、声に充分な落ち着きがあった。堀越たち警察関係者とも、対等の口利きをしている。

「今日の午前中、そこの広永という記者が、寺山前市長の後援会関係者を訪ね回ったとの報告が来ています」

私は縛られた両腕に力を込めた。まさか、動きをつかまれていたとは思わなかった。

情報の出所は、地元医師会の会長だろうか。突然の記者の訪問に驚き、佐久間に相談しておいたほうがいい、と考えた者がいたに違いない。佐久間昌夫は、今も市役所の周辺に情報網と影響力を持ち続けている。その力が彼を陰の実力者たらしめているのだろう。

私は喉を絞り、辛うじて声にした。

「どこの新聞社でも……同じだ」

「まだ貴様は言うか――」

蔵原の顔が憤怒《ふんぬ》に染まった。蹴られる前に、続けて言った。

「この協会が生き残る道は……もう残されていない」

「そうだろうね。どこの新聞社でも同じだ」

奇しくも賛同の声が上がった。顔を上げたが、声の主の姿は見えなかった。堀越は奥のソファへ移動していた。並ぶデスクの脚の向こうに、先ほど私を蹴りつけた革靴が見えた。

「堀越君。君まで……」

「いえ、ナカジマさん。確かに彼の言うように、どこの新聞社でも同じでしょう。その新聞社は当分、うちの記者クラブから閉め出しを食らうのですから」

「圧力をかけるつもりか」

私は見えない相手に向かって叫んだ。

各県警は、記者クラブに加盟する報道機関にしか、会見への出席を認めていない。もし記者クラブから除名されて、会見への出席を禁止された場合には、情報の入手先を失い、報道側にとっては計り知れない打撃を被る。情報をはさんだ両者の立場の違いを利用し、新聞社に圧力をかけようというのである。

そういった情報統制による報道支配の現実は、何も警察だけに限られたものではなかった。記者クラブ制度に飼い慣らされ、牙をもがれたも同然の報道機関は、ほとんどが各省庁の言いなりになっているのが実状だった。

苦し紛れに私は言った。

「多少の痛手は覚悟のうえで、通信社から配信を受ける方法もある」

「心配はいりませんよ」

私への答えではなかった。堀越は、あくまで二人の協会顧問に向けて言っていた。

「私も多島さんも、寺山前市長と格別親しくしていたわけでもないし、前市長がこの協会の設立に深く関与していたわけでもない。それに、たとえ裁判の結果がどうだったにせよ、諏訪部の逮捕は正式な手続きに則ったうえで行ったものでした。直接の利益供与が我々の間にあったと示す証拠は、何ひとつない。あやふやな噂にすぎないことでは、ジャーナリストを気取った底の浅い記者は動かせても、市民の信頼を得るべき新聞社が、自らの存在理由をかけてまで動くことはまずあり得ないでしょうね」

利益供与の有無。それは、汚職事件の際に、職務権限の有無とともに、もっとも重要視される。法律上は、それらが立証されない限り、贈収賄行為は認定され得なかった。

確かに、逮捕に踏み切った当時の多島署長や堀越に、寺山市長との面識も利害関係もなかったかもしれない。だが、両者の間に佐久間昌夫や蔵原嘉郎、または複雑な警察内の人間関係を置けば、どうだろうか。

彼らは利益を循環させることで、大きな共犯関係にあるのも同じだった。法の網を巧みにかいくぐりながら、行政を握る者と警察幹部、そして地元業者は、互いの利益を保証し合って生き続けている。

堀越が得意げな顔で二人の顧問に言った。

「事実、何年か前に一度、諏訪部がこの協会の存在を問題にしようと、新聞社に情報を持ちかけたことがあったと聞いています」

諏訪部自身も言っていた。だが、彼の願い通りに新聞社が動くことはなかった。その結果、彼は今も夫人の実家で酒屋の店番をしている。

「しかし、堀越君。彼を逮捕させれば、また余計な雑音がぶり返すのではないかね」

口髭の男は、なおも慎重だった。

「その可能性はあります。あとは萱野君に、自分が見当違いをしていたのだ、と理解してもらう以外にはないでしょうね」

「どこが見当違いなんだ」

私は言ったが、床に倒れた者の言葉など誰も聞こうとしなかった。肩を揺すり、芋虫のようにして体の位置を変えた。デスクの陰から顔を出し、彼らの表情を探った。応接セットの前で軽く腕を組む堀越の背中が見えた。二人の協会顧問は、落ち着きなくソファから立ち上がっていた。彼の隣では、先ほどから一言も声を発していない矢木沢が、ぽつりと忘れられたように肩を落として立っていた。

堀越が佐久間たちのほうへ顔を振った。

「佐久間さん。彼だって、融通の利かない子供ではないんだ。ゆっくりと話して聞かせれば、理解してもらえると思うんだがね」

堀越の言葉に、矢木沢と二人の顧問の肩がぴくりと動いた。目だけで互いの表情を見つめ、彼の言葉の真意を探り合った。

「分かりました。私どもに任せていただきましょうか」

佐久間が重々しく言い、ソファの前へ歩いた。テーブル脇に置かれたアタッシェケースをつかみ上げ、中から携帯電話を取り出した。

電話なら、この部屋の中にいくつもあった。ところが彼は、わざわざ自分の携帯電話を使おうとしている……。

「私だ。少し事情が変わった。おまえたちが来てくれ。……そうだ。待っている」

「堀越君――」

口髭の男が忙しなく視線を動かし、問いかけるように堀越を見た。

「我々は失礼したほうがいいでしょうね。彼らの話し合いの邪魔をしてはいけない」

堀越の発言を受け、二人の顧問が表情をなくした。矢木沢が虚をつかれたように顔を上げ、横たわる私に哀れみの視線を走らせた。

――どんな手を使ってでも、もうおまえに警察内を自由に探らせたりはしない。

いつかの堀越の言葉が甦った。あれは、幸恵を私に近づけさせまいとしての言葉だったが、堀越は今、別の目的を持って果たそうとしていた。

眼鏡をかけた男が腰を引き気味にして、おどおどと言った。

「堀越君。まさか君は、この場で手荒な真似を……」

「ご安心ください。あくまで説得です。組織の中で一人だけ見当違いの動きを見せていれば、やがては非難の声が上がり、孤立するのは、火を見るより明らかなんです。彼だって馬鹿ではない。話せばきっと理解してくれる」

「手の汚れそうな仕事は業者に押しつけるわけか。天下り先の確保に奔走する、いかにも役人らしい発想だな」

せめてもの皮肉を床からぶつけた。

嘲《あざけ》るような視線と冷笑が返ってきた。

「まだ彼は誤解しているようだ。説得には少し時間がかかるかもしれませんね」

堀越は芝居じみた仕草で首を振りながら言った。

「あとは頼みましたよ」

言外に意味を匂わせ、ことさらゆっくりと佐久間たちに告げた。

佐久間があらたまって姿勢を正し、無言で頭を下げた。後ろで蔵原がそれにならった。

「行きましょうか」

先頭に立ち、堀越が鉄の扉へ歩いた。二人の協会顧問は忌まわしいものから目をそらすように、横たわる私をさけて後ろに続いた。

矢木沢は困惑から立ち直れないでいるかのように、しばらくその場にとどまっていた。一度私を見やると、迷いを振り切るように歩き出した。

堀越が扉の前で振り返った。

「矢木沢君。確か彼は、君の部下だったのではないかな」

呼びかけられて、矢木沢の足が止まった。茫然と堀越を見返した。

「部下一人を説得できないようでは、君の管理能力にも疑問符をつけざるを得ないだろう。君も一緒に彼を説得したまえ」

堀越は知っていた。私たちの間にある事情を——。おまえが女房を甘やかしておくから、いつまでも昔を振り切れない優柔不断な男が出てくるのだ。そう彼は言いたかったのかもしれない。

「考えてもみたまえ。そもそも君がしゃしゃり出て来て佐久間さんと会い、それをかぎつけられたのが、今度の件の発端だった。責任は取ってもらうぞ」

「しかし、あれは……」

言葉を返そうとした矢木沢の前で、鉄の扉が音を立てて閉まった。

33

部屋に沈黙が落ちた。窓の外でエンジン音が高まり、やがてビルから遠ざかって行った。重い空気を破って言葉を発しようとする者はいなかった。私は自由を奪われた体を横たえ、彼らの説得が何を意味するのだろうか、そればかりを考え、怖れていた。

言葉通りの説得であれば、堀越たちがこの場を出て行く理由はない。彼らは説得を佐久間たちに託した。あとは任された者がどんな手段に訴えようと我々は関知しない——という意思表示に外ならなかった。

横になったまま、後ろに取られた手首をひねった。絹製のネクタイはしなやかに私の動きに手首を捉えて、放さなかった。ほつれや捻《ねじ》れはどこにもない。いくらもがいたところで、ネクタイを使用したのだろうか。

傷ひとつ残りそうになく、彼らはそこまで考えたうえで、ネクタイを使用したのだろうか。

不吉な疑問が、胸を浸しつつある恐怖を一層膨らませた。

足を動かしてみたが、こちらのネクタイもまったくゆるみそうな気配はなかった。あきらめきれずに、力を込めた。佐久間や蔵原たちに気づかれないよう、ゆっくりと時間をかけて、丹念に。

矢木沢がふらふらとブラインド前に近寄り、ソファに腰を落とした。うつむいた眼差しから は覇気《はき》が消え失せ、厄介な荷を背負わされた不運を呪いたがっている心境が、半開きになった口から吐息となって洩れた。

やがて鉄の扉の向こうから、階段を上る足音が聞こえて来た。ビルの前に新たな車が停まった気配はなかった。このビルの近くに車をつけ、通りかかった者に覚えられてもいけない、と警戒したのだろうか。

「来たようだな」

佐久間が言って、扉の前へ歩いた。矢木沢が背をそらし、思い詰めた顔を向けた。蔵原が私の背後に位置を変えた。

ゆっくりと扉が開いた。

三人の男が背中を丸めるようにして足早に部屋へ入って来た。誰一人見覚えのない男だった。三人が三人とも、安物には見えないスーツに身を包んでおり、特徴のないのっぺりとした顔で表情が乏しかった。

先頭に立つ、襟ぐりの大きなジャケットを着た男が、彼らのリーダー格に見えた。歳は私と変わらないか、やや下。機動隊にスカウトしたくなる分厚い胸板をしていた。首も太く、そのせいで尖った顎の先の細さが際立ち、妙にアンバランスな印象があった。後ろの二人は中肉中背。一人がスーツ姿に似合わぬスニーカーを履き、大きめのアタッシェケースを提げていた。残るもう一人は二十歳そこそこの若者で、長い髪を後ろで縛り、おともについて来ましたと言いたげに暇そうな大あくびをひとつ放った。

男たちの前で佐久間が顎を振った。三人がデスクの間に視線を落とした。縛られている私を見ても、誰一人表情を変えなかった。

先頭に立つ男が、何事か佐久間に耳打ちした。私を見下ろしたまま佐久間が頷き返し、それであっさりと話し合いは終わったようだ。

男がデスクを廻り込み、沼地を進むような足取りで近づいて来た。男の靴の先が、工事現場でよく使う、金属の板を先端に仕込んだ安全靴のように分厚くなっていた。よく使い込んだものなのか、革のところどころが擦りむけている。

「あんたが、いらぬお節介をしてくれたお巡りか」

彼らはすでに予備知識を持っていたが、やはりそこには矢木沢たち同様の誤解があった。

った。


「密告したのは私ではない」

精一杯に作りあげた虚勢を男たちは無表情ではねつけた。

「萱野君。考え直すなら今のうちだ」

蔵原が、情け深い刑事のような言葉をかけた。だが、説得をしたいのは、こちらも同じだった。

「その言葉はそっくりお返ししましょう。あなた方の逃れる道はもう残されていない」

「何度も言ったように、君は誤解をしている。そろそろ状況をよく理解したほうがいいと思うがね」

矛先を矢木沢に向けた。

「今のこの状況は明らかに監禁罪に該当する。そうではないですかね、矢木沢さん。現役の警察官であるあなたがこんな場に立ち会えば、どうなると思う」

「だから、君はまだ誤解している、と言ってるんだ」

男たちの後ろから、佐久間がしたり顔で告げた。

「何しろ矢木沢さんは、この場にいないのだからね」

何を言われたのか、すぐには理解が及ばなかった。矢木沢がこの場にいない――？

「お教えしよう。矢木沢さんは今日のこの時間、友人である蔵原君と食事をともにしている。たまたま私も遅れて店に行ったし、女将や店員たちの目撃証言もある」

「アリバイ作りか……」

佐久間は落ち着き払い、満面に笑みをたたえながら首を振った。

「言ったはずだよ、そこが君の誤解だとね。我々はそもそもこの協会事務所になど来ていないし、こんな男たちを見たこともない。逮捕状の出されている君と会ってもいない。そうですよね、矢木沢さん」

呼びかけられ、やっと我に返ったかのように、矢木沢がぎくしゃくと顎を引いた。佐久間に同意はしたが、強張りきった表情に安堵感のかけらもうかがえず、彼の胸の裡にはまだ紛れもなく迷いがあった。警察官としての良心がわずかに邪魔をしている。

「矢木沢さん。警察官であるあなたがヤクザどもに手を貸してどうする」

私の声がどこまで彼に届いたろうか。こちらが不安にかられる無表情を、彼は続けた。

胸板の厚い男が横から言った。

「状況を理解していないのはあんたのほうだな。あんたには逮捕状が出されている。となれば、同僚に逮捕されるという恥をかきたくないために、どこへ逃げたとしてもおかしくはない。一週間や二週間、家を空けたところで怪しむ人はいないだろう」

息を呑んだ。口の中がからからに渇いていた。ひからびて、割れそうになる唇を動かして言った。

「私がいなくなれば——新聞社が動き出す」

「まだ言っているのか」

佐久間が薄く笑った。

「新聞社が動くことはあり得ないと言ったはずだ。君一人では何もできない。諏訪部とかいう人物が脱税をしていたのは明白な事実で、裁判の結果はともかく、逮捕に何の違法性もなかった。そもそも我々は、誰に迷惑をかけたわけでもない。君もいい加減に理解したほうがいいのではないかね」

「この状況で、私に理不尽な要求を突きつければ、明らかな脅迫行為になる。そうですよね、矢木沢さん」

矢木沢は私から目をそらした。それほど私は正視に耐えない、恐怖にかられた表情をしていたのだろう。

佐久間が世間話のついでのように言った。

「そういえば、信者に施したマインドコントロールを解こうとする者が出て来ると、説得ではなく、暴行や脅迫行為が行われると言い、信者やマスコミに勝手な弁解をしていた教団があったな。君もよほどおかしな洗脳を受けているようだ」

「そう」

胸板の厚い男が、あとを引き受けるようにして頷いた。

「我々は君を、おかしな誤解から解き放ってやろうとしているにすぎない」

「目を覚ましてくれ、矢木沢さん。警察官が犯罪者に手を貸してどうする」

溺れる者を前にして、足をすくませ、水に飛び込めないでいる者のように、矢木沢は私から目をそらし続けた。

男が肩を揺すった。おともの二人が動いた。スニーカーが私の足を押さえ込んだ。若者が両手を伸ばし、肩にのしかかった。もがこうとしたが、手足を縛られているために、体を左右に揺するのが精一杯だった。

男が私のベルトの上に足を乗せた。何の躊躇もなく、両足で私を踏みつけにした。男の全体重が下腹部に集中した。

男の体重は軽く八十キロを超えていただろう。腸がたわみ、胃が食道のほうへ避難しそうになる。

「最近は人権への配慮とかで、どんな犯罪者だろうと刑事裁判を受ける権利が保障されている。だけど、それも考えものらしい。テロや麻薬犯罪に悩まされている国の警察になると、そういった人でなし連中にまで、人並みに人権を保障する意味があるのか、という見方もあるようだ。拷問で口を割らせたくても、強硬な手段が使えなくなってきているからね。そこで、体に傷を残さない拷問方法が次々に考え出されているらしい」

そのひとつがこの方法なのだろうか。男は私の腹の上で軽く腰をツイストした。苦痛に呼吸までが邪魔され、喘ぐことすらできなかった。多少の脅しに屈してなるものか、という勇ましい意思が、炎の前にさらされた砂糖菓子のようにあっさりと溶けていった。

私は広永に、一市民である前に一人の警察官でありたい、と告げた。だが、所詮私は、警察官である前に、一市民にすぎなかったようだ。暴力を恐れ、苦痛や災いをさけようとする、どこにでもいるちっぽけな一市民に――。

やっと男の足が腹の上から退いた。ねじ込まれるような痛みが多少なりとも減った。呼吸が少し戻ってくる。むさぼるように、細い息を吸った。

「フィリピンだったか、ペルーだったか、テロ組織への拷問に面白い方法を採っていてね。ペニスに電極をつなぎ、電流を流すんだ。電圧が低いと火傷の跡は残らないらしい。どうかな。そうされたいかな」

スニーカーがデスクの上に置いたアタッシェケースに手をかけて言った。

声が出なかった。私は必死になって首を振った。が、顎の先がわずかに動いたにすぎなかった。

「改心したかな」

問いかけられたが、答えなかった。口を開けば、彼らの思い通りの言葉を返してしまいそうだった。

痛ましげに顔を背けていた矢木沢の肩を、佐久間がたたいて言った。

「さあ。あとは彼らの仕事だ。私たちは約束していた食事に行きましょうか」

促されて、矢木沢が重そうに腰を上げた。彼の背中に向かって、私はありったけの声を振り絞った。

「行かないでくれ……」

恐怖に喉が震え、蚊の鳴くような呻きになった。それでも矢木沢には届いてくれた。足を止め、目を見開いて私を振り返った。

「行くな。行けば、私は……殺される」

襲ってきた恐怖を口にした。被害妄想ではない。多少の脅迫行為なら、矢木沢や佐久間たちまでがこの場を離れる必要はない。

まさか、という思いがあったのだろう。矢木沢は頰を張られたように目を見張り、男たちを見た。その背中を、再び佐久間が押して言った。

「さあ、行きましょうか、矢木沢さん」

矢木沢はまだ踏ん切りをつけかねていた。佐久間たちを見やって、何か言いかけ、口を閉じた。そんなことはあり得ない、と思いたがっている。現役の警察官である自分や堀越が関係していながら、いくら保身のためとはいえ、佐久間たちが殺人という手段に出るわけがない。彼にもごく普通の一市民としての思い込みが残っている。

「行くな。殺人の共犯者になるつもり――」

最後まで言えなかった。男が再び腹に足を乗せ、体重を押しつけてきた。

佐久間がまた、矢木沢の耳元で優しげにささやきかけた。

「安心して下さい。私たちは今日、ここに来なかったのですから」

矢木沢に立ち去られてはならなかった。彼らにとって、私という証人がいなくなることこそ理想だった。どんな脅しに訴えたところで、私が弁護士や検察、またはマスコミを味方に引き入れようとしないとの保証はない。ここで私を亡き者にすれば、現役警察官である矢木沢や堀越たちと、決して明らかにしてはならない秘密を共有するのも同じになる。彼らの弱みを握り、今後は何かあれば、その秘密を振りかざすことも可能になるのだ。

「行かないで、くれ……」

力の限り叫んだつもりだったが、まともな声にならなかった。せめてもと思い、祈りを込めて彼を見つめた。行ってはならない。行けば、この先は佐久間たちの使用人に成り下がる。それが分からないのか。にじみ出てきた涙で、矢木沢の姿が揺れた。視界が暗くなってきたのは、気が遠のきかけているせいだろうか。

「さあ、私たちは、ここにいてはいけない」

佐久間の声が小さくなった。矢木沢たちのおぼろげに揺れるシルエットが扉に向かった。

頼む。行かないでくれ。あなたは警察官ではなかったのか。

「本当に、彼を説得するだけだな」

矢木沢の声が死を分けて流れる川の対岸からの呼びかけのように遠く聞こえた。

「当然ですよ。いくら何でも人一人が死ねば、警察だって黙ってはいない」

信じてはいけない。ただの言い逃れだ。言いたかったが、声にならない。

「だったら、なぜ私たちのアリバイが必要になる」

「あなたも分からない人だな。納得したと言ってこの場から解放されたあとで、いつ気が変わり、またおかしなことを言い出さないとも限らない。その時のために、一応は我々がここにいなかったという証拠を作っておくべきなのですよ。我々にアリバイがあれば、誰もこの男の言葉を信じようとはしなくなる」

「殴られた跡が体に残っていてもか」

「多少の傷は、自分でもつけられますからね。それが即、暴行の証拠にはならない」

「見ろ。すでに床が血で汚れている」

「もちろん綺麗にふき取っておきます」

「馬鹿を言うな。科学捜査全盛の今、その程度のごまかしが利くものか。どれほど綺麗にぬぐい取ったつもりでも、血液反応を調べれば、すぐにここで何かあったと分かる」

「さすがに現役警察官のアドバイスは参考になる。早速、床をはがして張り替えさせましょう」

　気がつくと、男の足が腹の上から消えていた。わずかに呼吸が戻った。喘いで息を吸い、ありったけの力を込めて言った。

「信じるな。殺人の共犯者にして、弱みを握ろうとしているだけだ……」

言うと同時に、男の革靴が動いた。次の瞬間、鼻先で何かが弾け飛んだ。衝撃を食らって、強かに後頭部を床にたたきつけた。視界と思考に靄がかかった。横たわっているはずなのに、なぜか宙を飛ぶような感覚があった。わずかに遅れて、奈落へ沈み行くような崩落感と苦痛が襲ってきた。

辛うじて、聴覚だけが残っていた。

「今のがあんたの言う、説得方法か」

「相手が抵抗すれば、仕方はない。多少なりとも腕はふるわせてもらいます」

「どこまで納得したら、彼を解放するつもりだ」

「その判断は我々に任せていただきましょうか」

「さあ、行きましょう、矢木沢さん」

頼む。私を置いて行かないでくれ。割れるように痛む頭で祈り続けた。

少しは祈りが通じたのだろうか。矢木沢らしき影はドアの前からまだ動こうとしない。

「いい加減にしろよ、てめえは！」

たまりかねたように男の背中が激しく動いた。

「一人だけいい子ぶりやがって、手間をかけさせるんじゃねえ。手を汚したくねえやつは、さっさと行きゃあいいんだ。それとも何かい？　あんたが責任を持って、この男を説得できるとでも言うのか？」

今にも消えそうな陽炎にも似た視界の中で、男が矢木沢に向かっていくのが見えた。私の足元を押さえ込んでいた男も、ゆらりとその場で立ち上がった。

「——何も出来ねえだろうが。あんたらは、てめえの座る椅子のことだけ考えてりゃいいんだよ。椅子は俺たちが用意してやる。代わりに多少のことには目をつぶる。それが約束じゃねえのか！」

男の背中が邪魔になって、矢木沢の顔は見えなかった。彼はどんな顔をして、男の言葉を聞いているのだろうか。

「行けよ。さっさと行っちまえ。おれたちが手を汚して作った金で、あんたらはいつものただ酒を呑んで、でかい顔してりゃあいいんだよ」

「よせ、口がすぎるぞ」

ドアの前からたしなめたのは、蔵原だろうか佐久間だろうか。矢木沢はまだ、男たちと向き合っている。

いいぞ。もっと抵抗してくれ。自分が警察官であるという事実を忘れないでほしい。今は彼のプライドだけがかすかな望みだった。

万力で絞めつけるような頭の痛みはまだ続いていた。疼きと悪感に耐えて、左肩を横にした。足を背中のほうに近づけてみる。だめだった。とても後ろ手に縛られた指先にまで、足首を覆うネクタイの結び目は届かなかった。これを解くことはできそうもない。

「あんたらだって、俺たちと同じ深みに、もう首までどっぷり浸かってんだよ。それを忘れてんじゃねえだろうな」

男たちが矢木沢を取り囲むようにして詰め寄った。私の周囲には誰もいない。頭の先に並ぶデスクの脚を見回した。痛みのせいで、距離感覚が今ひとつはっきりしなかったが、この近くのデスクの上にも、電話が置いてあったような記憶がおぼろげながらある。

迷っている時間はなかった。矢木沢一人で連中をいつまでも相手にできない。力を込めて唇を嚙んだ。新たな痛みを与え、くらみそうになる頭に刺激をくれた。立てるとも。言い聞かせて、体を左に回転させた。耳の後ろで骨がきしむような痛みがあったが、声を出しては男たちに気づかれる。

反動をつけ、右に回転した。男たちの背中から少しでも離れたかった。

男の一人が振り返った。震えそうになる足を伸ばして、椅子を倒した。男たちに向かって蹴りつけた。その反動を利用して、体を起こした。立ち続けることができなくてもよかった。一瞬でいい。体を起こし、デスクの上を見渡せれば——。

「貴様……」

誰かがわめいた。折れそうになる膝に力を込めた。バランスを保ち、腰を伸ばした。

立ち上がれた。デスクの上が見通せた。電話はやや右手にある。体を折った。肩先で、デスクの上に置かれた書類の束ごと、グレーの電話機を払い落とした。

フロアの上へ電話が落ちる。その上めがけて、床を蹴った。胸から落ちたが、痛みになど怯んではいられない。体をひねり、仰向けになった。その間、立ち上がろうとしてから二秒とかかっていない。

男の一人が倒した椅子を飛び越え、接近して来た。私は後ろ手に縛られた指の先で、素早く電話機の本体を探った。ダイヤルボタンを探り当てた。続けて三つ押す。一、一、〇。そこへ若者が飛びかかって来た。

「何しやがる！」

縛られた足を振り上げ、応戦した。大した抵抗にならなかった。反対に蹴り返され、上からのしかかられた。

「馬鹿。電話が先だ。電話線を抜け！」

誰かが叫んだ。若者が上体をそらし、腕を伸ばした。その手首に額をたたきつけた。肘打ちを顎に食らった。若者がコードをつかんだ。私は鼻先に転がった受話器の送話口めがけて叫んだ。

「殺される！」

耳元で、コードを引きちぎる音が聞こえた。若者が私を押しのけ、立ち上がった。手に電話機を持ち、頭上に振り上げた。さけるまもなく、たたきつけられた。だが、怒りのために狙いが狂ったのか、プラスチックの電話機は私の右の肩先でフロアに衝突し、あっけなく砕け散った。

男たちが私のほうへ駆け寄って来た。

「ふざけた真似をしやがって……」

誰もが事態を把握していないようだった。佐久間と蔵原などは、無駄な抵抗を続ける馬鹿な男を見て、怪訝そうな表情を見せていた。

「大丈夫ですよ。コードはこの通り、引き抜きました」

若者が引きちぎったコードを掲げた。

垂れ下がったコードに目をやり、ほくそ笑む振りをした。それから素早く矢木沢に目をやった。彼なら気づいてくれる。私が何をやろうとしたか。なぜ微笑む余裕があるかを——。

「どうやら口で言っても分からねえようだな、こいつは」

男が私の襟首をつかみ、引き寄せた。右手を後ろへ引き絞ったと思った次の瞬間、衝撃が頬を襲った。

すぐには痛みを感じなかった。再び視界に黒いベールがかかった。心地よい酩酊感さえある。軽い脳震盪《のうしんとう》を起こしたようだ。

だが、ここで気を失ってはならなかった。頭を振り、肩で息を続けた。やっと痛みが頭の芯から広がってきた。悪寒が腹の底で頭をもたげる。激しくせき込み、喉元をせり上がってきた苦いものを呑み込んだ。きしむ首を振り上げ、顔だけ連中に向ける。そして、私は笑った。

「こいつ、笑ってやがる」

頬の筋肉に感謝したかった。いいぞ。もっと笑顔を見せてやれ。連中をあざ笑うんだ。この状況で私が笑えば、彼らは疑心暗鬼に駆られる。少なくとも矢木沢なら気づいてくれる。

「待て」

矢木沢の声だった。私には彼の声が、天使のささやきにも聞こえた。矢木沢が私の前へ進み出て来た。

「萱野、おまえ、どこに電話を——」

あえて目をそらし、疼く頬を精一杯にゆるめた。胸の内がどうか顔に出ないでくれ、と祈りながら。

「安心しろって、コードはもう引き抜いてある」

「知らないのか、あんたらは……」

矢木沢が男たちを見回した。

「一一〇番通報は、一度回線がつながれば、たとえ途中で通話が切れても、発信元をたどれるようになっている」

「何？」

本当かと問う、鋭い視線が矢木沢に集中した。

「じゃあ、コードを抜いたところで……」

「ああ。つながった回線は切れない」

矢木沢が驚く男たちの顔をひと眺めして、再び若者に目を転じた。

「回線はつながっていたか」

若者が答える前に、私は額をフロアにつけると、声に出して笑った。顔を隠したのは、不安そうな表情を見られては困るからだった。肩を上下に動かし、私は笑い声を絞り出した。

「黙れ！」

男の蹴りが腹を襲った。私は一メートル横に転がり、デスクの抽出に腰から衝突した。息が詰まった。だが、頬を強張らせはしなかった。

「演技だ。演技に決まってる。やつは縛られてんだぞ。後ろ手にダイヤルが押せるものか」

取り乱した声は蔵原のようだ。

「もし演技じゃなかったら、どうする」

「ヒサダ。回線はつながってたのか」

「いや……分かりません。受話器に飛びついたわけじゃありませんから」

「演技だ。演技に決まってる」

「うるさい、黙れ！」

佐久間が吼えるように言った。男たちが一斉に動きを止めた。

「場所を変えるぞ。警察が来てからでは遅すぎる」

最も無難な選択肢だった。だが、そうさせるわけにはいかなかった。場所を変えれば、その場にまで矢木沢が同席することはあり得ない。私の身の保障はなくなる。

男たちが私の周囲に歩み寄って来た。スニーカーがデスクを迂回し、頭のほうから近づこうとした。私は体を廻し、つながれたままの足を振った。

「手間を取らせるんじゃねえ！」

胸板の厚い男がわめいた。懐に入れた手を素早く抜いた。黒光りするものが握られていた。

拳銃だった。

鈍色のオートマチックだ。スライド部分の大きさからして、改造トカレフのようだ。少なくとも、これで男たちの素性が知れた。彼らは万一の事態に備え、凶器を用意してここへ来た。佐久間昌夫も彼らと同じような立場にいる人物なのだ。

「よせ！」

矢木沢が叫んで一歩進み出た。銃を前にして、警察官が冷静に眺めていられるはずはなかった。横から男に手を伸ばそうとした。男の視線が私からそれた。

一度は銃口を向けられ、私の周囲から男たちが遠のいていた。この状況を見逃す手はなかった。銃を手にした男めがけ、肩をねじって転がった。気づいた男が、再び銃を構え直そうとした。横から矢木沢が男に近づく。

銃声が上がった。体に衝撃は感じなかった。もとより男の構え方では肩と腕に力が入りすぎていた。銃の扱いに慣れていない。あれでは目標物を追おうとしたところで、飼い慣らされて太った猫にすら後れを取る。当たるものか。そう信じて転がり、男の足を蹴りつけた。男がバランスを崩した。矢木沢が彼の手につかみかかった。やっと事態に気づいた男たちが、私の後方から飛びかかって来た。

「銃だ！　銃を奪え！」

床から矢木沢に向かって叫んだ。もう一度、足を振った。銃を握った男の膝の裏を狙い、横に払った。

再び銃声。肩先でフロアの一部が弾けた。若者がうめいて、後方へ倒れた。跳弾にやられたらしい。

「ヒサダ！」

うろたえる声と悲鳴が交錯した。私の上へのしかかっていたスニーカーの男が怯んで腰を引いた。足先では、矢木沢と胸板の厚い男がもつれ合うようにして倒れた。私は足を振り、男の顔面を蹴り上げた。

もつれ合いの中から、矢木沢の体が離れた。ふらふらとデスクの前で立ち上がった。右手には、奪い取った拳銃が握られていた。

「矢木沢、銃を返せ」

佐久間があとずさりしながら言った。

近寄ろうとした若者を見て、矢木沢が素早く一歩後退した。銃を構えた。半身になり、下から素早く銃口を持ち上げる。懐かしいラピッドファイアピストルのスタイルだった。その場にいた者すべての動きが静止した。

及び腰になった蔵原が、なだめるように言った。

「冷静になれ、矢木沢君。この男を逃せば、俺たちの将来もなくなる」

「ヤクザに弱みを握られた将来が何になる」

私も負けじと呼びかけた。あくまで冷静に、矢木沢を追いつめることのないように。

銃を手にした矢木沢は、充分な冷静さを取り戻していた。精密機械と呼ばれ、どんな重圧にも動じなかった、昔の彼の表情がそこにはあった。だが、引き絞った眉間に、まだいくらかの迷いが見えた。

「矢木沢、考え直せ！」

「昔を思い出してくれ、矢木沢さん。なぜ警察官への道を選んだ。こんな連中の用意した椅子に座ってふんぞり返るためか」

言いながら、私もつかのま、昔を思い出した。大学ラグビーで活躍する夢を断たれ、仕方なく警察官への道を選択したようなものだった。初任教養を受けるために入学した警察学校の同期には、市民のために働きたい、という明確な意思を持つ者たちがいた。彼らに比べ、自分は何という消極的な動機だったのか。同期の者に負けてはいられない。何度そう思ったことか。警察学校での思想教育にまんまと乗せられたにすぎなかったのかもしれないが、悔いはなかった。そして警察は、私にオリンピックという新たな目標を与えてくれた。

佐久間が男の陰に隠れるようにして叫んだ。

「撃つなら、やつを撃つんだ。やつを生かしておけば、おまえの将来はない。警官でありながら犯罪に走った愚か者として後ろ指をさされ、この先を生きて行くしかなくなるんだ。おまえの女房も両親も、同じような目に遭う。撃つなら、あいつだ！」

矢木沢の腕が動いた。銃口が左へ向かった。息を呑んで身構える男たちの間を銃が移動した。私の前に銃口がさしかかる。

そして、止まった。

矢木沢が突きつけた銃口の先には、驚愕に頬を震わす佐久間昌夫の顔があった。

「何を馬鹿な……」

「行け」

矢木沢が静かに言い、銃口を振った。

「考え直せ、矢木沢――」

「さっさとここから消えろ」

銃口に再度促され、佐久間の喉仏が激しく上下した。吹き出した汗をスーツの袖口でぬぐって言った。

「分かった、出て行く。ここから出て行けばいいんだな」

男たちに顎を向けた。普段は銃の威力を見せつける側にいるはずの男たちも、立場が逆となった今は従順だった。矢木沢を睨みながらも、彼のそばをさけて移動を始めた。

佐久間もそろそろと歩き出した。彼を追って、矢木沢の構える銃も動いた。

蔵原が開けたドアの前で、佐久間は一度矢木沢を振り返った。息を吸い、トランプを積み上げて作った城を壊すまいとするような用心深さで言った。

「あとは頼んだからな。こいつを黙らせなければ、俺たちは一生を棒に振る」

「いいから消え失せろ！」

矢木沢は銃口を激しく揺すって叫んだ。蔵原が真っ先にドアを抜けて廊下へ出た。男たちがあとに続いた。

佐久間は最後まで銃口と矢木沢の視線を受け止めていた。

「任せたぞ、矢木沢。その男を必ず説得してくれ」

そう言い残し、最後にドアの向こうへ消えた。

階段を、男たちの足音が遠ざかって行った。それを見届け、銃の重みに耐えかねたかのように矢木沢の腕が下がった。デスクに左手をつき、体重を預けた。がくりと両肩を落として、うなだれるように頭を振った。

私は肩でフロアを押し、よろよろと立ち上がった。矢木沢がうつむいたままの体勢で顔だけこちらに向ける気配があった。私は後ろ手に縛られたまま、デスクの抽出を片っ端から探した。五つ目の抽出を開け、目当ての物を見つけた。カッターを後ろ手につかみ、ネクタイに切り込みを入れた。

ようやく手が自由になった。

矢木沢が顔を振り上げ、こちらに向き直った。私はその場にかがみ、足首に巻きついていたネクタイを切断し、立ち上がった。

標的を見つめるような鋭い眼差しが私を待ち受けていた。精気をなくしかけていた彼の顔に、血の気が戻りゆく様子が見えるようだった。

矢木沢がスタンスを決め、半身になった。銃を握った右手が、ゆっくりと動き始めた。

私を正面からとらえて、銃口が静止した。

34

距離にして五メートルほどだろうか。会話をするにはやや遠く思える距離だが、銃をはさんで対峙した場合には、ほとんど鼻先にも思える近さだった。

矢木沢はスタンスを狭く取る独特のスタイルで半身になり、私に向けて伸ばした右腕が、見事なまでに両肩の線と一直線になっていた。射撃の第一線から退いてもう六年になるはずだったが、フォームに乱れは少しも見えない。ただ、昔と違って今の彼の手には、競技用とは似ても似つかぬ密輸拳銃が握られていた。

警察官として十四年間を過ごしながら、私は凶悪犯と向き合う部署には一度も就いていなかった。いや、たとえ捜査一課や四課に配属された者でも、目の前で銃を突きつけられた経験を持つ猛者《もさ》はほとんどいなかっただろう。しかも今、私に銃を向けている相手は、ワールドカップでメダルを獲得したほどの腕を持つ、射撃の名手だった。たとえ手に馴染んだ銃でなくとも、この至近距離では、彼が狙いを外す可能性は一パーセントもなかった。

だが、不思議と恐怖はこみ上げてこなかった。心の底で矢木沢を信じる気持ちが、私にはまだ残されていた。彼は撃たない。撃てば、すべてを失う。それが分からない男では、ない。

向き合って動きを止めた私たちの隣のデスクで、電話が鳴った。こんな時間に誰がかけてきたのか。その後の首尾を確認しようとする、堀越たちからだろうか。

コール四つで留守番電話につながった。抑揚のない女性の声が協会の名前を告げた。やがて静まり返った室内に信号音が響いた。電話の相手は言葉を発しようとしなかった。すぐに回線は切れ、留守番電話のテープが止まった。

部屋が静まり返るのを待っていたかのように、矢木沢が静かに口を開いた。

「なぜやつらを帰らせたか、分かるか、萱野？」

自分が蒔いた種を自らの手で刈るため――一瞬、恐ろしい答えが頭をよぎった。その可能性から目を背けて、私は言った。

「分かりますよ。我々の間には、いたって個人的な感情がわだかまって残っている。誰だって、人前で取り乱すところを見られたくない」

「何のことだ？」

「とぼけなくてもいいでしょう。――美菜子という一人の女性のことです」

「あいつは関係ない！」

矢木沢の首筋から肩にかけての筋肉に力が入った。引き金を引かれるか、と錯覚した。

私は慎重に彼の表情を探りながら言った。

「関係はあります。なぜなら、あの日、あなたをつけたのは、彼女から頼まれたからでした」

「何をおまえは……」

「あなたの行動を探ってほしい、と言われました。私には、あなたに女がいるようだと言っていたが、おそらく彼女はそれを口実にして、あなたという人間が何を考えているのか、知ろうとしたんでしょう。あなたが昔とは変わってしまった、その証拠を手に入れようとした」

「なぜ、あいつがおまえになど……」

「あなただって、薄々は感づいていたのではないですかね。彼女の最近の様子から」

ひた隠しにしていた感情を表に引きずり出され、冷静でいられる者はいない。矢木沢の目が急に大きく見開かれた。

「いいか、萱野。おまえが教えたんだぞ。やつらにすべてを託せば、俺自身の手は確かに汚れはしない。だけどこの先は、弱みを握られ、言いなりになるしかない。俺は、自分の不始末を片づけるのに、誰の手も借りるつもりはない」

彼は撃たない。撃てば、すべてを失う。

私は言った。

「今日、あなたの家を訪ねたのは、彼女の前ですべてをはっきりとさせたかったからです」

「黙れ！」

肩先と銃口が揺れた。私の決意もぐらぐらと揺れていた。だが、ここで私を撃ったところで、多少の憂さは晴れるだろうが、得られるものは何もない。彼は、私をこの場にひざまずかせ、恐怖に泣き叫ぶ姿を見ようとしているにすぎない。きっと、そうだ。

悟られないように深く息を吸い、彼に話しかけた。

「矢木沢さん、覚えていますか」

「最後に言い残したいことがあるのか」

許可を得たものと判断し、一歩、銃口の前に近寄った。彼は狙いをつけるように目を細めて、私を見据えた。

「怖いもの知らずで挑んだ初めての全国大会で最下位に終わり、控え室で悄然《しょうぜん》としていた私に、声をかけてくれましたよね。おまえは実に貴重な経験をした、恥をかいてもっと心臓を鍛えればいい、と。覚えてますか」

「それがどうかしたか」

「当時はあの言葉が、後輩へのアドバイスだったのか、それとも急に頭角を現し始めたライバルを牽制《けんせい》するつもりで言ったのか、私には分からないところがあった。でも、今は断言できます。——あなたは私を怖れていたんだ。今と同じように、ね」

彼は鼻先で笑い飛ばそうとしたが、引きつりかけた頰に跳ね返されて、泣き笑いのような表情になった。後ろに引いた左手が固く握られ、フォームのバランスが微妙に狂い始めている。

「当時のチームはあなたを中心に動いていたと言っていい。何しろあなたほどの実力者はいなかった。だから、あなたはいつも自分のスケジュールを優先させて、練習を続けられた。しかし、そこにもう一人、オリンピックを狙えそうな者が出て来た」

「理解しがたい自信家だな」

「有望な新人だからこそ、あなたは何かにつけ私に声をかけ、プレッシャーを与え続けた。その罠に、私はまんまとはまった。あなたというライバルを意識するあまり、いつも肝心なところでミスを重ね、敗れ続けた。ところが、ソウルへの予選が近づくにつれ、その効力が薄れてきた。誰でも失敗をくり返せば、少しは学習能力を積んでいくものですからね。そこであなたは、さらなるプレッシャーを私に与える以外にないと考えた。そのために、ある女性を利用しようとした」

「馬鹿を言うな。おまえへの対抗意識からで、結婚生活が続けられるものか」

「当然でしょう。あなたは、いくらオリンピックのためでも、愛情もない女性と結婚しようと考える馬鹿はいない。だからこそ、私への揺さぶりのつもりで近づいた彼女に、心を奪われてしまった。だからこそ、射場に案内してくれという彼女の無理な注文にも応えようとした。私を動揺させるためとはいえ、規則を破ってまで、彼女を射場に案内する必要はないのですから。あなたの彼女への気持ちを疑うつもりはありません。あなたは決して他人に預けてはならない銃を手渡してまでも、彼女の気持ちを惹きたかった」

「言いたいことは、それだけか」

　辛うじて銃口はまだ私を捉えていたが、上体が前のめりになり、銃を支える右肩が開きかけていた。左足の踵までが浮き、初心者のようにぎこちない姿勢になっていた。とはいえ、無論、彼が狙いを外すような距離ではなかったが。

「彼女は気づいています」

「おまえに何が分かる」

「あなたが昔とは変わってしまった、と。——彼女は言ってました。私と違って、あなたなら警察という組織の中でも堂々と生き抜いてくれる。でも、あなたはいつしか、地位や将来の椅子ばかりを考え、つまらない役人に成り下がっていった。警察官としての自覚も誠意も一切失い……」

「動くな！」

私は言われた通りに立ち止まった。

「こんな至近距離で発砲すれば、大量の血が辺りに飛び散りますよ」

「だとしても、俺が撃ったとの証拠が残るわけではない」

「佐久間たちに悟られてもいいんですか」

「だから言ったろ。どこにも証拠を残すつもりはない」

「たとえ証拠がなくとも、はっきりとあなたがやったと、感づく者がもう一人いる」

「何……？」

「——彼女がいます」

ふいの横風を食らったように、銃口が大きく揺れた。私を見据えていた目が、虚ろになる。

「たとえ私の死体を始末できたにしても、私がいなくなれば、彼女はすべてを知るでしょう。あなたの言動から、犯人が誰かを間違いなく理解する。違いますかね？」

返事はなかった。その代わりに、ガラス窓とブラインドを通して、遠く耳鳴りのような音が聞こえてきた。

「どうやらパトカーが来たらしい」

矢木沢が体ごとブラインドを振り返った。サイレン音を聞きつけ、慌てて私に視線を返した。

「貴様……」

確証はなかったが、後ろ手に探り当てて押したダイヤルナンバーは間違っていなかったようだ。先ほど鳴り出した電話は、発信元を突き止め、警察が半信半疑にかけてきたものだったのだろう。彼らは万が一の事態にそなえ、パトカーを現場に急行させた。

「いつまでもあなたがそんな汚れた銃を持っていてはいけない」

私は言い、彼の指先に注目しながら、そっと足を踏み出した。

「動くな！」

矢木沢が両腕で銃を握って、私の顔前に突きつけた。だが、標的を見つめる目に、かつてのような冷静さはもうなかった。私一人しか相手はいないというのに、追い詰められた犯罪者のように視線の先があちこちへ飛び、千々《ちぢ》に乱れる心の裡がその動きに表れていた。

「もう死体を処理する時間はないでしょうね。今撃てば、殺人の現行犯として逮捕される」

「動くなと言ってるんだ！」

動揺と煩悶、そして後悔と逡巡。あらゆる感情が堰《せき》を切って押し寄せ、彼の目をふさごうとしていた。私は慎重に言葉を探し、また一歩、彼に歩み寄った。

「私には分かるんですよ。あの当時、刑事部内で、ある特別チームを養成しようという噂があった。籠城事件の際などに、犯人を狙撃できる実力を持った者たちを集めたチームです。その候補として、あなたの名前が挙げられていた。だからあなたは、自ら特練員を離れ、あっさりと銃を捨てた。当時、批判はあったが、私には気持ちが痛いほどに分かった。あなたは自分の経歴を、手にしたメダルを、汚したくなかった」

矢木沢が一歩、右足を引いた。遅れて私も一歩、前に進んだ。パトカーのサイレンの音がまた近くなった。

「銃を貸して下さい」

手を伸ばし、そっと銃身の下に指を添えようとした。

次の瞬間、私の指先から、銃口が消えた。矢木沢が頭上高くに振り上げたのだ。

そのまま、何かうめくように言葉を発し、彼は握り締めた銃をフロアにたたきつけた。

私たちの足元で、銃が弾んだ。鼓膜を揺する銃声が響き渡った。

矢木沢も私も身じろぎせず、向かい合っていた。幸運にも、暴発した銃弾は、壁のどこかで弾け、私たちの体を傷つけずにすんだようだった。

「これで、気がすんだか！」

腹の奥から振り絞るようにして、矢木沢は私を睨みつけた。

「八年かけて、ようやく俺を引きずり落としたわけだからな。さぞや気分がいいだろう。何が経歴を汚すな、だ。分かったようなことを言うな。俺はメダルを汚したくなかったんじゃない。メダルを一番有効に使おうとしたまでだ。分かるか、萱野。どんなに優秀な成績を上げようと、俺たちに待ってるのは、せいぜい監督やコーチや新人教官の道じゃないか。過去の栄光を引きずりながら、くすぶってる連中が警察内にどれだけいると思う。冗談じゃない。俺は、新人相手に昔を懐かしむしかないような惨めな連中になどなりたくなかった。呑気に銃を撃って毎日過ごしてきたわけじゃないだろ。俺たちだって、警官なんだ。堂々と胸を張って、警察の中を生き抜いてやろうと思ったまでだ」

一息に私の顔前で叫ぶと、矢木沢は肩で大きく息をついた。正論だった。確かにかつて特練員として鳴らしながら、専門術科に長けてはいても、その反面、警察本来の仕事にうといため、ポストや出世から見放された者が少なくなかった。彼らのようになりたくない、という矢木沢の気持ちは理解できた。

だが、警察内を生き抜くことが、即、ポストや出世を意味するとは限らなかった。単に私が出世をあきらめているから、そう思えるのかもしれなかったが。

「終わりだよ……これで終わりだ……」

矢木沢がずるずるとフロアにうずくまっていった。私も足元にかがみ、投げ出された銃を拾い上げた。

「あなたの口から、この協会の存在について説明してください」

矢木沢が力なく顔を上げた。

「誰に打ち明けろって言う。お偉方だって、同じようなことをしてるんだぞ。俺たちのことを誰が批判できる」

「少なくとも、あなた方が利用しようとした竹井伸子にこれ以上の迷惑をかけないためにも、私への逮捕状をすぐ取り下げるように手配を頼みます。そうしないと、私の身の潔白を証明するには、彼女の過去まで引きずり出す必要が出てきます」

矢木沢が理解しがたい偽善者でも見るような目を向けた。

「あの女は、公金に手をつけたんだぞ。なぜ、そんなやつを庇おうとする」

「彼女は警察官ではない。だが、あなたは警察官だ。自らの身を厳しく律しなければならない立場にある。それだけですよ」

警察官か……。

矢木沢の口がそう動いたように見えた。あるいは、私の感傷からそう見えただけかもしれない。

フロアに座り込んで動けないでいる矢木沢に背を向けて、私は歩き出した。

「どこへ行く」

後ろから声がかかった。扉の前で振り返った。脱け殻となったような、何の感情も読みとれない表情が待ち受けていた。

「本当の密告者のところへ、ですよ」

言葉を返せないでいる矢木沢をその場に残し、私は銃をベルトに挟むと、鉄のドアを引き開けた。

35

確実に近づくパトカーのサイレン音を耳にしながら、裏手にあった非常口の鉄階段を駆け下りた。銃を隠し持ったまま、到着した警官たちと鉢合わせをしたくなかった。

一階の踊り場へ下り立った時には、もうパトカーのサイレン音は消えていた。ビルの前に到着したのだ。私は鉄階段を離れ、裏手の薄暗い路地へ走った。

マンションらしき建物の陰に隠れた。鳩尾から背骨にかけて、刺すような痛みがぶり返していた。呼吸を整え、誰も追って来ないことを確かめると、表通りへ向けて歩き出した。

駅の近くへ戻り、通りかかったタクシーを止めた。運転手は胡散臭そうに私を眺め回した。無理はなかった。ネクタイは曲がり、シャツの腹は土足で踏みにじられ、靴跡がついていた。スーツの袖口には鼻血がべっとりと付着し、こちらは素早くもう片方の手で隠して事なきを得た。

行き先を告げた。シートへ倒れ込むと同時に、気が遠くなった。

ぐっすりと寝入ってしまったらしい。運転手に呼びかけられて、目を覚ますと、車は住宅街の暗い路上に停まり、料金メーターだけが動いていた。

三年ほど前、夫人の葬儀の際に足を運んでいた。以来、二度目の訪問になる。電信柱の住所表示を確認し、タクシーを降りた。

駅前の街明かりに押されるようにして、住宅街のなだらかな坂道を上った。見覚えのある路地を折れ、門の前に立った。

我々の年代ではもう望めないが、一世代前の警察官は、持ち家率がかなり高い。それほど大きな家ではなかったが、駅に近い条件を考えると、運が良かったのか多少は無理をしたのか、人の羨みそうな住まいには違いなかった。

玄関に照明が灯っている。二階の窓にも明かりが見えた。普段は官舎での一人暮らしを強いられているはずだったが、横浜まで足を伸ばしたついでに、やはり今日はこの自宅へ戻っていた。

上着の上から腰を押さえ、ベルトに挟んだ銃を確認した。軽く手を添え、ドアホンのボタンを押した。

「どちら様でしょうか」

意外にも、若い女性の声で返事があった。用意していた言葉を呑み、二階の窓を見上げた。どうしてここに……。

「どちら様です？」

「——萱野です」

やっと言えた。ドアホンの向こうでも、同じように息を呑む気配があった。

気持ちの整理がつかずに、茫然と立っていると、やがて玄関のドアが開いた。

泣き出しそうな顔の幸恵が立っていた。

ジーパンに白い綿のシャツ。上にベージュのカーディガンを羽織っていた。一瞬、私を認めて笑みを作ろうとしたが、泣き顔に押し戻されて口元と頬がゆがんだ。涙が一滴、頬を伝い落ちた。

理解できなかった。こぼれ落ちた涙の理由ではない。オリンピックの最終予選を間近に控えた彼女が、なぜ自宅へ戻っていなければならないのか。その理由が思い当たらなかった。

「どうして、ここに……」

幸恵は答えなかった。ドアにもたれかかり、すがるような目で私を見つめた。この視線の先に質問の答えがある、とでもいうかのように。

「こんな時間に誰なんだ」

奥から父親の声が聞こえた。私は門扉を押し開け、素早くスーツの腰に右手を差し入れた。

私を見つめていた幸恵の顔が、凍りついた。彼女は悟った。私が腰のベルトに何を挟んでいるかを――。

「どうした。誰が来た」

足音とともに、声が近づいた。

私は玄関に駆け寄り、身をすくめる幸恵の前でドアに手をかけて引き開けた。

「夜分遅くに失礼します」

廊下の先で、堀越が立ち止まった。彼はまだスーツ姿だった。誰もいない自宅へ戻ったつもりが、なぜか幸恵に出迎えられ、理由を問いつめていたところだったのだろう。

「萱野……おまえ……」

堀越は言って、あり得ない現実を払おうと、大きくかぶりを振った。それでも目の前に現れた男が視界から消えず、目の錯覚でも亡霊でもないと知り、ようやく状況を察したようだ。慌ただしく体をねじり、廊下の奥へ向かいかけた。

「どこかへ電話でもするつもりですか」

私は玄関に足を踏み入れ、堀越を呼び止めた。幸恵がいなければ、土足で上がり込んでいただろう。わずかに喉を鳴らし、幸恵が壁際へ後退した。

声が聞こえなかったか、それとも襲われるとでも思ったのか、堀越の背中が廊下の奥へ消えようとしていた。とっさに右手が動いた。それを抜き取ってから、幸恵の前だったと激しく後悔したが、遅かった。今度こそ、幸恵が小さく叫んだ。

娘の叫びを聞きつけ、堀越が足を止めた。子を思う親ならば、当然の反応だった。廊下の奥から半身を戻し、驚きと怒りの入り交じった形相でこちらを見た。

「動かないでください。私の腕はあなたが一番よく知っているはずだ」

十四年間を警察官として生きてきて――いや、人として生まれてこの方――私は初めて銃を人に向けた。それも、かつて射撃や警察官としての心構えを、幾度となく教わってきた恩師とも言える人に対して――。

堀越は私の腕をよく知っていた。銃を目にした瞬間、動きを止めた。真贋《しんがん》を見極めるように銃口を見返し、ゆっくりと私に向き直った。幸恵が隣で息を吸った。

「どうして銃を……」

「こんなものを私に使わせないでください」

「誰が発砲した」

堀越が頬と唇を震わせて言った。銃身や私の体に付着していた、ほんのわずかな硝煙の臭いを嗅ぎ取ったに違いなかった。長年にわたって射撃に関わり、研ぎすまされてしまった嗅覚のなせる業《わざ》だった。

「おまえか？」

「ご安心ください。暴発したまでです」

娘の前ということが、少しは影響しているのだろうか。堀越は銃を前にしても、取り乱しはしなかった。居住まいを正すように喉元のネクタイに手をかけ、幸恵に視線を振った。

「幸恵、おまえは上へ行っていなさい」

彼女はまだ息を詰め、私の手にした銃に目を奪われていた。

「大丈夫だ。彼はみだりに発砲するような馬鹿な男ではない。もちろん、私がおかしなことをしない限りは、だがね。そうだろ、萱野」

私は横に立つ幸恵に目をやり、頷き返した。

「私は一人の警察官でありたいと思いますし、堀越さんにもそうあってほしいと願っています」

幸恵は壁に手を突き、もの問いたげな目を父親に向けた。私は右腕の力を抜き、銃を下ろした。それで少しは緊張から解放されたらしい。彼女は壁を支えにして一歩私の前から離れた。

「さあ。行きなさい」

再び父親に促され、幸恵は頼りない足取りで廊下を横に歩いた。彼女の視線を痛いほど感じた。私を見つめたまま、彼女はゆっくりと階段を上がった。

幸恵の姿が見えなくなるまで、私たちは廊下の端に立ち、睨み合っていた。

階段の上で、ドアの閉まる音が聞こえた。堀越が私から目をそらし、背中を向けた。

「上がりたまえ。話があって来たんだろ。銃を手に乗り込まれては、もう逃げ隠れするつもりはないさ」

私は堀越から視線を外さず、慎重に靴を脱ぎ、玄関を上がった。銃を再びベルトに挟み、廊下を歩いた。突き当たりがせいぜい八畳ほどの、そう広くもないリビングになっていた。

奥には小さなダイニングテーブルがあり、人一人がやっと歩ける程度の間隔をあけて布張りのソファセットが壁に寄せて配されている。どちらも足が細く、量販店でよく見かけるタイプのものに思えた。花模様をあしらったクッションの脇には、ダイレクトメールらしき手紙とチラシが散乱し、家人の長い不在を物語っていた。絵や花や室内を彩るものは何ひとつない。唯一、かつて堀越が特練員時代に得たとみられる表彰状が三枚、額に飾られていたが、その縁には埃が層を成して降り積もっていた。

「三年前にも来てくれたんだったよな」

スーツの上着をダイニングテーブルへ放り、堀越は落ちるようにソファへ身を沈めた。私の視線の先をたどり、部屋の中を見回した。

「ご覧の通りだ」

蛍光灯が切れかかっているのか、照明がわずかにくすんで見えた。その下で堀越は手を組み合わせ、吐息をつくような口調で言った。

「これが三十五年の警察勤めで俺がどうにか手に入れた物の、ほとんどすべてだよ。まだ七年近くもローンが残っているがね」

「だから天下り先の設立に手を貸した、と言うのですか」

「そうは言わない。だがな、おまえだって似たような感慨を抱いたことがあるだろ。三十年以上にわたって危険と向き合い、市民のために身を粉にして働きながら、我々はいくばくかの恩給を手にするだけだ。ところが、直接危険と向き合っているわけでもないキャリア組の連中ばかりが、引退したあとも、いい思いをする」

「我々は採用試験を受ける前に、給与体系や将来の保障についても、おおよそ聞かされていたはずですが」

「もちろん、そうだ。それを承知のうえで、我々は警察官の道を選んだ。しかし、だ。キャリア連中にだけ天下り先が待っていて、ちょっとした口利き仕事をするだけで、警官時代より多い収入を得られ、さらに莫大な退職金を手にできるとまで、知らされていたかな」

「そんな恵まれた者はごくわずかです」

「そのわずかな者たちが警察を牛耳っている」

「あなたは大金を得ようとして、警察の道を選んだのですか」

「綺麗事を言うな」

堀越が言い捨て、私を睨んだ。

「志を実現させるためにも、仕事に打ち込める環境作りが必要ではないのか。現場はいつだって、不満にあふれている。誰もがキャリアを気遣い、腫れ物に触れるようにして連中とつき合っている。そうしないと、自分の昇進にまで影響してくる恐れがあるからだ。違うか、萱野」

問いかけながらも、私に反論の余地を与えずに堀越は続けた。

「最近発生した不祥事を見てみろ。自白調書の捏造にしろ、拳銃摘発の不正工作にしろ、上司の得点稼ぎのために、致し方なく現場の連中がしでかしたことばかりじゃないか。我々の仕事は、目に見えない地道な活動があって初めて、結果を得られるものが多い。いくら成績を上げろ上げろと大号令をかけられたところで、すぐ成果につなげられるものではない。なのに、役人気質に凝り固まったキャリア連中は、状況を無視して現場をたきつけ、自分の成績を上げることしか考えていない。いつだって結果ばかりをほしがる。その弊害が、あちこちに出ているのが分からないのか」

地道な活動を続けて犯罪の抑止を図るのも、警察の重要な仕事である。にもかかわらず、いつからか警察は、数字ばかりを目標として掲げるようになっていた。無人交番の数が増え、目に見えた成果を上げられる保証のないパトロールが減り、不審者や違反者の摘発につながる各種取り締まりが多くなった。それは事実だ。

「――しかし、新たな天下り先を作って、解決するでしょうか」

「少なくとも、我々中間管理職が、キャリア連中の顔色ばかりをうかがって、これ以上部下の尻たたきをする必要はなくなる。将来の道を確保しておけば、安心して仕事に打ち込める。何かあった時に、部下をかばうことだってできる。違うか」

「管理職すべてに将来の道が用意できるわけではないはずです。いや、たとえそれができたとしても、関係業界の助けを借りたのでは何もならない。今回のように、現役警察官が、監禁暴行という目の前で行われた犯罪をみすみす見逃すことにもつながりかねない」

「いいか。我々はおまえの説得を依頼したにすぎない」

「一度ヤクザ連中と手を組めば、どうなります。弱みを握られ、彼らを取り締まることなど、事実上できなくなる」

「ヤクザと手を組んだ覚えはない。我々は協会に加盟する佐久間たちの手を借りただけだ。彼らの企業や傘下グループが暴対法の定めた指定暴力団に入っていないのは明白だし、取引関係にあるとの証拠もない」

「そんな言い逃れがどこまで通じますか。今ごろ矢木沢さんが彼らとの事実関係を打ち明けているはずです。いずれあなたの前にも監察官や検事が来るでしょうね」

「矢木沢がおまえを解放したのか」

あれが解放と言えるだろうか。答えを迷っていると、堀越が吐き出すように言った。

「あの馬鹿が……」

握り締めた拳を自分の腿《もも》にたたきつけた。

私はたまらず、進み出て言った。

「あなたに矢木沢さんをなじる資格などない。あの人は最後に、ヤクザと手を組むより、警察官である自分を選んだにすぎない。あなたとは違って」

「おまえに何が分かる」

堀越が怒りを嚙み砕くように言い、血走った目をむき私を見据えた。

「分かっているつもりです。少なくともあの人は、あなた方の作った天下り先に加わろうとする者たちの犠牲となった」

「おまえは誤解している……」

「いいえ。うちの署長もあなたと同じ、ノンキャリアのたたき上げで、どうにか定年間際になって署長の椅子にやっと座れた幸運な一警察官にすぎない。矢木沢さんも、ワールドカップのメダルという勲章は手にしていたが、この先どこまで出世できるかの保障はなかった。ここで署長に手を貸し、恩を売って、将来の椅子につなげようとした気持ちは理解できるでしょう。ところが、あなたは署長と矢木沢さんの動向を知り、自分が設立に動いた協会の椅子を横から奪われるのではないかと恐れた。そこで、これ以上の動きを封じようと、あの人を――密告した」

堀越は静かに首を振った。頬には冷笑さえある。あくまで傲岸《ごうがん》を押し通そうというつもりらしい。

「あの密告が、蔵原とのつき合いに限定されていたのは、へたに佐久間との関係を密告すれば、協会の椅子を巡る争いだと知られてしまうからだ。しかも、都合のいいことに、矢木沢さんの下には、かつて心ない密告をした前科を持つ男がいた。今回もあの男がやったんだろう。そう誰もが思うはずだ。条件は揃っている。あなたは密告によって矢木沢さんの動きを封じ、あの協会の理事の椅子を確保しようとした」

「だからおまえは何も分かっていないと言ったんだ」

「どこが違います。あなたは密告のあとで、さらにだめ押しをしようと、さも心配そうな振りを演じて私に電話をかけ、駅近くのホテルに呼び出した。おそらくあの日、矢木沢さんがホテルの一室を借り、佐久間たちと今後の対応について協議でもしていたのでしょうね。その情報を聞きつけ、あなたは私をあのロビーにおびき出した。そうでもしなければ、あんなに都合よく、私とあの人がばったりとロビーで鉢合わせをする偶然などが起こり得るはずはない」

「そうだよ。君をホテルに呼び出したのは私だ。しかしな、密告したのは私ではない」

「まだごまかそうというんですか」

「おまえこそ、まだ分からないのか！」

急に声を張り上げ、堀越が立ち上がった。つり上げた目にまぎれもない憎悪が浮かんで見えた。興奮のために、鼻の脇とこめかみが赤く染まり始めていた。

「確かに私はおまえをあのホテルに呼び出した。それは認めよう。しかしあれは、おまえが密告者だと信じていたからだ。ああやっておまえたちを会わせれば、さらに互いの感情が煽られ、抜き差しならないところへ追い込める」

「そんなことをさせて、いったい何に……」

「いいか。直属の上司と部下が面と向かって憎しみをぶつけ合いながら、同じ職場にいられると思うか。必ずどちらかが外に出される。そう考えたんだ」

理解できなかった。私と矢木沢を引き離して何になるのか。私たちは同じ部屋に机を並べながら、挨拶すらろくに交わさぬ仲だった。それを今さら……。

「まさか――」

たったひとつだけ、考えられなくもない可能性が頭に浮かんだ。あの日――ホテルの寿司屋で堀越はそれとなく私の気持ちを確かめようとした。しかも彼は、かつて私と矢木沢の間にあった事情を知っている――。

まさか……。

堀越の頬に、痛々しいまでの笑みが浮かび上がった。

「そうだよ。おまえたちを引き離すためだ。密告された接待相手が蔵原となれば、まだ協会についてはつかまれていないとしか思えなかった。だからおまえら二人の間を煽ったところで、影響はない。その前に、どちらかを警察から追いやればいい。そうなれば……嫌でもおまえらは、遠く離れる」

「私と矢木沢を……」

「決まっているだろ。おまえと矢木沢の女房を、だ！」

犯人を指摘する名探偵のように堀越は高らかに言った。私は名指しされた真犯人のように言葉を失い、立ちつくした。

「まだ分からないのか、おまえは。私だって、おまえがどこの女の尻を追いかけようと、興味など持ちたくなかった」

反論ができなかった。思考が追いついていかず、どうやったらこの場から立ち去れるのかも分からず、棒のようにただ立っていた。

「考えてもみろ。協会を巡って私とおまえのところの署長とが、椅子の奪い合いを演じている状況を知れる立場にあり、おまえが矢木沢の女房に惚れていることを知っていてもおかしくない者が、もう一人いるではないか」

私は天を仰いだ。見えるはずのない堀越家の二階を、天井を通して見上げた。そこには、堀越の言う、もう一人の人物が——いた。

声が喉からうまく出てくれなかった。

「では——」

「我々ノンキャリア組のために、将来の椅子をある程度確保しておくことは、嘘偽りなく必要だと私は考えている。だがな、それを守るためだけのことで、おまえをヤクザどもに託し、命を奪おうとまでは考えない。私はおまえが許せなかった。あの子の気持ちを知りながら、あろうことか、密告者捜しの手伝いをさせていたおまえが——。それも、矢木沢の女房の気を惹こうとするために、だ」

堀越の放つ一語一語が、砕け散ったガラスの小片のように私の体に突き刺さった。

「あの子が今日、どうしてここにいるか、おまえには分かるか？」

問いかけられたが、首も振れなかった。そうだろうとも、と言いたげに、堀越が私の前に迫った。

「いいか、萱野。あいつはおまえの手助けをしたくて、チームを離れたんだ。その意味が分かるか、ええっ、萱野？　あいつは……辞表を出して来たんだよ。警察を辞め、オリンピックをなげうってまでも、おまえなんかのために手を貸そうと考えたんだ」

今にも殴りかかりそうな顔で、堀越が近づいた。だが、彼は殴らなかった。なぜ殴らなかったのだろう。私から顔を背け、横を向いた。私の代わりにダイニングチェアの脚を蹴り飛ばした。

「あのホテルでおまえと話しているうちに、私には分からなくなった。どう見てもおまえは、落ち着きすぎていた。密告者との冤罪に耐える第三者のようにしか見えなかった。その時、思い出したんだよ。いつだったか、あいつが一時帰宅した時、たまたまうちに蔵原からの電話があった。もしあいつが聞いていたとすれば……。矢木沢が署長との顔つなぎのために、協会へねじ込もうとしていることを、あいつが……」

その事実を知り、幸恵は考えたのだ。

矢木沢が所轄内の関係業者と接触している。どんな理由があろうと、許される行為ではなかった。それを新聞社に密告すれば、どうなるか。うまくすれば、いずれ彼は警察を追われることに……。汚職警官と後ろ指をさされ、今の自宅にも居辛くなる。そうなれば、彼の妻も一緒にこの神奈川から出て行く公算が高い。たとえ県警に残れたとしても、当然、川崎からは離れる。同じ署に勤める私の前からは遠ざかるはずだ。そうなれば……。

堀越が憤りを床にぶつけた。

「あいつは、な。チームの噂とおまえの態度から、今もおまえの気持ちがあの女にあると知ったんだ。二人がどういう関係にあるのか分からないが、このままにしてはいけない。だから……新聞社に、あんな密告を……」

密告の真の目的は、美菜子を私のそばから引き離すことにあったのだ。

若い幸恵は、不幸にも、射撃チームで昔ささやかれた噂を聞いていなかった。八年前に私が何をしたか知っていたのなら、こんな方法は採らなかっただろう。矢木沢を密告すれば、過去にも同じ行為に出た私が、真っ先に疑われる。それが想像できなかったはずはないのだから。

幸恵は図らずも、私を追いつめてしまうことになった。しかも、私を助けるために、父親の旧悪を自ら暴く手伝いをするはめになった。何も知らない馬鹿な男は、彼女の手助けを受け、その父親を密告者だと思い込んだ――。

「どうして、おまえなんかの気を惹くために、そこまでしなければならない」

私も思う。なぜ、私などのために。こんな私のために――。

堀越が肩を震わせ、うめくように言った。

「あいつは……おまえを選んだんだ。あんな密告をすれば、やがては自分の父親が何をしでかしたのか知られてしまう可能性はあった。だが、あいつはたとえ自分の父親を売り渡しても、おまえの気持ちを手に入れたかった。馬鹿な娘だ……。なぜ、おまえなんだ……」

彼女は若く、魅力的な女性だ。学生時代から、どれほど優秀で、気のいい男たちが彼女に想いを寄せていただろうか。

それに引き替え私は、夢を失い、流されるようにただ与えられた仕事を何となくこなす毎日を送っていた、情熱のかけらすら持てない男だった。堀越の憤りはもっともすぎる。私にも理解できない。なぜ私なのだろうか。

幸恵は、八年前に私が手を染めたように、自分の夢をつかむために、心ない密告という手段に出た。たとえ自分の父親を告発する事態になってもいい、と思った。それほどまでに彼女は思い詰め、夢に殉じようとした。

今、私は幸恵の言葉をはっきりと耳元で聞いた。あの密告は、激しくも密やかな、幸恵の私への告白だったのだ。

「どうだ萱野。密告者を探り当てて、さぞや気分がいいだろうな。これで気がすんだろ」

堀越が顔を振り上げ、赤く血走った目を私に向けた。

「あの女に知らせるがいい。おまえの旦那を売ったのは、自分に想いを寄せる浅はかな女だった。その理由は、自分たちを引き離すためだった。そう言って、あの女の気を引き寄せるがいい」

そう。私は美菜子の気持ちを手に入れるためなら、幸恵や堀越や、そして矢木沢を足蹴にしてもいいと考えていた。幸恵が父親を売り渡してもいい、と考えたように。

「なぜ、おまえなんだ」

堀越が再び言った。私にも想像がつかない。たぶん、幸恵自身にもよく分からないのではないか。私も、なぜ美菜子なのか、理解できずにいるのだから。

　堀越に軽く頭を下げ、背中を向けた。

　目的を遂げたという達成感はなかった。密告者への怒りもない。私という人間の愚かさを、目の前に突きつけられたような思いだった。

　廊下を歩き、階段を見上げた。

　この先の部屋に、幸恵がいる。だが、彼女にかける言葉は持ち合わせていない。

「あいつは馬鹿な男に惚れたものだよ」

　冷水のような言葉が背後から浴びせられた。リビングのドアに手をかけ、堀越が立っていた。彼は頬を伝う涙を隠そうともしなかった。そこには、三十五年にわたって警察官を務めてきた男の姿はなく、一人の父親が娘の不憫《ふびん》を思い、涙に暮れているだけだった。

　堀越は唇を噛み、うつむきかけていた顔を上げた。

「おまえをこの手で殺して、私も死ねばよかったのかもしれない」

　もう一度礼を返し、すごすごと背中を丸めるようにして堀越家を出た。羞恥と疲労感に背中を押されて、なだらかな坂を下った。

　踏切の前で坂は終わった。遮断機を踏み越え、もっと深いところまで落ちて行きたい心境だった。

36

目の前を走りすぎる列車の風圧に頰をたたかれて我に返ると、私はタクシーをつかまえて、中原署へ出頭した。竹井伸子への脅迫容疑で逮捕状を取り、実際の捜査に当たっているのは幸署だったが、今後のことを相談できる相手は、一人しか思い当たらなかった。受付の奥にいた制服警官に、住所氏名と所属を名乗り、私への逮捕状が出されている事実を告げた。そして、その件で、交通捜査課の本間巡査部長にぜひ相談したい旨を打ち明けると、ベルトに挟んでおいた銃を提出した。

二十代前半のまだ若い制服警官は、私の差し出した銃を見て驚き、犯人が自首してきました、と奥に向かって叫び、署内が一時、騒然となった。集まって来た警官たちを前に、私は彼らに再び事情を説明しなくてはならなかった。

さすがに取調室へ招待はされなかった。階段を上がり、会議室らしい小部屋へ案内された。横長のテーブルがコの字形に並べられ、パイプ椅子が周囲を埋める殺風景な部屋だった。窓から遠く奥まった席の椅子を勧められ、腰を下ろした私の周囲を刑事たちが固めた。

生憎と、本間はもう自宅へ戻っていたが、すぐに連絡を取ってくれたらしく、まもなく私の前に受話器が差し出された。

つい昨日、電話で話したばかりの本間の声が、懐かしい友からの呼びかけのように聞こえた。

「あんたのほうから出頭してくるとは、どういう心境の変化だ」

「私の身の潔白が、ほぼ立証されたようなので、説明に上がりました」

本間は、ほう、と息を吐いた。それから声を落とし、一言だけ言った。

「すぐ行く」

彼を頼って中原署へ出頭したのは、やはり正解だった。

自宅からとんぼ返りをしてくれた本間が、刑事課からの事情聴取に同席してくれた。

今ごろ一一〇番通報を受けて神奈川警備保安協会の事務所へ急行した警官に、私の上司である矢木沢稔警部が事情を打ち明けているはずだ、と概略のみをくり返した。私から打ち明けたのでは、竹井伸子が役所の金に手を付けた事実までが表沙汰になってしまう。できるものなら、いたずらに傷つく者の数を増やしたくはなかった。

なぜ銃を持って矢木沢のもとを離れたのか、と問われたが、逃げた男たちを追ったままで、銃を置いて行ったのでは、矢木沢が何をするか分からないので、と答えるにとどめた。その後、ある関係者の自宅を訪ね、自ら進み出て事情を説明するよう、説得した事実関係のみを、名前を伏せたまま打ち明けた。

深夜になって、本間が呼ばれ、また別の刑事が小部屋を出ていった。連絡を受けた幸署から、私の身柄を引き受けに刑事が来たのだろうか。だが、それにしては、急な慌ただしさの裏に、息を詰めて事態を見るような緊張感が、出入りする刑事たちの表情や動きにあった。二時をすぎて、本間が重い足を引きずるような緩慢さで、部屋に戻って来た。疲れよりも、やり切れなさに似たものが体から漂っていた。本間は私の向かいに腰を下ろすと、手帳を何度も手の中で持ち替えた。

「どうやらあんたの口から、もっと詳しく事情を説明してもらわないといけなくなったようだ。矢木沢警部は、警官たちに何も言わず、現場から逃げ出していた」

逃げたところで、自分たちの行為を隠すことは不可能だった。逃げれば、今以上に状況を悪くする。

本間は目を閉じ、重たそうに首を振った。

「現場の所轄に当たる伊勢佐木署と川崎中央署で彼の行方を追っていたんだが……三十分ほど前に、戸部署のほうから連絡が入ったそうだ」

「戸部署が、なぜ――」

本間はしきりに持ち替えていた手帳を開くと、そっと視線を落とした。

「午前一時二十三分。西戸部町二丁目五十一番地にある新湊マンションの管理人から、敷地内に人が倒れているという通報があった」

まさか――。

踏切の前でふいに私を襲った、あの時の暗い感情の波が思い出された。

「マンションの屋上に、靴が一足、脱ぎそろえてあったそうだ」

目の前が一気に暗転した。なぜか特練員時代の矢木沢の射撃フォームが、目を閉じた瞼の裏で甦った。あのフォームを、何人の若い選手があこがれ、真似ただろうか。

「駐車場横に植わった欅《けやき》の枝が張り出していて、それがいくらかクッションになったのか、救急隊員が駆けつけた時には、まだ辛うじて脈があったそうだ。今、最寄りの病院へ運ばれ、緊急手術を受けている」

「助かるのですか……?」

私の問いに、本間は静かに手帳を閉じた。

刑事たちを見回したが、いくら待っても、返事をしてくれる者はいなかった。


私は矢木沢の葬儀に出席できなかった。逮捕状は行使されなかったが、事実上、警察によって身柄を拘束されたからである。速やかな事件の全容解明のために協力を願いたい、と県警本部長自らが、私の前に現れたのだ。

横浜市内のホテルに部屋が用意され、そこから連日本部への送り迎えがつき、監察官や捜査課の刑事たちから聴取を受けた。県警首脳にしてみれば、マスコミの群がりそうな場所へ、何を言い出すか分からない私を出したくなかったに違いない。

弁護士に相談すれば、軟禁状態からは解放されたかもしれない。だが、私も広永たち記者に囲まれたい心境ではなかった。

唯一、突然に夫を失った美菜子だけが心配だった。そして、この事件を機に、私たちの間がどうなるか、も。表面的な状況を見れば、私が矢木沢を追い詰め、背中を押したも同じだった。夜に、ホテルの部屋で電話を手にした。まさか盗聴されているとは思わなかったが、ダイヤルボタンを押せなかった。葬儀は厚木市内にある矢木沢の実家でひっそりと執り行われたと聞いたので、美菜子がたった一人、家に戻っているとは思えなかった。

ホテルで新聞やテレビのニュースを見たが、県警首脳の思惑はあまり成功していないようで、矢木沢の自殺とともに、七年前の諏訪部の逮捕までが俎上に載せられ、神奈川警備保安協会の存在自体が大きくクローズアップされていた。幸いにも、竹井伸子の名前はまだどこにも出ていなかった。

一度だけ、県警本部の廊下で、堀越とすれ違った。彼の両脇にも刑事がつき添い、私と同じ境遇にあると分かった。堀越は、たえず廊下の先を睨み、私を見向きもしなかった。私たちは通りすがりの他人のような顔で、知らぬ振りを決め込んだまま、別の場所へ歩いて行った。

私が解放されたのは、四日後の夕方だった。

その日の午後、県警で記者会見が行われていた。私は同席を求められず、あとになって会見の内容を本部長の口から聞かされた。

　七年前の諏訪部の逮捕は、手続き上何の問題もなかったが、二年後に設立された業界団体に、その捜査に関与した者が理事として就任していた事実は、社会風紀上見すごすことはできず、一線を画す意味もふくめ、その団体からすべての警察関係者が退くことになった。また、今回の事情を知った現役警察官に対する暴行と傷害の容疑で、三人の暴力団員を逮捕し、背後関係を調査中である。なお、暴行の現場に二人の協会理事と会員業者二名、自殺した矢木沢稔警部ならびに西相模原署の署長である堀越達郎警視らも立ち会っていた可能性があるとして、取り調べを進めている。現在は任意での聴取を続けているが、容疑が固まり次第、各人を逮捕する予定である。

　同時に、今回の不祥事を受けて、関係者の処分も早々と発表された。県警本部長と総務部長に減給、川崎中央署の署長に戒告。また、県警本部内に対策室を設けて、二度とこういった事態を引き起こさないよう、問題点の洗い直しを進めるとともに、全職員が襟を正し、市民のために職務を果たしたい、とのコメントも披露されたらしい。

　素早い対応ではあったが、すべては死んだ矢木沢へ罪をかぶせるようなものに思えた。

　さらに本部長は私に言った。

「本来なら、密輸拳銃を現場から持ち去ったことで、君へのペナルティも科さねばならないところだが、様々な状況を鑑《かんが》み、今回は見送ろうとの意見が多く出された。関係者の厚意に感謝したまえ」

この先おまえが余計なことを口走った場合には、新たな処分が下されるので充分注意しろ、ということでもあった。

お歴々の前から解放されると、もう送り迎えは当然ながら、つき添いの者もいなくなった。私は本部の廊下に一人、放り出された。

エレベーターで一階へ降りた。裏の通用口から出ようとしたところで、後ろから名前を呼ばれた。振り返ると、先ほど本部長の横に控えていた長身の男が足早に近づいて来るのが見えた。

四日にわたって私を質問攻めにした刑事たちの直属の上司だった。彼は歩み寄りながら、私を足元から見上げて淡々と言った。

「どうだ。君さえよければ、うちに来ないか。中央署では、デスクワークばかりさせられていたそうじゃないか」

言葉の意味を理解するのに、多少の時間が必要だった。

こんな私を誘ってくれる人がいた。驚きとともにありがたくも思えたが、私は正直な気持ちを告げた。

「あまり興味はありませんので……」

小声で答え返した。一礼し、通用口へ歩きかけた。

「待たないか」

捜査一課長は私を呼び止めて言った。

「君は自分の身を守るためなら、執拗な妨害行為にも立ち向かっておきながら、身内を殺されたり、強盗の被害に遭ったりして途方に暮れる市民のためには働けないと言うのかね」

正論を背中からぶつけられた。いつだったか広永に言った私の言葉が、自分に跳ね返ってきたような気がした。

——一市民である前に、一人の警察官でありたい。

胸にそっと問い質した。今もその言葉に嘘はないつもりだった。

「君の力を借りたい。忙しすぎて、出世はとても望めないだろうが、うちに来ないか」

私は振り返った。ふいに、思いもしなかった懐かしさが胸を締めつけてきた。いつか見た光景——。そうだった。今とよく似たシーンを、私は大切な思い出のひとつとして記憶している。あの時も、同じようにして私は上司から声をかけられたのだ。

——おまえ、射撃が気に入ったんだろ？

——ようこそ、神奈川県警射撃チームへ。

目の前に立っている人物が、懐かしい人のようにも思えてきた。

姿勢を正して私は言った。

「分かりました。お世話になります」

課長は目を見張り、それからちょっとあきれたような苦笑を返した。

「ずいぶんと返事が早いな」

私は頷き、言葉を探した。

「――昔、今と同じように声をかけられ、特練員に誘われたことを思い出しました」

「ほう……。特練員だったのか」

「はい。私はそこで、失いかけていた夢の続きを新たに見ることができました。特練員での経験がなければ、私は今まで警察官として生きてこられなかったような気がするのです」

「そうか。――よし。一課でもう一度新たな夢を見つけろ」

「そうさせていただきます」


迷った末に、厚木へ向かった。

矢木沢家の門扉はひっそりと閉じられていた。緑の生け垣に囲まれた旧家然とした二階屋だった。葬儀から三日が経ち、もう辺りに報道陣の姿は見えなかった。それでも、窓という窓に厚手のカーテンが引かれ、周囲の目を頑なに拒絶していた。

今でも、彼がなぜ死を選んだのか、私には分からなかった。現職警察官が関係業者と組み、同僚を犯罪者に仕立て上げようとし、さらには暴行を加えた。いや、銃を向けた時点で殺人未遂が成立していたかもしれない。いずれにせよ、かなりの不祥事であるのは間違いなかったが、それは死をもって清算せねばならないほどのものだったろうか。

捜査本部にも同様の見方があり、一時期は殺人の可能性も視野に入れての捜査が行われたという。だが、一人で屋上へ向かう彼の姿が目撃され、現場に争った形跡もなく、自殺と断定されていた。

オリンピックの入賞、ワールドカップのメダルという、過去の栄光を持つ者だっただけに、いつしか犯罪に荷担せざるを得なくなっていた自分に絶望し、死を選んだのではないか。彼自身のプライドが、犯罪者となる自分を許せなかったのでは……。そう言われていた。

家族からすれば、私が追いつめ、背中を押したようにも思えただろう。だが、だからこそ身内の前に出て、焼香をしないわけにはいかない気がしていた。

表札の下の呼び鈴を押した。インターホンのスピーカーからノイズが聞こえた。だが、待っても、返事は返ってこなかった。

私は心してマイクに言った。

「川崎中央署でお世話になっていた萱野と言います。身辺が慌ただしく、葬儀に参列できませんでした。よろしければ、ぜひご焼香させていただきたいと思って、今日は参りました」

「お待ちください」

返ってきた声を聞き、私は門柱の前で身を固くした。彼女の声を聞き間違えるはずはなかった。彼女は矢木沢の実家に身を寄せていたのだった。私の訪問に、どう応じたらいいか、家族で相談でもしているのだろうか。

五分近くは待ったと思う。だが、今ここで美菜子と会えるのなら、何分でも待てる、と思った。

しばらくして、玄関の扉はなかなか開かなかった。

しばらくして、玄関のドアが細く開いた。

中から滑り出るようにして、美菜子が顔を見せた。グレーの地味なワンピースを着て、髪を後ろでまとめていた。彼女は素早くドアを閉めると、門扉の前に歩み寄って来た。

彼女の態度で家族の返事が分かった。私を家に上げるつもりは、ない。

美菜子は眉を寄せ、私の前で丁寧に腰を折った。

「ごめんなさい。とてもあなたにご焼香していただけるような雰囲気ではありません」

彼女はドアを出てからずっと、私と目を合わせようとしなかった。

「そうですか。では、ここからでも手を合わさせていただきます」

私は言って、一歩後退した。母屋のほうに向かい、手を合わせて黙禱《もくとう》した。

「ありがとうございます」

美菜子はよそよそしく腰を折ると、片足を引き、すぐにも踵を返そうとした。

私は門扉に近寄り、小声で言った。

「待ってくれ。話したいことがある。落ち着いたら、電話をもらえないだろうか」

彼女は半身になったまま足を止め、静かに——だが、はっきりと——首を振った。

「すべてを説明したい。密告したのは私ではなかったし、矢木沢さんも署長から言われて仕方なく業者に接触をしていたにすぎない……」

「遺書がありましたから」

さえぎるように美菜子が言った。

「私あての遺書が残されていましたから」

遺書があった——。

知らなかった。刑事たちから聞かされていなかった。だが、疑いなき遺書が残されていたのであれば、早々に自殺と断定された証拠のひとつとなったはずだ。警官たちの前から姿を消し、マンションの屋上から飛び降りるまで、三時間近くの間があったと思う。その間、彼女宛の遺書をしたためていたのだろうか。

だが、彼の残した遺書にどれだけの真実が書かれているか、定かではない。死を前にしても、自分を飾ろうとする意思がなかったとは言えないのではないか。

「自分の口から説明をさせてもらえないだろうか」

私は言ったが、美菜子はまたよそよそしく腰を折った。顔を上げると、悲しそうな笑みを作った。

「女って、たまらなく嫌な生き物ね。今度のことで、そう思い知らされた気がします」

「君まで罪の意識を感じることはない」

「夫が死んだというのに、その翌日からでもまた子供を生む準備を体が勝手にするのよ。分かる？　誰の子供でもいいって、体が言ってるみたいで、そんな自分がたまらなく嫌になった」

美菜子は横を向いたまま、唇を強く嚙んだ。

私はその言葉が何を意味するのか、必死に考えようとした。

「あの人……私のために死を選んだの。遺書に何て書いてあったと思う？」

質問ではなかった。私が答えられるはずはないのだから。

「君を渡したくない――それだけだったわ」

私ははっきりと、矢木沢の自殺理由を理解していた。

彼は、犯罪者となる自分が許せずにいたわけではなかった。美菜子の気持ちが自分から離れかけているのをやはり知っていたのだ。

彼は、死を選ぶことによって、美菜子を自分の側に引きつけようとした。自分のプライドにかけて、彼女を私になど渡すわけにはいかない。そう考えて、最後の選択として死を選んだのだ。

美菜子が遠い目をして暮れゆく空をちらりと見上げた。乱れてもいない髪を直すような仕草で耳元に手をやり、言った。

「あの人の思い通りに振り回されるようなものかもしれない。でも……あんな遺書を残されて、どんな顔をしてあなたに会えると思う？」

それこそが、彼の狙い——自殺の動機だった。

彼の死も、幸恵の密告同様に、思い詰めた愛情表現のひとつだったのだ。

美菜子が無言のまま、あらたまって礼を返した。どこから見ても、見事に他人行儀な礼だった。もちろん、私たちはこれまでも他人でしかなかったが。

美菜子の後ろ姿が私の前から離れた。矢木沢家のドアを開け、その向こうへ吸い込まれるように消えた。私は初めて矢木沢を憎みながら、いつまでも門の前に立っていた。死んだ者には勝てなかった。死は、過ぎ去った日々を美しい思い出に塗り替えてしまう。彼との過去を踏みつけにしなければ、彼女は私のもとへ歩いては来られないのだ。

いや、そうではないかもしれない。もとより美菜子は心を決めかねていた。私への想いが、すでに何らかの形をなしていれば、たとえ屍《しかばね》の上を歩いてでも来ようとしたかもしれない。私にそれほどの価値があるのか、という迷いが、もしや今も——。

引きはがすようにして門の前に貼りつく足を動かし、駅へ向かった。時間がどれだけ美菜子の気持ちを溶かし、和らげてくれるだろうか。私を見直すきっかけになってくれるだろうか。それればかりを考え続けた。

どうやって電車を乗り継ぎ、駅を下りたのか記憶になかった。気がつくと、アパートへの道を歩いていた。いつのまにか降り出した小雨が、アスファルトの道を濡らし始めていた。街明かりや車のライトをはね返して光の乱反射する通りを、傘を持たない人々が小走りに私を追い抜いて行った。

駅前のバスターミナルから並木の植わった通りが続いている。歩道の先に、一人の女性が立っていた。傘の花が咲き始め、慌ただしく動き始めた歩道の端に、ぽつりと忘れられたように立つ彼女の姿が見えた。

近づかなくとも、シルエットで私には誰か分かった。

アパートへ帰るには、必ず私はこの道を通る。県警から解放されたと聞き、ここで帰りを待っていたのだ。私を待ち、何を訴えるつもりなのだろうか。父親の仕打ちを詫びるつもりか、それとも、自分の想いのたけをあらためて打ち明けようというのだろうか。

一瞬、立ち止まりそうになった。だが、ここで足を止めて背を向けるのでは、まるで私が彼女の前から逃げるようなものになる。迷いながら、歩いた。どうしたら、いい。引き返すなら今のうちだが、なぜ私が逃げ出さなくてはならない。私の意思はもう何度も彼女に告げていた。私にできることは何もない。彼女に応えるすべは持ち合わせていない。

立ち止まるな。そう告げる声があった。逃げも隠れもする必要はないのだから。

雨粒が少し大きくなった。決して彼女を見ずに歩いた。歩道をたたく雨から視線を上げ、あえて道の先に顔を向けた。

痛いほどに視線を感じた。痛みを受け流して、歩き続けた。彼女を恨むつもりもなければ、同情や哀れみの気持ちもなかった。私と彼女はただの通りすがりの男と女にすぎない。早く私を忘れて、一人で歩く決意をしなくては、いつまでも彼女は泥濘《ぬかるみ》から抜け出せない。私もこれ以上つきまとわれたくなかった。それを分からせるためにも、絶対に彼女を見てはならない。

彼女は泣いていたのだろうか。通りがかった人が立ち止まっては、傘も差さずに立つ彼女を見ていた。すがるような強い眼差しを、右の頬に感じた。雨が少しでも、その視線のはらむ熱を和らげてくれることを祈って歩き続けた。

見てはいけない。意地でも見まいと思った。全身全霊をかけて、彼女は私を見ている。私もありったけの意志と力を集め、顔に表情が出ないように努めて歩いた。見てはならない。その目にからめ取られれば、どんな同情の言葉をかけてしまうか分からなくなる。

ようやく今、彼女の前を通りすぎた。

幸恵は私の前に飛び出そうとも、すがりついて来ようともしなかった。私たちは見ず知らずの他人のように、目も見交わさずにすれ違った。

きっと彼女なら一人でも歩いていける。たとえ、今がずぶ濡れになったとしても。時が濡れた体を乾かし、やがては傷を癒してくれる。

雨に打たれながら、私は私で考えていた。そうだとも。時がすべてを解決してくれる。いつかは美菜子が心を開き、私を振り向いてくれる時も来るだろう——と。

そう。誰にでも夢はある。

《主要参考文献》

「警察六法」警察庁長官官房総務課編集　東京法令出版
「検証　日本の警察」日本弁護士連合会　日本評論社
「ライフル射撃競技規則集」日本ライフル射撃協会
「監査実務質疑応答集」池田昭義　学陽書房

その他、新聞、雑誌等の記事を参考にさせていただきました。

なお、本作品はフィクションであり、実在の場所、団体、個人等とは一切関係ありません。

解説

香山二三郎

真保裕一といえばまず「小役人」シリーズだが、この「小」役人という言葉、ただ身分の低い役人という意味に止まらず、取るに足らない下っ端的なマイナスイメージがつきまとっているようで、個人的にはどうも作品世界にそぐわない気がしてならなかった。主人公の特徴が下級であることより特殊な現場に従事していることに置かれているのを考えればなおさらであるが、残念ながらそれを端的にいい表す言葉がない。いや、ないわけではないのだけれども、たとえば〝特殊公務員〟なんかじゃ長すぎるし語呂もよくない。小役人というシンプルでリズミカルなネーミングにはやはり脱帽せざるを得ないようなのである。

もっとも公職の中にこの語感がフィットするものがないわけではない。警察官もそのひとつだ。全国の警察官の多くが犯罪の抑止、平和の維持に日夜努力されていることは重々承知だが、それでも違反者に高圧的な口調で怒鳴る交通警官等、つい何様のつもり！　といいたくなる光景に出くわすことは珍しくない。庶民を守るべき国家権力の担い手でありながら、この組織には何かと権威を振りかざしたがる手合いが少なくなく、それは「小」どころか

「大」役人に至るまでも同様だったりする。そうした横柄というか専制的で守旧的、なおかつ閉鎖的で陰湿な官僚体質が近年たび重なる不祥事の要因かと思われるが、ことほどさように今、警官は負のイメージとしての「小」の字が相応しい役人に墜《お》ちてしまっている。

してみると、数ある小役人シリーズの中でも、本書『密告』はまさに字義に相応しい代表作というべきなのではないだろうか。何しろこの作品、上司にあらぬ疑いをかけられたヒラの生活安全課員が自らの組織の闇に迫るハードボイルド警察小説なのである。

物語本篇は神奈川県川崎中央署の生活安全総務係に勤める萱野貴之が課長の矢木沢に突然怒鳴りつけられる場面から始まる。やがて萱野は自分が矢木沢の行状を外に指したと疑われているのを知る。確かに数日前、あることから矢木沢の跡を尾《つ》け、業者の接待を受けているのを目撃していた。矢木沢も自分が目撃されたことを察知していたらしい。その一件が新聞にリークされたことから、直ちに萱野の仕業であると考えたのだった。実はこのふたり、知る人ぞ知る深い因縁で結ばれていた。かつて射撃選手としてともにオリンピックを目指したライバル同士だったのだ。しかし八年前、ある出来事を萱野が密告し、矢木沢が代表決定試合を辞退する事件が起きた。矢木沢が彼に疑いをかけるのも無理からぬことだった。孤立無援の萱野は身の潔白を証明するため、密告者探しに乗り出すが……。

冒頭から現在と過去が交錯し、複数の筋が絡み合ってくる。人間関係も一見錯綜しているようであるが、著者は伏線を巧みに忍ばせつつ、過去と現在の密告事件を軸に、萱野と矢木沢夫妻をめぐる三角関係や中央署の内幕等を明かしていく。本書の読みどころが知られざる警察の内部事情にあるのはいうまでもないが、著者は萱野の密告者探しを通じて建物の間取りから人間関係から組織の構造から、つぶさに描き出してみせる。

警察サスペンスとしてのツカミはまず万全といっていいだろう。

秘密主義的な警察の内実を一般人が知るのは容易ではないが、著者はそのネックを易々とクリアしてのけた。それは元警察関係者の手になるものだったといっても通じるほどのリアリティだが、実のところ取材巧者も警察相手にはだいぶ苦労させられたらしい。筆者は本書の初刊本の刊行に際し、著者にインタビューをしている。そのとき伺った苦労話によれば、

真保　何を言っても相手にしてくれませんから。まずは正攻法で警視庁の広報に電話を入れたんですが、ちっとも埒があかない。仕方ないので電波少年じゃないけど、アポなしで行ったんです。

香山　それですんなりOK、出ました。

真保　結果は案の定、ダメでしたけどね。これにはおまけがあって、担当編集者は私を待っている間、警視庁の前をうろうろしていたものだから、警備の警察官に職務質問され名前、生年月日、本籍を聞かれたんです。その警察官は胸についている無線マイクで「自称山田××、生年月日何々、本籍何々」と本部のコンピュータに犯罪歴か何かを照会したそうで

す。

香山　すると警察の取材は全くできなかったということですか。

真保　いいえ、ある県警本部の見学コースに編集者と参加したんです。それで説明係の婦人警官に滅茶苦茶いろんな質問をしました。そうしたら別室に呼ばれて……。

香山　特別に二人だけ。

真保　ええ、「ちょっとあなた方どういうことですか」って。住所、氏名、職業、そしてあらためて取材の目的もくどくど聞かれて。おまけに一般の人も訪れるロビーで、建物の案内図をメモしていたら、なぜか「やめてくれ」と言われました。外へ出せないものなら壁に貼っておくなと言いたいですね。

「イン☆ポケット」（講談社刊／一九九八年四月号）

傑作の陰には作家と編集者の涙ぐましいチームワークあり。だがむろん著者の筆鋒は警察の外面をなぞるだけには止まらない。萱野の単独捜査はやがて署内各所の反発を買い、恫喝されたりデスクを汚されたり、ついにはフレームアップを仕掛けられる羽目にまで陥《おちい》る。やろうと思えばいくらでも罠を仕掛けられる警察権力の恐怖もじっくりと描き出されているのである。むろんそこから浮かび上がってくるのは権力の腐敗にほかなるまい。

本書は「イン☆ポケット」一九九六年四月号から翌九七年一〇月号まで連載された後、九八年四月、講談社から刊行されたが、連載時に警察がどのようなスキャンダルを起こしていたかについては、川邊克朗『日本の警察』（集英社新書）に次の記述がある。

群馬県警、愛媛県警（九五年一〇月）、京都府警（九六年三月）、長崎県警（四月）などで相次いで発覚する拳銃押収捏造事件、（中略）警視庁・カラ支給公金返還訴訟（七月）等々、これら、後述のオウム事件の余震の続くなかで明らかになった一連の警察スキャンダルは、いずれも警察の職務に直接関わるもので、（中略）まさに企業スキャンダルを生んだ腐蝕の構造が警察社会にも深く浸透しはじめていたのである。

これら不祥事については本書でも登場人物のひとりが言及する場面が出てくるが、いっそう深刻になりつつある腐敗の実態を著者はまさに的確にとらえていたのだった。優れた作家は往々にして先見の明を発揮するものだが、この数年の後、厚木署の集団暴行事件等、神奈川県警の一連のスキャンダルが発覚することからしても、著者が優れた先見能力を具《そな》えていることは明らかだろう。

警察ものとしての本書の読みどころはそうしたリアリティや告発性だけではない。主人公萱野が捜査刑事ではなく、文字通りの小役人――署内でデスクワークに従事する事務職の警官であることにも注目されたい。公安刑事や心理捜査官等、近年の日本ミステリーには様々な捜査官がお目見えしているが、デスクワーク専門の警官は本書が初めてだろう。かてて加えて萱野は「術科スペシャリストの集団」である特別訓練員――通称特練員の出身でもある。オリンピックの射撃選手といえば、降旗康男監督の映画『駅　STATION』で主役を演じた高倉健が思い出され、元ラガーのタフガイでありながら、繊細で寡黙、ストイックな萱野のキャラクターとつい重ね合わせたくなるところだが、これはまあ偶然の一致か。

著者の意図は射撃というメンタルなスポーツを媒介に、あくまで過去の清算や誇りの回復に揺れる男の心理の彩を彫り下げることにあった。高倉健というよりは、競馬ミステリーでお馴染みディック・フランシスのストイックなヒーローたち。過去の悪夢を振り捨て再生に賭ける著者のハードボイルドヒーローの中でも極めつきのひとりというべきか。

むろん事務職であり、特練員出身者であることはそのまま小役人シリーズならではの特徴でもあることは改めて指摘するまでもあるまい。

いっぽう本書は優れた恋愛小説でもある。萱野と矢木沢夫妻をめぐる三角関係は、さらに萱野たちの恩師堀越の娘幸恵を交えた四角関係であることが明らかになる。中には、幸恵の一途な思いを知りながらも美菜子への未練を断ち切れない萱野の身勝手さに苛立つ向きもあるかもしれないが、実は著者自身、このふたりのヒロインは「二人ともあまり性格のいい女性とは言いにくいでしょう」（「イン☆ポケット」九八年四月号）と述べている。ただ「いやな女性だけれども不思議な魅力もあってどうしても惹かれてしまう」のだと。一見穏やかで黙って耐えるタイプといえば、日本では良妻賢母の鑑のように謳われてきたが、実はそうい

う タイプこそ魔性の女＝宿命の女であるという卓見。

著者は遠藤京子という萱野の高校の同級生を例にその悪女たる所以《ゆえん》を説いたうえで、彼の女性に対する弱腰ぶりを描いている。その優柔不断な姿勢が情痴小説の主人公を髣髴させるのも面白いところだが、むろんそれは彼のストイシズムと裏表の関係なのである。世の女性読者はふたりのヒロイン像の妙とともに、彼が何故美菜子に入れあげ、幸恵に振り向こうとしないのか、その男心の微妙なありようをぜひ読み取っていただきたいと思う。

作品ごとに様々な試みがなされている小役人シリーズ。警察腐敗という深刻な社会問題を告発する物語に男女関係劇を巧みに絡ませた本書はだが、チャレンジングな姿勢もさることながら、小説家としての著者の熟成ぶりこそ評価すべきなのかもしれない。警察腐敗の根源に公私混同、情実優位といった倫理や規範の解体があることは論をまたないが、著者はそうした病理が日常的な家庭劇、男女劇とも深く連動していることを鋭く見通している。その洞察力が今後どのような物語を生み出していくのか、まずは本文庫と時期を同じくして刊行された新世紀初の長編作品『黄金の島』（講談社）に注目されたい。

ところで三角関係劇といえば、先に上げた「イン☆ポケット」インタビューの最後で筆者は著者からある質問を受けた。本書のラストシーンはある映画のそれを意識したものだというのである。「駅前のバスターミナルから並木の植わった通りが続いている」という一文をつい読み過ごし、頭を抱えてうなるだけの筆者を見て、著者はすんなり答えを教えてくれたが、正直、今思い出しても恥ずかしい。それは映画ファンならずともご存じの、筆者自身、大好きでもある名画だったからだ。ワタクシは著者のように優しくないから、ここでは答えを明かさず、キーワードを示すだけにしておく。

それは、**スイス時計とチター**。

読者は今いちどあの名場面を脳裏に浮かべつつラストシーンを堪能していただきたい。

●本書は一九九八年四月に小社より刊行されました。
初出誌「イン☆ポケット」一九九六年四月号〜一九九七年十月号。

|著者|真保裕一　1961年東京都生まれ。アニメーションディレクターを経て、'91年『連鎖』(講談社文庫)で第37回江戸川乱歩賞を受賞しデビュー。'96年に『ホワイトアウト』(新潮文庫)で吉川英治文学新人賞、'97年には『奪取』(講談社文庫)で日本推理作家協会賞と山本周五郎賞をダブル受賞する。他の著書に、『取引』『震源』『防壁』『朽ちた樹々の枝の下で』『黄金の島』『夢の工房』(いずれも講談社文庫)、『真夜中の神話』(文藝春秋)など多数。近著に『灰色の北壁』(講談社)がある。

密告《みっこく》

真保裕一《しんぽゆういち》

2001年7月15日第1刷発行
2007年2月15日第12刷発行

発行者――野間佐和子
発行所――株式会社 講談社
東京都文京区音羽2-12-21　〒112-8001
電話 出版部 (03) 5395-3510
　　 販売部 (03) 5395-5817
　　 業務部 (03) 5395-3615

Printed in Japan

講談社文庫
定価はカバーに
表示してあります

デザイン―菊地信義
製版――凸版印刷株式会社
印刷――凸版印刷株式会社
製本――株式会社国宝社

落丁本・乱丁本は購入書店名を明記のうえ、小社業務部あてにお送りください。送料は小社負担にてお取替えします。なお、この本の内容についてのお問い合わせは文庫出版部あてにお願いいたします。

ISBN4-06-273199-1

講談社文庫刊行の辞

二十一世紀の到来を目睫に望みながら、われわれはいま、人類史上かつて例を見ない巨大な転換期をむかえようとしている。

世界も、日本も、激動の予兆に対する期待とおののきを内に蔵して、未知の時代に歩み入ろうとしている。このときにあたり、創業の人野間清治の「ナショナル・エデュケイター」への志を現代に甦らせようと意図して、われわれはここに古今の文芸作品はいうまでもなく、ひろく人文・社会・自然の諸科学から東西の名著を網羅する、新しい綜合文庫の発刊を決意した。

激動の転換期はまた断絶の時代である。われわれは戦後二十五年間の出版文化のありかたへの深い反省をこめて、この断絶の時代にあえて人間的な持続を求めようとする。いたずらに浮薄な商業主義のあだ花を追い求めることなく、長期にわたって良書に生命をあたえようとつとめるところにしか、今後の出版文化の真の繁栄はあり得ないと信じるからである。

同時にわれわれはこの綜合文庫の刊行を通じて、人文・社会・自然の諸科学が、結局人間の学にほかならないことを立証しようと願っている。かつて知識とは、「汝自身を知る」ことにつきていた。現代社会の瑣末な情報の氾濫のなかから、力強い知識の源泉を掘り起し、技術文明のただなかに、生きた人間の姿を復活させること。それこそわれわれの切なる希求である。

われわれは権威に盲従せず、俗流に媚びることなく、渾然一体となって日本の「草の根」をかたちづくる若く新しい世代の人々に、心をこめてこの新しい綜合文庫をおくり届けたい。それは知識の泉であるとともに感受性のふるさとであり、もっとも有機的に組織され、社会に開かれた万人のための大学をめざしている。大方の支援と協力を衷心より切望してやまない。

一九七一年七月

野間省一

講談社文庫　目録

椎名　誠　水域
椎名　誠　にっぽん・海風魚旅〈怪し火さすらい編〉
椎名　誠　もう少しむこうの空の下へ
椎名　誠　モヤシ
椎名　誠　アメンボ号の冒険
東海林さだお・椎名　誠　やぶさか対談
真保裕一　連鎖
真保裕一　取引
真保裕一　震源
真保裕一　盗聴
真保裕一　朽ちた樹々の枝の下で
真保裕一　奪取(上)(下)
真保裕一　防壁
真保裕一　密告
真保裕一　黄金の島(上)(下)
真保裕一　発火点
真保裕一　夢の工房
周　大荒・渡辺精一訳　反三国志(上)(下)
篠田節子　贋《がん》作《さく》師《し》

篠田節子　聖域
篠田節子　弥勒
笙野頼子　居場所もなかった
笙野頼子　幽界森娘異聞
下川裕治・桃井和馬　世界一周ビンボー大旅行
下川裕治・篠原　章　沖縄ナンクル読本
篠田真由美　未明の家〈建築探偵桜井京介の事件簿〉
篠田真由美　玄《くろ》い女神〈建築探偵桜井京介の事件簿〉
篠田真由美　翡《ひ》翠《すい》の城〈建築探偵桜井京介の事件簿〉
篠田真由美　灰色の砦〈建築探偵桜井京介の事件簿〉
篠田真由美　原罪の庭〈建築探偵桜井京介の事件簿〉
篠田真由美　美貌の帳《とばり》〈建築探偵桜井京介の事件簿〉
篠田真由美　桜闇〈建築探偵桜井京介の事件簿〉
篠田真由美　仮面の島〈建築探偵桜井京介の事件簿〉
篠田真由美・加藤俊章絵　レディMの物語
重松　清　定年ゴジラ
重松　清　半パン・デイズ
重松　清　世紀末の隣人
重松　清　流星ワゴン

重松　清　ニッポンの単身赴任
重松　清　ニッポンの課長
新堂冬樹　血塗られた神話
新堂冬樹　闇の貴族
島村麻里　地球の笑い方
島村麻里　地球の笑い方　ふたたび
柴田よしき　フォー・ディア・ライフ
柴田よしき　フォー・ユア・プレジャー
新野剛志　八月のマルクス
新野剛志　もう君を探さない
新野剛志　どしゃ降りでダンス
殊能将之　ハサミ男
殊能将之　美《み》濃《の》牛《ぎゅう》
殊能将之　黒い仏
殊能将之　鏡の中は日曜日
嶋田昭浩　解剖・石原慎太郎
新多昭二　秘話　陸軍登戸研究所の青春
首藤瓜於　脳男
首藤瓜於　事故係生稲昇太の多感

講談社文庫　目録

2006年12月15日現在